KB000218

LGCNS 라온화이트햇 빗썸 삼성SDS 메디블록 아톤 두나무

블록체인
산업분야 취업가이드

저자 미래기술정보리서치

취업을 위해 꼭 알아야 하는 용어와 이슈

대표 기업 취업 성공방식

숲과 나무를 동시에 보는 산업분야 스터디

LG CNS RAON bithumb

삼성SDI medibloc ATON 두나무

㈜ 비티타임즈

<제목 차례>

1. 국내 블록체인 관련 기업들 ········ 6
가. 공공·보안 분야 ········ 6
1) LG CNS ········ 6
2) 라온화이트햇 ········ 14
나. 암호화폐 분야 ········ 17
1) 빗썸 ········ 17
다. 산업응용 분야 ········ 22
1) 삼성 SDS ········ 22
2) 메디블록 ········ 30
라. 거래·결제 분야 ········ 33
1) 아톤 ········ 33
2) 두나무 ········ 37
2. 블록체인 관련 기본개념들 ········ 46
가. 정의 ········ 46
나. 블록체인 구조 ········ 49
1) 블록크기 ········ 50
2) 블록헤더 ········ 50
3) 트랜잭션데이터 ········ 51
다. 블록체인 분류 ········ 53
라. 블록체인의 주요 기술 ········ 55
1) P2P(Peer to Peer) ········ 55
2) 해시(Hash) ········ 56
3) 합의 알고리즘 ········ 59
마. 장점 및 단점 ········ 66
1) 장점 ········ 66
2) 단점 ········ 67
바. 블록체인 플랫폼별 기술설명 ········ 71
1) 레이어 0(Layer 0, L0) ········ 72
2) 레이어 1.0(Layer 1, L1) ········ 72
3) 레이어 1.5(Layer 1.5, L1.5) ········ 73
4) 레이어 2.0(Layer 2, L2) ········ 73
5) 레이어 2.5(Layer 2.5, L2.5) ········ 77
6) 레이어 3.0(Layer 3, L3) ········ 77
7) 레이어 4.0(Layer 4, L4) ········ 78
8) 서비스별 블록체인 정의 ········ 78
사. 블록체인 기술변화 ········ 79

3. 블록체인 기술 현황 ········· 85
가. 기술 잠재력과 파급효과 ········· 85
나. 기술내용별 동향 ········· 88
1) 원천기술개발(Source Technology) ········· 88
2) 표준 비즈니스 플랫폼 구축(standard Biz Platform) ········· 91
3) 기존 비즈니스 연계 및 신규 비즈니스 창출(Biz Utilization) ········· 93
다. 특허동향 ········· 94

4. 블록체인 적용 분야 ········· 98
가. 암호화폐 분야 ········· 99
나. 공공·보안 분야 ········· 100
1) 공공기록물 사업 ········· 100
2) 선거나 투표 ········· 101
다. 산업응용분야 ········· 102
1) IoT 분야 ········· 102
2) 이커머스 업계 ········· 103
3) 콘텐츠 유통 ········· 104
4) 콘텐츠 저작권 ········· 104
5) 크라우드 펀딩 업계 ········· 105
6) 부동산 업계 ········· 105
7) 교육과 학술 분야 ········· 107
8) 에너지 분야 ········· 107
9) 모빌리티 분야 ········· 108
10) 기부 분야 ········· 108
11) 헬스케어 업계 ········· 109
12) 소매유통 분야 ········· 110
13) 자동차 공유 및 배차 분야 ········· 110
14) 서플라이체인 관리 분야 ········· 111
15) 의료 분야 ········· 111
16) 신분증 및 개인정보 분야 ········· 112
라. 거래·결제 분야 ········· 113
1) 결제와 송금 분야 ········· 114
2) 보험 업계 ········· 116
3) 스마트 계약 ········· 117

5. 블록체인과 비트코인 ········· 119
가. 비트코인이란? ········· 119

나. 비트코인 작동원리 ······ 122
1) 채굴 ······ 122
2) 조폐 ······ 122
3) 블록(Block) ······ 123
4) 난이도 ······ 124
5) 이체확인(Confirmation) ······ 125
다. 비트코인 시세 ······ 126
라. 비트코인 문제점 ······ 127
마. 비트코인 거래소 ······ 129
1) 업비트 ······ 132
2) 빗썸 ······ 133
3) 코인원 ······ 134
4) 코빗 ······ 135
5) 고팍스 ······ 135
바. 비트코인 가치 전망 ······ 137
1) 송금·결제 시스템 ······ 137
2) 디지털 금 ······ 137
3) 정보 전달 플랫폼 ······ 138
4) 데이터 공유(Shared single data)와 4차 산업혁명 ······ 138
사. 가상화폐 분류 ······ 138
1) 지불형(Payment) 코인 ······ 138
2) 플랫폼(Platform) 코인 ······ 139
3) 스테이블(Stable) 코인 ······ 139
4) 유틸리티(Utility) 토큰 ······ 140
5) 증권형(Security) 토큰 ······ 141
6) 프라이버시(Privacy) 코인 ······ 142
7) 대체 불가능 토큰(NFT·Non-fungible token) ······ 142
8) 중앙은행디지털화폐(CBDC) ······ 142
9) 디파이(DeFi) 코인 ······ 143
아. 비트코인 이외의 가상화폐 ······ 144
1) 이더리움(Ethereum, ETH) ······ 144
2) 리플(Ripple, XRP) ······ 145
3) 에이다(Ada, ADA) ······ 146
4) 솔라나(Solana, SOL) ······ 146
5) 비트코인 캐시 ······ 147

6. 시장현황 ······ 150
가. 블록체인 시장 현황 ······ 150
1) 금융권 ······ 150

2) 비금융권 ······ 158

나. 가상화폐 시장 현황 ······ 162
1) 가상화폐 가격변동성 ······ 162
2) 가상화폐 세금 ······ 165
3) 가상화폐 시장 점유율 ······ 167
4) 해외 주요국 가상화폐 정책 및 시장 동향 ······ 169
5) 국내 가상화폐 정책 ······ 193

7. 전망 ······ 199
1) 해외 ······ 199
2) 국내 ······ 203
8. 참고문헌 ······ 207

1. 국내 블록체인 관련 기업들

1. 국내 블록체인 관련 기업들

가. 공공·보안 분야

1) LG CNS

가) 기업소개[1]

LG그룹 계열 IT서비스 업체로, 삼성 SDS, SK C&C와 더불어 시스템 통합(SI)업체 Big 3로 불리며 특히 SW기업 매출 규모로 4위에 랭크되어있는 대기업이다. 외국계와의 합작 기업 태생이라는 점이 특징이고, 여기에서 기인해 LG계열사 중에서는 상대적으로 자유로운 기업 문화를 갖고 있다고 평가받는다.

<LG CNS, 블록체인 모바일 사원증 사내 서비스 시작>

LG CNS가 블록체인 기술을 적용한 모바일 사원증 '띠딧TM'을 공식 출시하고, 사내 임직원 대상 서비스에 착수했다고 13일 밝혔다.

모바일사원증 '띠딧'은 기존 플라스틱 카드 형태 사원증 기능을 완벽하게 대체한다. '띠딧'을 사용해 사내 위치한 모든 게이트 출입, 식당·카페 결제, 피트니스 출입 등 신원증명이 필요한 곳에서 스마트폰으로 간편하게 인증할 수 있다.

모바일 사원증에는 블록체인 DID 기술이 적용됐다. DID는 '내 정보는 내가 주도적으로 관리한다'는 '자기주권 신원증명' 개념을 구현해 개인 프라이버시를 보호하는 모바일 신원·자격 인증 기술이다. 공인인증서 등 개인정보를 제3기관의 중앙서버에 저장하는 기존 방식에서 벗어나, 스마트폰 등 개인의 기기에 정보를 분산시켜 관리하는 것이 특징이다. 정보 소유권을 개인에게 돌려준다는 의미이자 개인 정보의 탈중앙화가 가능해지는 것이다.

DID는 블록체인 기술의 기본개념을 따른다. 중앙서버에서 거래 내역을 인증하지 않고 모든 사용자들의 거래 내역을 '블록'에 분산 저장, 그 블록들이 연결된 체인(사슬) 즉

---

1) LG CNS홈페이지

공공거래장부에 기록된 내역을 비교해 거래를 인증하는 것이 블록체인 기술이다.

모바일 사원증 사용자는 자신의 신원정보를 스마트폰에 직접 소유한다. 신원증명이 필요한 서비스 이용 시 필수 정보만 제공해 인증 받을 수 있다. 예를 들어, 게이트 출입의 경우 모바일 사원증에 담긴 사원번호, 주민등록번호, 전화번호, 이메일, 사진, 월급계좌와 연계된 카드ID 등 여러 개 정보 중에 사원번호만 제공, LG CNS 직원이 맞는지 여부만 확인하는 방식이다.

이 방식은 DID 기술이 적용된 모든 모바일 신분증에서 활용 가능하며, 해킹이나 개인정보 유출이 원천적으로 불가능하다. 스마트폰 분실 시에는 신고를 통해 모든 권한을 중지할 수 있다.

<IBK투자증권, LG CNS와 손잡고 마이데이터 서비스 오픈>

IBK투자증권은 마이데이터 사업자 LG CNS와 제휴를 맺고 고객 통합자산관리 마이데이터 서비스를 출시했다고 13일 밝혔다. 해당 서비스는 IBK투자증권 MTS(IBK FARM)에서 가입할 수 있으며 은행, 카드, 증권 등 금융 정보를 한 곳에서 볼 수 있다. 또한 투자 수익률과 소비내역을 바탕으로 자산 변동 현황을 주간·월간 리포트로 제공한다.

IBK투자증권 관계자는 “LG CNS의 고도화된 디지털전환 기술을 활용해 흩어져 있는 고객의 금융 데이터를 자동으로 수집하고 분석해 투자와 소비생활에 있어 편리하게 사용할 수 있는 마이데이터 서비스를 준비했다”고 전했다.

<플래티어, LG CNS와 블록체인 기반 NFT 솔루션 개발 맞손>[2)]

양사는 이번 양해각서(MOU)를 통해 국내 최초로 다양한 유형의 이커머스 플랫폼과 유연하게 결합하여 대고객 서비스가 가능한 블록체인 기반의 NFT 솔루션을 공동으로 개발하고, 이와 관련된 제반 업무를 수행하는데 적극 협력하기로 했다. 해당 NFT 솔루션 개발에는 이미 기술이 검증된 LG CNS의 블록체인 플랫폼 ‘모나체인(Monachain)’이 적용된다. 여기에 최고의 이커머스 및 마케팅 솔루션 기술력을 가진 플래티어의 노하우가 더해져, 자사몰이나 이커머스 플랫폼 내에서 NFT 마켓플레이스 기능을 손쉽게 구현할 수 있는 솔루션으로 개발될 예정이다.

이와 함께 암호화폐나 블록체인 기술에 대한 깊은 이해 없이도 자사몰, 이커머스 플랫폼 등에서 NFT를 발행 및 거래하고, 쿠폰·이벤트 등 기존 마케팅 수단과 결합하여

---

2) 플래티어, LG CNS와 블록체인 기반 NFT 솔루션 개발 맞손 / 더구루

고객에게 다양한 마케팅 활동을 펼칠 수 있도록 지원되는 점도 눈여겨볼 대목이다. 이를 통해 양사는 새로운 차원의 고객 경험을 제공하고, 더 나아가 글로벌 시장을 선점하기 위한 노력도 이어갈 계획이다.

<모바일 운전면허증, '블록체인 증명'접목 >3)

모바일 운전면허증은 경찰청(제도 운영)·행정안전부(홍보·예산 등 사업 진행)·도로교통공단(면허 발급)·조폐공사(앱·보안성·카드조달) 등 관계기관 협업을 통해 7월부터 전국적으로 서비스가 시작됐다. 적극적인 소통과 협력을 통해 디지털 신분증 시대를 열었다는 평가를 받고 있다. 모바일 운전면허증은 현재 약 40만명이 가입하여 이용하고 있다.

모바일 운전면허증은 플라스틱 면허증은 위·변조가 가능하지만 새로 개발되는 모바일 운전면허증은 '블록체인 분산신원증명(DID)' 기술을 접목해 위·변조나 도용을 원천 차단하도록 만들어진다. DID 기술은 블록체인에 개인정보를 여러 조각으로 쪼개 저장하고 암호화한 뒤 인증 요청이 있을 때에만 동시에 암호를 풀어 사용하는 방식이라 보안성이 높다고 알려져 있다. 블록체인을 이용하기 때문에 새로운 모바일 운전면허증은 활용 범위가 훨씬 넓어질 전망이다. 단순히 플라스틱 면허증을 대체하는 것뿐 아니라 전국민 온·오프라인 통합 신원 증명 체계로서 시스템이 구축되기 때문이다.

업계에서는 LG CNS가 지난해 모바일 공무원증을 구축한 이력 때문에 높은 점수를 받았다는 평가가 나온다. LG CNS는 지난해 모바일 공무원증 사업에서도 분산신원증명 강자로 손꼽히는 라온시큐어와 맞손을 잡았다. 모바일 운전면허증의 시범사업 격이었던 모바일 공무원증이 지난해 말 무탈하게 도입되면서 이번 입찰에서도 작년과 마찬가지로 양사가 컨소시엄을 꾸렸던 점이 유리하게 작용했다는 평가다. 나라장터의 입찰 평가 결과에 따르면 기술평가점수와 입찰가격점수 모두 삼성SDS보다 LG CNS가 앞섰다.

<블록체인 플랫폼 및 CBDC 파일럿 시스템 구축>4)

LG CNS는 NH농협은행과 CBDC(중앙은행 디지털화폐) 대응 파일럿 시스템을 구축한다. 농협 파일럿 시스템의 기반 인프라로 LG CNS의 블록체인 플랫폼 '모나체인'이 적용된다. 이번 사업에서 모나체인은 NBDC(농협은행 디지털화폐)와 CBDC 간의 호환성을 검증하는 플랫폼으로 활용된다.

---

3) 모바일 운전면허증 나온다…LG CNS·라온시큐어 '블록체인 증명' 접목 / 머니투데이
4) LG CNS-농협銀, CBDC 위한 시범사업 맞손 / 전자신문

LG CNS는 모나체인에 상호운용성 기술을 적용해 각 디지털자산 간의 교환 기능을 구현할 예정이다. 또한, 모나체인을 기반으로 NFT, 스테이블토큰 등 여러 디지털자산의 발행과 유통을 테스트할 계획이다.

LG CNS는 모바일 운전면허증, 조폐공사 지역화폐 시스템 등 다양한 블록체인 사업을 성공적으로 구축해왔다. 업계에 따르면, 최근 빗썸의 메타버스 및 NFT 전문 자회사인 빗썸메타의 NFT 거래소 플랫폼도 LG CNS 모나체인을 기반으로 개발 중인 것으로 알려졌다.

모나체인은 안정성·확장성·유연성을 갖춘 기업용 블록체인 플랫폼이다. 금융·물류·에너지 등 다양한 산업에 적용 가능하다. 자체 토큰 기술과 상호운용성 기술이 적용됐다. 퍼블릭 블록체인과 호환할 수 있고, 토큰 생태계 확장에 용이하다. 지난 2018년에 출시된 이래로 다양한 규모의 기업 프로젝트에 도입됐다. 디지털 커뮤니티 화폐 결제, 디지털 신원 인증, 유통 이력 관리 등 폭넓은 비즈니스 서비스를 구현하는 플랫폼으로 활용되고 있다.

나) 채용공고 소개[5)]

(1) 보안분야 경력채용

(가) 모집분야 상세 내용

조직	직무	상세 내용
보안사업 담당	물리보안 시스템 구축 및 운영	• 상세 모집분야 - 물리보안솔루션 설계/개발 - 물리보안솔루션 운영 - 융합보안 컨설팅, 설계, 구축, 이행 • 필수요건 - 컴퓨터/전산/전자전기계열 전공 학사 이상 - 물리보안 구축 경험(출입통제, 영상감시 등) • 우대사항(해당 내용 중 1개 이상) - spring boot, postgresql, angular 경험자 - 솔루션 운영 경험자 - 공통: 물리보안 자격증 보유 (psp 등) - 물리보안시스템 구축 PM, Engineer, FA 경험
	보안사업 개발 및 보안시스템 운영	• 상세 모집분야 - IT/물리보안 프로젝트 제안/이행 - 고객사업장 IT/물리보안 운영 및 사업지원

5) 인크루트

		• 필수요건 - IT보안 또는 물리보안 프로젝트 제안/이행 경험 - IT보안 및 물리보안 시스템과 프로세스 운영 및 제안/구축 경험 • 우대사항(해당 내용 중 1개 이상) - 보안관련 자격증 보유
	보안 컨설팅 및 보안시스템 구축	• 상세 모집분야 - IT보안 관련 SI 및 컨설팅 수행 • 필수요건 - IT보안 SI 및 컨설팅 수행 경험 • 우대사항(해당 내용 중 1개 이상) - 보안관련 자격증 보유
	OT 보안 설계 및 구축	• 상세 모집분야 - OT 보안 관련 SI 및 컨설팅 수행 • 필수요건 - OT보안 SI 및 컨설팅 수행 경험 • 우대사항(해당 내용 중 1개 이상) - 스마트워크플레이스 혹은 그룹웨어 구축/운영 유경험자 - 다양한 업무포털 시스템 구축/운영 유경험자

(나) 지원 자격 및 절차

지원자격	- 각 모집분야별 업무/ 자격요건 /우대사항을 확인하시어 지원해주시면 됩니다. - 해외여행에 결격사유가 없는 분이어야 합니다. - 남자는 병역필 또는 면제자여야 합니다. (병역특례 신규편입 및 전직은 지원이 불가능합니다)
전형절차	서류전형 > 1차면접 > 2차면접 > 인적성검사 > 건강검진
제출방법	LG그룹 채용사이트를 통한 온라인 지원만 가능 (우편접수, e-mail 접수 및 방문접수 불가) 문의처 : LG Careers 사이트內 [채용문의] → [1:1질문하기]를 이용 (시스템에러, 비밀번호 분실, 기타 채용관련 문의)
기타사항	- 해당 공고는 별도의 마감일정이나 전형일정 등이 정해지지 않았으며, 접수완료된 지원서를 순차적으로 검토하여 서류합격/불합격을 안내할 예정입니다. - 각 단계별 전형결과는 지원서 상에 기재한 이메일로 안내되며, LG그룹 채용사이트를 통해 확인하실 수 있습니다. - 외국어 역량과 관련하여 전형단계 중에 별도로 공인어학성적표를 요청할 수 있습니다. (최근 2년이내의 유효한 공인어학성적을 보유하고 있는 경우 지원서 접수시 해당 공인어학성적을 입력하시기 바랍니다.) - 지원서의 내용이 사실과 다르거나 문서증빙이 불가능할 경우 합격이 취소되

	거나 전형상의 불이익을 받을 수 있습니다. 지원서 작성시에는 반드시 인적 사항을 재확인하셔서 오류가 없도록 해주시기 바랍니다. - 취업보호대상자(보훈대상자/장애인), 기초 생활 수급자 및 차상위 계층은 관련 법규에 의거하여 우대합니다. - 입사지원 관련 구비서류는 최종합격자에 한하여 제출하게 됩니다. - 면접결과에 따라 면접횟수가 증가될 수 있습니다.

(2) 솔루션사업개발담당 - 블록체인

(가) 모집분야 상세내용

전공	컴퓨터공학
근무지	서울특별시
인원	- 명
상세내용	■ 상세 모집분야 ① 블록체인 기반의 시스템 구축 SI사업 이행 및 자체 블록체인 플랫폼 서비스 개발/운영 - 모나체인을 기반으로한 블록체인 네트워크 및 응용 시스템 개발로 금융, 통신, 유통, 항공, 제조 등 다양한 고객사 단일고객 뿐만 아니라 여러 고객사가 함께 컨소시엄으로 구축하는 비즈니스의 플랫폼 개발을 위한 Fabric 체인코드 개발 및 응용 어플리케이션 개발 (웹, 앱) - 퍼블릭 블록체인의 연계를 통한 비즈니스의 확장 어플리케이션 구축 - 블록체인의 필수 어플리케이션인 지갑 개발 (키관리, 전자서명, DID VC 등) ② 블록체인 아키텍트 - 모나체인을 기반으로한 시스템 구축 시 TA와 협업하여 블록체인 플랫폼 구축, 개발환경 셋업, 응용 환경 구축 시 SWA와의 협업을 통해 전체적인 블록체인 시스템과 주변 응용 시스템의 기술 아키텍쳐 셋업 및 성능 확보 - 퍼블릭 블록체인 연동을 위한 시스템 아키텍쳐링 - HSM 연동 등 키관리 환경 구축 등 다양한 블록체인 기반의 응용 시스템 구현을 위한 아키텍쳐링을 책임지는 역할 ■ 필수요건 ①Java/Java Script 개발역량 필수 ②블록체인 프로젝트 설계/개발 경험(Public or Private) ③PRIVACY 기술에 관심이 있으신 분 ④디지털 화폐에 관심 있으신분 ⑤Token(FT/NFT)/DeFi/Web3.0/DAO 시장에 관심이 있으신 분 ⑥개발언어 : Java, Go Lang, Node.js, Javascript/Typescript 중 1개이상 가능

	⑦블록체인 기술에 대한 호기심과 열정 보유 ⑧이슈나 어려운 문제에 대해 팀원들과 공유하며 함께 해결하기 위한 의사소통 능력 ■ 우대사항 ① 블록체인 전문성 : 이더리움, 솔라나 등 퍼블릭 블록체인 관련 개발 전문성 보유자, Hyperledger Fabric 전문가 (rust, Golang 등) ②앱/지갑/보안 관련 전문성 : react native, Android/IOS 앱개발 전문성 Node.js, Web3.js, key 관리관련/암호화암고리즘/보안솔루션 ③블록체인 (Ethereum, Hyperledger Fabric 등) 관련 프로젝트 경험자 ④솔루션 및 프레임워크 설계/개발 경험자 ⑤애자일 프로젝트 경험자 ⑥클라우드 관련 아키텍트, SWA역량 보유

(나) 지원자격 및 절차

지원자격	- 각 모집분야별 업무/ 자격요건 /우대사항을 확인하시어 지원해주시면 됩니다. - 해외여행에 결격사유가 없는 분이어야 합니다. - 남자는 병역필 또는 면제자여야 합니다. (병역특례 신규편입 및 전직은 지원이 불가능합니다)
전형절차	서류전형 > 1차면접 > 2차면접 > 인적성검사 > 건강검진
제출방법	LG그룹 채용사이트를 통한 온라인 지원만 가능 (우편접수, e-mail 접수 및 방문접수 불가) 문의처 : LG Careers 사이트內 [채용문의] → [1:1질문하기]를 이용 (시스템에러, 비밀번호 분실, 기타 채용관련 문의)
기타사항	- 해당 공고는 별도의 마감일정이나 전형일정 등이 정해지지 않았으며, 접수완료된 지원서를 순차적으로 검토하여 서류합격/불합격을 안내할 예정입니다. - 각 단계별 전형결과는 지원서 상에 기재한 이메일로 안내되며, LG그룹 채용사이트를 통해 확인하실 수 있습니다. - 외국어 역량과 관련하여 전형단계 중에 별도로 공인어학성적표를 요청할 수 있습니다. (최근 2년이내의 유효한 공인어학성적을 보유하고 있는 경우 지원서 접수시 해당 공인어학성적을 입력하시기 바랍니다.) - 지원서의 내용이 사실과 다르거나 문서증빙이 불가능할 경우 합격이 취소되거나 전형상의 불이익을 받을 수 있습니다. 지원서 작성시에는 반드시 인적사항을 재확인하셔서 오류가 없도록 해주시기 바랍니다. - 취업보호대상자(보훈대상자/장애인), 기초 생활 수급자 및 차상위 계층은 관련 법규에 의거하여 우대합니다. - 입사지원 관련 구비서류는 최종합격자에 한하여 제출하게 됩니다. - 면접결과에 따라 면접횟수가 증가될 수 있습니다.

다) 취업팁과 이슈

(1) 직무소개

스마트
- 교통
- 그린솔루션
- 팩토리
- 콘텐츠&서비스
- 디펜스
- 헬스케어

임베디드SW
- 임베디드SW

IT
- IT 서비스

Marketing
- 디지털 마케팅

해외금융
- 정보화
- 자동화

Consulting
- Consulting

Advanced Analytics
- AA

(2) 채용현황

신입/경력 채용현황

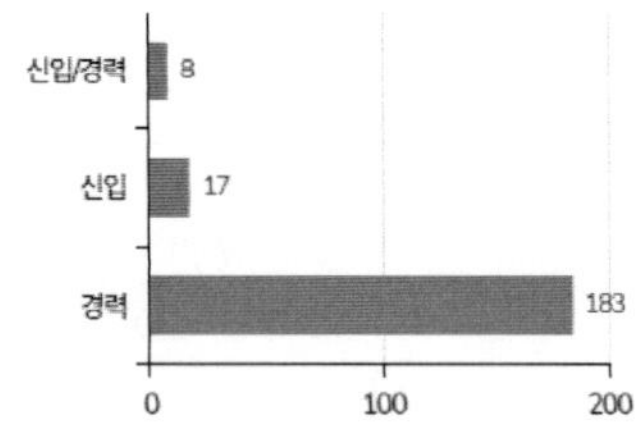

고용형태

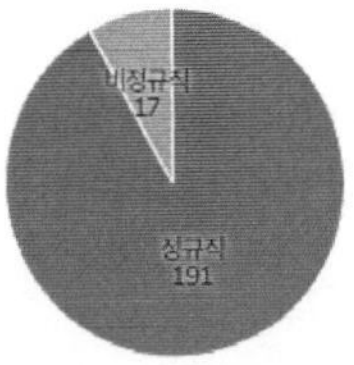

주요 모집 직종

클라우드	50
인공지능(AI)	50
IT기술지원	42
컨설팅	37
빅데이터	37

최근재직자 현황

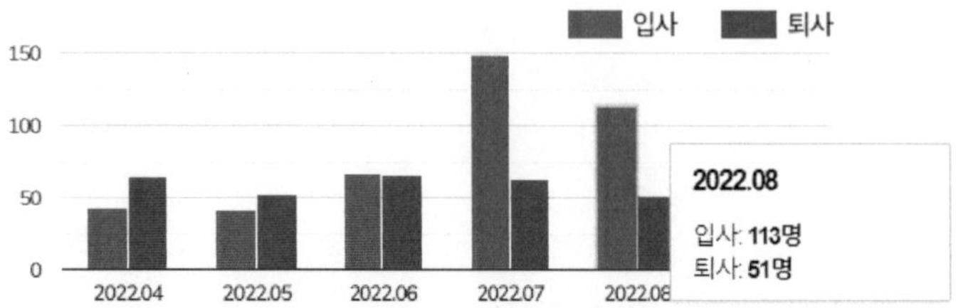

총 인원6,476명

ⓘ 정보제공 : 국민연금공단

(3) 참고내용

주요서비스	전자 / 화학 / 공공 / 통신 / 신사업
인재상	꿈과 열정을 가지고 세계에 도전하는 사람 / 고객을 최우선으로 생각하고 끊임없이 혁신하는 사람 / 팀웍을 이루며 자율적이고 창의적으로 일하는 사람 / 꾸준히 실력을 배양하여 정정당당하게 경쟁하는 사람
비전	최고의 IT서비스 기술역량으로 고객의 비즈니스 혁신 선도 Digital Innovation Leader
미션	LG WAY

2) 라온화이트햇

가) 기업소개

RAON WhiteHat

우수한 블록체인 R&D 역량과 연구진을 보유한 라온화이트햇은 블록체인 인증[BaaS], 디지털 인증(IDaaS), 화이트햇 컨설팅 서비스를 제공하며 메타버스, NFT 등 빠르게 변화하는 디지털 세상의 신뢰를 높이기 위한 다양한 보안·인증 서비스를 끊임없이 발굴하고 있는 기업이다.

<라온화이트햇, 3분기 SaaS형 '통합인증 서비스' 출시>[6]
라온시큐어 자회사 라온화이트햇(대표 이정아)은 라온에스엔씨 합병 절차를 마무리하고, '디지털 통합 인증 서비스 기업'으로 경쟁력 강화에 나선다고 28일 밝혔다.

라온화이트햇은 그 첫 단계로 올 하반기 '옴니원 통합인증 서비스'를 선보인다. '옴니원 통합인증 서비스'는 다양한 모바일 신분증, 디지털 증명서, 사설 인증서를 한 곳에서 쉽고 편리하게 이용할 수 있도록 제공하는 차세대 통합인증 서비스다.

2020년 말 전자서명법 개정 이후 사설 인증 서비스가 확대되고, 코로나19 장기화로 인한 비대면 서비스 증가와 정부의 디지털 전환 정책 추진에 따라 모바일 신분증 및 전자 증명서 도입 또한 본격화되고 있다. 이에 서비스를 제공하는 기관 및 기업은 물론 이용자 개인 차원에서도 온라인 상에서 관리해야 할 인증서, 신분증, 자격증명서의 종류와 범위가 급격히 늘어나게 됐다.

'옴니원 통합인증 서비스'는 다양한 사설 인증서를 통한 간편 인증뿐 아니라 국가 공인 모바일 신분증, 대학교 모바일 학생증, 졸업증명서, 금융 기관에서 발급한 금융 거래 및 신용 관련 증명서 등 각종 모바일 신분증과 디지털 증명서를 활용한 신원 인증 및 자격 검증 서비스까지 한 곳에서 제공한다.
서비스 도입 기관 및 기업들은 '옴니원 통합인증 서비스'를 통해 수많은 신원인증 및 자격증명 서비스를 개별로 구축하는데 소요되는 시간과 비용을 절감할 수 있으며, 다양한 인증 서비스를 손쉽게 연동하고 통합 관리함으로써 디지털 인증 시장의 변화에 발빠르게 대응 가능하다. 이용자들은 흩어져 있는 모바일 신분증과 디지털 증명서를 한 곳에서 관리하고, 하나의 통합 인증창을 통해 간편하게 본인 인증과 자격 검증을 수행할 수 있다.

라온화이트햇은 DID 기반 자격 및 증명서 검증 시스템인 '옴니원 TA 서비스'를 시작으로, 클라우드 기반 사설인증 검증 중계 시스템 '옴니원 사설인증 SaaS'를 3분기 내 순차적으로 출시할 예정이다. 이를 통해 연말까지 사설 인증과 자격 및 증명서를 통합으로 검증할 수 있는 SaaS 기반 통합인증 시스템인 '옴니원 통합인증 서비스'의 로드맵을 완성한다는 계획이다.

변준모 라온화이트햇 서비스사업본부장은 "기관이 수많은 인증서와 증명서의 연동을 고민하고 있는데, 옴니원 통합인증 서비스를 통해 한번의 이용 계약으로 모든 모바일/디지털증명서/사설인증서를 이용하고, SaaS형 통합인증 서비스를 통해 기존의 SDK 구축 대비 일주일 안애 서비스를 시작할 수 있다"고 설명했다.

나) 채용공고 소개[7]

---

6) 라온화이트햇, 3분기 SaaS형 '통합인증 서비스' 출시 / ZDNET korea

(1) [서울] PL

주요업무	(DID/인증영역) 수행PM/사업관리, 개발PL, 개발
자격요건	- SI사업 수행 경험자 및 사업관리 능력 보유자(PM/PL) - 개발 경력 5년 이상 - 고객과의 의사소통 능통자 - 제안서, 발표자료, 관리문서 등 문서 작성 능력 - 제안발표 능력 - Web/WAS/DB등 시스템 S/W 기능에 대한 기본 지식 - 블록체인, 간편인증 등에 대한 이해력 - 외주 개발/인프라 업체 소싱 및 협업 경험
우대사항	- 공공사업 PM/PL 업무 경험자 - 블록체인/DID 관련 사업 경험자 - 전자서명, PKI, 암호화 이론지식 보유자
기타	※ 채용절차의 공정화에 관한 법률에 따라 입사지원서는 최종합격 발표일 이후 14일부터 180일 이내 반환을 청구할 수 있으며, 반환 청구 기간이 경과한 후에는 개인정보 보호법에 따라 지체 없이 파기합니다.

(2) 보안컨설턴트 (3년이상)

주요업무	- 정보보호 취약점 진단 컨설팅 수행 - 정보시스템 취약점 진단 및 모의해킹 - 윈도우, 유닉스 취약점 진단 / 네트워크 / 보안 솔루션 취약점 진단 - 웹 / 모바일 앱 취약점 진단
자격요건	- 관련업무 경력 3년이상 보유하신 분
우대사항	- 정보보호 및 개인정보보호 관리체계 통제항목에 대한 이해를 가지신 분 - 정보보호관리체계 수립 컨설팅 PL 경험 있으신 분 - 클라우드 취약점 진단 경험 있으신 분(AWS, Azure 등) - 정보보호 및 유관학과를 전공하신 분 - 보안기사, CISA, CISSP, (개인)정보보호 관련 자격증 소지하신 분 - 기반시설 취약점 분석평가 경험 있으신 분 - 개발보안 프로젝트 경험 있으신 분 - SW보안취약점 진단원 자격 보유하신 분 - 정보보호 전문서비스 기업 근무 경력 있으신 분 - 새로운 IT 기술에 대한 관심 및 연구 활동에 관심이 많으신 분
기타	※ 채용절차의 공정화에 관한 법률에 따라 입사지원서는 최종합격 발표일 이후 14일부터 180일 이내 반환을 청구할 수 있으며, 반환 청구 기간이 경과한 후에는 개인정보 보호법에 따라 지체 없이 파기합니다.

7) wanted 홈페이지

다) 채용절차

모집시기	상시채용
전형절차	[전형절차] 서류전형 - 1차면접(실무) - 인적성검사(참고용) - 2차면접(임원) - 최종합격 ※ 실무면접 시 일부 직무는 기술테스트 또는 PT 진행됩니다)

라) 취업팁과 이슈

(1) 참고내용

주요서비스	IT통합보안·인증
미션	즐겁고 신뢰받는 IT세상을 만들어 갑니다.
비젼	모두에게 신뢰받고 친숙한 차세대 IT보안 솔루션/서비스 리더

나. 암호화폐 분야

1) 빗썸

가) 기업소개

빗썸은 매일 82만명이 방문하고 하루 평균 약 2조 2천억원에 달하는 가상자산이 거래되는, 그리고 월렛(Wallet)과 대체불가능토큰(Non-Fungible Token, NFT), 메타버스(Metaverse)등의 기술을 바탕으로 블록체인 기반의 암호화폐 생태계를 선도하고 있다. 2013년 12월 엑스코인(xcoin)이라는 이름으로 개설된 비트코인 거래소를 모태로 하고 있다. 이후 2015년 6월 거래소의 이름을 빗썸(Bithumb)으로 변경하여 현재에 이른다. 업비트에 이어 총거래액 기준 국내 2위에 위치하고 있으며 특금법 시행으로 빗썸, 업비트 등 국내 대형 거래소의 투자 쏠림 현상이 더 커질 것으로 보고 있다. 2021년 1월 7일 빗썸은 KRW마켓에 이어 BTC 마켓을 오픈했다. 최초 5개 코인(이더리움, 라이트코인, 비트코인캐시, 리플, 이오스)을 상장했으며 향후 상장 될 예정인 가상자산 정보와 상장 스케쥴은 별도 공지를 통해 안내하겠다고 밝혔다.

나) 채용공고 소개[8)]

(1) 블록체인 시스템 엔지니어(정규직)

담당업무	• IDC 및 AWS 서버 설계/구축/운영 • 블록체인 노드 설계/구축/운영 • 각종 모니터링 솔루션 설계/구축/운영
필요역량	• 인프라 경력 5년 이상이신 분 • AWS/GCP 등의 시스템 구축/운영 경력 3년 이상이신 분 • 의사소통이 원활하고 창의적인 대안 제시가 가능하신 분 • 리눅스 및 윈도우 시스템 운영/관리에 능숙하신 분 • 각종 스크립트 작성이 가능하신 분
우대사항	• 블록체인 네트워크 업데이트 및 패치 경험이 있으신 분 • 각종 네트워크/보안 장비 운영 경험이 있으신 분 • 시스템 운영 자동화를 경험해보신 분 • Docker, Kubernetes 경험이 있으시고 활용에 능숙하신 분 • 7x24 서비스 사이트 운영 경험이 있으신 분
근무지	서울 강남구

(2) 블록체인 개발(정규직) - 5년 이상

담당업무	• 블록체인 기술 분석 및 개발 • 블록체인 노드 운영 및 코어 개발
필요역량	• 개발 경력 5년 이상이신 분 • 하나 이상의 프로그래밍 언어를 이용하여 시장에 출시된 서비스를 개발한 경험이 있으신 분 • 블록체인 관련 업무를 진행 중이거나 경험이 없더라도 블록체인 개발에 새롭게 도전해 보고 싶으신 분 • On-premise 및 Cloud 인프라 환경에 대한 지식과 서비스 개발 경험이 있으신 분
우대사항	• 기술적 성장에 관심이 많고 새로운 기술을 적용하는데 두려움이 없으신 분 • 블록체인에 사용되는 암호화 기술 및 KEY 체계에 대한 이해가 있으신 분 • Bitcoin, Ethereum, Klaytn 등 블록체인 기술을 이해하는 분 • 기술적 성장에 관심이 많고 새로운 기술을 적용하는데 두려움이 없으신 분 • Kubernetes, Docker, EKS, Kafka, HSM 등을 활용한 서비스 개발 및 운영 경험이 있으신 분 • JIRA, Confluence, Git, Slack 사용 경험이 있으신 분
근무지	서울 강남구

8) 인크루트

(3) Back End(정규직) - 체결엔진 개발

담당업무	• 빗썸 거래소의 가상자산 거래를 빠르고 안정적으로 처리 할 수 있는 체결엔진 개발 • 대규모 트래픽을 고려한 안정적인 서비스 아키텍처 설계/개발/운영 • 거래 시스템의 성능 개선을 위해 아키텍처, 개발, DB, DevOps, Network 등의 복잡하고 다양한 이슈 해결
필요역량	• 개발 경력 3년 이상이신 분 • 대규모 트래픽을 처리하는 시스템을 설계/개발한 경험이 있으시거나, 트래픽을 어떻게 처리할지에 대한 고민을 함께 하면서 작업을 진행하시는 분 • Spring Boot(Java, Kotlin) 기반으로 서비스를 구축/운영한 경험이 있으신 분 • 트러블 슈팅 및 성능 개선 경험이 있으신 분(JVM 기반의 어플리케이션) • 새로운 기술 또는 프레임워크에 대한 학습에 두려움 없이 도전하고 즐기시는 분
우대사항	• AWS 클라우드 환경에서의 개발/운영 경험이 있으신 분 • 다양한 언어(JAVA, PHP, C/C++, Go등)를 경험하셨거나, 분석이 가능하신 분 • Kafka, SQS 등을 활용한 비동기 메시지 기반 개발 경험이 있으신 분 • Elasticsearch, MongoDB, Redis 등의 사용 경험이 있으신 분 • 더 나은 테스트 코드를 작성하기 위하여 고민하시는 분 • 기술 문서 등 새로운 기술과 지식의 공유에 즐거움을 느끼시는 분 • 애자일 개발 프로세스에 대한 이해와 경험이 있으신 분 • 전산 관련 전공이시거나 또는 전산 관련 지식을 보유하신 분
근무지	서울 강남구

(4) Back End(정규직) - 거래소 서비스 개발 (3년 이상)

담당업무	• 가상자산 거래/시세/자산/회원 서비스에서 사용하는 API 개발 ※ 사용 기술 : JAVA Spring Boot, PHP, Kafka, Redis, MongoDB, Oracle, MySQL, JPA, Gradle, Jenkins, ELK 등
필요역량	• 개발 경력 3년 이상이신 분 • 최소 하나 이상의 프로그래밍 언어를 사용하여 실제 고객에게 서비스 되는 프로젝트에 참여한 경험이 있으신 분 : Bitbucket, Gitlab, Bambo • Java Spring Boot 기반 대고객 서비스 개발 경험이 있으신 분 • RESTful API 개발 경험이 있으신 분 • 관계형 Database, Kafka, Redis 등을 활용한 개발/운영 경험이 있으신 분 • AWS 환경에서의 개발 경험이 있으신 분 • 개발 방법론에 대한 이해를 가지신 분 • Git을 활용한 SW 형상관리 경험이 있으신 분 • JPA, Query DSL 등 ORM을 활용한 경험이 있으신 분

우대사항	• 커머스/O2O/핀테크/포털 출신이신 분 • MSA 기반의 비동기 서비스 구축 경험이 있으신 분 • PHP CodeIgniter Framework 개발 경험이 있으신 분 • Code Review 등의 협업 방식에 거부감이 없으신 분 • JIRA/Confluence, Git을 사용한 협업 경험이 있으신 분 • 도전적인 마인드를 가지고 동료와의 협업을 즐거워하시는 분 • 전산 관련 전공이신 분
근무지	서울 강남구

(5) Back End(정규직) - 거래소 서비스 개발 (7년 이상)

담당업무	• 가상자산 거래/시세/자산/회원 서비스 개발 및 운영 ※ 사용 기술 : JAVA Spring Boot, Kafka, Redis, MongoDB, Oracle, MySQL, JPA, Gradle, Jenkins, ELK 등
필요역량	• 개발 경력 7년 이상이신 분 • 최소 하나 이상의 프로그래밍 언어를 사용하여 실제 고객에게 서비스 되는 프로젝트에 참여한 경험이 있으신 분 • Java 기반으로 대용량 실시간 트래픽을 처리하는 고성능 서비스 개발 경험이 있으신 분 • Spring 혹은 Spring Boot 기반의 서비스 구축/운영 경험이 있으신 분 • RESTful API 개발 및 서비스 설계/운영 경험이 있으신 분 • 관계형 Database, Kafka, Redis 등을 활용한 개발/운영 경험이 있으신 분 • High Avaiablity & Scalability 설계를 기반한 AWS 환경에서의 API 개발 경험이 있으신 분 • MSA 기반의 비동기 서비스 구축 및 운영 경험이 있으신 분 • JUnit 등을 활용한 테스트 자동화 및 리딩 경험이 있으신 분 • Agile 개발 방법론(Scrum 혹은 Kanban)에 대한 깊은 이해가 있으신 분 • Git Flow 전략 수립이 가능하신 분 • JPA / Query DSL 등 ORM을 통한 Tech Leading이 가능하신 분
우대사항	• 커머스/O2O/핀테크/포털 출신이신 분 • 코드 표준화 및 TDD 구축 경험이 있으신 분 • PHP CodeIgniter Framework 개발 경험이 있으신 분 • Code Review, Pair Programing 등의 협업 방식에 거부감이 없으신 분 • JIRA/Confluence, Git을 사용한 협업 경험이 있으신 분 • 도전적인 마인드를 가지고 동료와의 협업을 즐거워하시는 분 • 전산 관련 전공이신 분
근무지	서울 강남구

다) 채용절차

• 서류전형 > 1차 기술 인터뷰 > 2차 임원 인터뷰 > 최종합격 * 본 공고는 수시채용으로 진행되며, 채용 완료 시 조기에 마감될 수 있습니다. * 서류전형 결과에 따라 Pre-Test(전화 인터뷰 또는 온라인 테스트)가 진행될 수 있습니다. * 채용절차는 일정과 상황에 따라 사전 안내 후 변경될 수 있으며, 각 전형의 결과는 개별적으로 안내하여 드립니다. * 입사 후 3개월의 수습기간을 적용하며, 평가 결과에 따라 수습기간이 연장되거나 채용이 취소될 수 있습니다. * 지원서에 기재된 내용 중 허위 사실이 발견될 경우 채용이 취소될 수 있습니다. * 국가 유공자 · 장애인 등 취업보호대상자는 관계법령에 따라 우대합니다.

라) 취업 팁과 이슈

(1) 채용현황 및 모집직종

신입/경력 채용현황

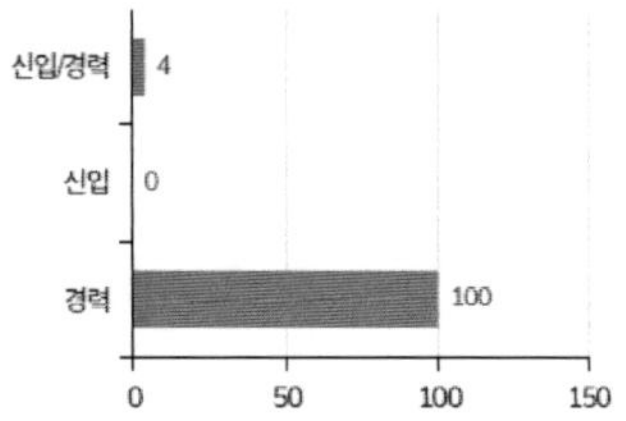

고용형태

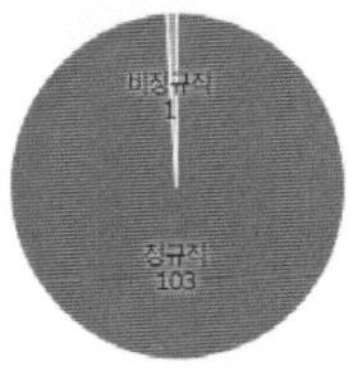

주요 모집 직종

웹개발	26
백엔드	25
정보보안	23
웹표준	21
JAVA	18

최근재직자 현황

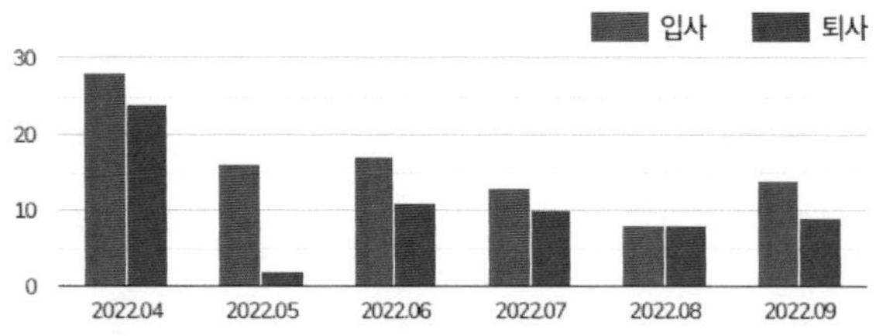

총 인원362명

정보제공 : 국민연금공단

다. 산업응용 분야

1) 삼성 SDS

가) 기업 소개[9]

삼성(三星) 계열 전산업체로, 삼성의 IT서비스와 물류 사업을 담당하고 있다.
SDS는 Samsung Data System의 준말이지만, 사측은 고유명사라고 홍보하고 있다.
에스코어, 미라콤아이앤씨, 멀티캠퍼스, 시큐아이 등을 자회사로 두고 있다.

삼성SDS는 기업환경에 최적화된 클라우드 기반의 IT 서비스, 솔루션/플랫폼을 제공하고, 글로벌 End-to-End 물류 서비스를 실행하고 있다. 다양한 업종 경험과 디지털 기술역량을 바탕으로 기업 및 공공 부문의 IT 혁신을 선도하고 비즈니스 경쟁력을 강화하는 컨설팅-구축-운영에 걸친 통합 서비스를 클라우드 기반으로 제공하는 한편, 고객의 공급망 계획 수립부터 물류 실행까지의 전 과정을 관리 운영하는 End-to-End 물류 서비스를 제공한다.

<고객의 디지털 혁신을 리딩하는 클라우드 기업>
삼성SDS는 자체 클라우드 플랫폼(SCP, Samsung Cloud Platform)으로 확보한 차별화된 원천기술과 다양한 업종에서 축적된 글로벌 퍼블릭 클라우드(AWS, Azure, Google 등) 경험을 바탕으로, 국내 최대 글로벌 클라우드 센터(17개)를 통해 기업에 최적화된 Hybrid/Multi 클라우드 전환/운영 서비스를 제공한다.
이를 기반으로 지난 37여 년간 축적된 AI/데이터 분석/클라우드 보안 등의 디지털 기술 역량이 접목된 업무 프로세스별 SaaS 도입 및 운영 서비스를 통해, 비즈니스에 최적화된 솔루션을 제시하고 궁극적인 클라우드 기반 디지털 혁신을 가능하게 한다.

9) 삼성SDS 홈페이지

<삼성 SDS, 클라우드 기반의 서비스형 블록체인(Baas, Blockchain-as-a-Service 사업 확대 나선다)>[10]

삼성SDS가 블록체인 기술로 문서 위·변조 문제를 해결해 주는 '페이퍼리스' 서비스를 출시하면서 클라우드 기반의 서비스형 블록체인(BaaS, Blockchain-as-a-Service) 사업 확대에 나선다.

'페이퍼리스'는 계약서, 동의서, 증명서 등 위·변조가 우려되는 각종 문서를 블록체인 기술을 활용해 안전하게 관리해주는 서비스로 각종 증빙이 필요한 업무 또는 투표 등 다양한 분야에서 활용할 수 있다.

특히 삼성SDS는 별도의 서버에 대용량 문서 또는 민감한 개인정보 등의 데이터를 암호화해 저장하고, 해당 문서나 데이터에 대한 해시값만 블록체인에 기록하는 오프체인(Off-Chain) 기술을 '페이퍼리스에 적용했다.

이를 통해 대용량 문서로 인한 블록체인 속도 저하를 방지할 수 있고, 일정 기간 보관 후 폐기가 필요한 문서 관리를 할 수 있다. 아울러 문서 생성·변경·폐기 등 모든 이력은 실시간 블록체인에 기록되므로 데이터에 대한 신뢰성과 투명성도 확보할 수 있다.

고객은 별도의 시스템을 구축할 필요 없이 삼성SDS가 제공하는 페이퍼리스 표준 기능(API)을 연계해 각종 계약/증명/투표 등에 손쉽게 활용할 수 있다. 실제로 삼성SDS는 페이퍼리스 서비스를 임직원 연봉계약과 사내투표, 인증서 관리 등에 적용go 복잡한 프로세스를 간소화하고 편의성을 높였다.

<물류에 IT 융합한 삼성SDS, 차세대 스마트 물류 실현했다>

물류 산업은 이커머스 시장의 확대, 국가 간 교역량 증가 등으로 중요성이 강조됐다. 특히 코로나19 팬데믹에서 비롯된 물류 공급망 위기를 겪으며, 물동량과 물류 흐름의 파악, 최적 경로 분석, 재고 관리 등의 필요성을 실감했다.

이를 극복하기 위해 업계에서는 물류에 IT 서비스를 접목하고 있다. AI, 데이터 분석 등의 IT 기술은 운송과 관련된 전 과정을 관리·분석하며, 최적의 경로와 합리적인 비용을 제시한다. 이는 오늘날 물류 업계가 지향하는 스마트 물류의 실현이다.

이에 첼로 스퀘어는 빠른 견적과 간편한 예약, 실시간 트랙킹, 투명한 정산 서비스를 앞세워 수출입 물류의 디지털 혁신 사례를 늘려가고 있다. 이를 뒷받침하는 것은 AI, 데이

10) 삼성SDS, 클라우드 기반의 서비스형 블록체인(BaaS, Blockchain-as-a-Service) 사업 확대 나선다 / 블록체인 밸리

터 분석, RPA, IoT, 블록체인 등을 갖춘 삼성SDS의 기술력이다.

첼로 스퀘어는 삼성SDS의 디지털 물류 서비스다. 삼성SDS는 축적된 IT 역량을 바탕으로 물류 산업의 디지털 혁신을 가속화할 예정이다. 이를 위해 국제 운송, 내륙 운송, 창고 관리, LMD, VAS 및 회수 물류까지 전 영역에 걸쳐 서비스를 제공하고 있다.

이러한 삼성SDS의 물류 역량은 세계 10위권을 웃돈다. 삼성SDS는 현재 전 세계 36개 국가에서 1900여개의 물류 파트너와 협업해 연간 항공 약 41만 t, 해상 약 101만 TEU 등 물동량을 기록했다. 지난해에는 해외 비중 97%로 매출 8.0조 원을 달성하기도 했다.

한편, 삼성SDS의 강점으로 손꼽히는 부분은 글로벌 네트워크와 IT 기술을 앞세운 고객 맞춤 4PL(Fourth Party Logistics) 서비스다. 4PL 서비스는 항공·해상·육상·철도 운송, 창고 관리, 통관 등 물류 실행 서비스를 비롯해 물류 수준 진단 및 컨설팅, 업종 특성을 고려한 전략 수립, 첨단 기술을 활용한 부가 서비스 등 물류 전 영역을 포괄한다.

이와 함께 통합 물류 아웃소싱 서비스는 고객 물류 전 과정의 아웃소싱으로 글로벌 거점간 유기적 연계를 강화하고, 각 물류 영역을 통합 운영함으로써 시너지 효과를 극대화한다. 또한, 물류 컨택 포인트 단일화로 효율적인 물류 운영을 추진한다.

나) 채용공고 소개

(1) 2022년 하반기 3급 신입사원 채용 공고

지원자격 및 모집분야	• 2023년 2월 이전 졸업 또는 졸업 예정인 분 (2023년 1월 ~ 2월 입사 가능한 분) • 해외여행에 결격사유가 없는 분(남자의 경우 병역필 또는 면제자 등) ※군복무 중인 경우 2022년 12월 31일까지 전역 예정인 분 • 영어회화자격을 보유하신 분 (OPIc 및 토익스피킹에 한함)

<table>
<tr><td></td><td>
<table>
<tr><td>직군</td><td>모집 전공</td><td>영어회화 최소등급</td></tr>
<tr><td>소프트웨어직</td><td>전산/컴퓨터, 전기전자, 산공, 기계, 통계(이공), 수학, 물리 등 관련전공</td><td>IL(OPlc) Level 5 또는 110점(토익스피킹)</td></tr>
<tr><td>IT컨설팅직</td><td>전공무관</td><td>IH(OPlc) Level 7 또는 160점(토익스피킹)</td></tr>
<tr><td>물류직</td><td>전공무관</td><td>IH(OPlc) Level 7 또는 160점(토익스피킹)</td></tr>
<tr><td>경영지원직</td><td>전공무관</td><td>IH(OPlc) Level 7 또는 160점(토익스피킹)</td></tr>
<tr><td>UX디자인직</td><td>디자인(UX, 시각, 산업, HCI)</td><td>해당사항 없음</td></tr>
</table>
청각장애인을 위한 별도 어학 평가기준 : 청각장애인용 TEPS 성적 380점, NEW TEPS 200점 이상 지원 가능
</td></tr>
<tr><td>전형절차 및 일정</td><td>

</td></tr>
<tr><td>지원안내</td><td>
• 삼성채용홈페이지에 로그인하여 지원서를 작성하시면 됩니다.
• 지원서는 9월 14일(수) 오후 5시(한국시간)까지 제출하셔야 합니다. 마감일은 홈페이지 접속 인원이 급증할 것으로 예상디ㅗ오니, 마감일 이전에 충분히 여유를 가지고 등록하여 주시기 바랍니다.
• 국가등록장애인 및 국가보훈 대상자는 관련법 및 내부규정에 의거하여 우대합니다.
• 다음 사항에 해당되는 분은 내부규정에 의거하여 우대합니다.
1. 중국어자격 보유자 : 필기 BCT (620점 이상), FLEX 중국어 (620점 이상), 新HSK (新 5級 195점 이상)
2. 공인한자능력자격 보유자 : 한국어문회 (3급 이상), 한자교육진흥회 (3급 이상), 한국외국어평가원 (3급 이상), 대한검정회 (2급 이상)
3. 한국공학교육인증원이 인증한 공학교육 프로그램 이수자
• 지원서에 기재한 내용이 사실과 다르거나, 학위증명서 등 관련 서류 미제출 또는 허위 서류 제출 등의 경우 채용이 취소될 수 있습니다.
• 전형단계별 결과는 삼성채용홈페이지에서 확인하실 수 있습니다.
</td></tr>
</table>

(2) Samsung Convergence SW Academy 모집 공고

지원자격 및 모집분야	• 2023년 2월 이전 졸업 또는 졸업 예정인 분 (2023년 1월 ~ 6월 SCSA 교육과정 수료 후 2023년 7월 ~ 8월 입사 가능한 분) • 해외여행에 결격사유가 없는 분(남자의 경우 병역필 또는 면제자 등) ※군복무 중인 경우 2022년 12월 31일까지 전역 예정인 분 • 영어회화자격을 보유하신 분 (OPlc 및 토익스피킹에 한함)

<table>
<tr><td></td><td>
<table>
<tr><td>직군</td><td>모집 전공</td><td>영어회화 최소등급</td></tr>
<tr><td rowspan="2">소프트웨어직</td><td>인문계(상경, 어문, 인문, 사회, 법정, 예체능 등)</td><td rowspan="2">IL(OPlc) Level 5 또는 110점(토익스피킹)</td></tr>
<tr><td>자연계(물리, 수학, 화학, 생물, 지구과학 등)</td></tr>
</table>
청각장애인을 위한 별도 어학 평가기준 : 청각장애인용 TEPS 성적 380점, NEW TEPS 200점 이상 지원 가능</td></tr>
<tr><td>전형절차 및 일정</td><td>
</td></tr>
<tr><td>SCSA 교육과정 안내</td><td>• SCSA에 선발되시는 분은 2023년 1월 교육과정에 입과하게 됩니다.
일정 : 2023년 1월 ~ 6월 (6개월)
※ SCSA 교육과정은 소프트웨어 비전공자들이 충분히 이수 가능하도록 기초부터 실전까지 단계별로 구성되어 있어 교육과정 이수 후 소프트웨어 전문가로 성장할 수 있습니다.

• 교육과정 수업료는 회사가 지원하며, 교육기간 중 소정의 교육지원비를 지급합니다.
• 교육과정 수료자에 한해 입사가 가능합니다.
1. 수료 : 교육과정을 이수하고 소정의 시험에 합격한 경우 수료로 인정
2. 입사 : 2023년 7월 ~ 8월 중
3. 입사시 3급 신입사원과 동일한 처우기준 적용
4. 교육기간 6개월 경력 인정</td></tr>
<tr><td>지원안내</td><td>• 삼성채용홈페이지에 로그인하여 지원서를 작성하시면 됩니다.
• 지원서는 9월 14일(수) 오후 5시(한국시간)까지 제출하셔야 합니다. 마감일은 홈페이지 접속 인원이 급증할 것으로 예상디ㅗ오니, 마감일 이전에 충분히 여유를 가지고 등록하여 주시기 바랍니다.
• 국가등록장애인 및 국가보훈 대상자는 관련법 및 내부규정에 의거하여 우대합니다.
• 다음 사항에 해당되는 분은 내부규정에 의거하여 우대합니다.
1. 중국어자격 보유자 : 필기 BCT (620점 이상), FLEX 중국어 (620점 이상), 新HSK (新 5級 195점 이상)
2. 공인한자능력자격 보유자 : 한국어문회 (3급 이상), 한자교육진흥회 (3급 이상), 한국외국어평가원 (3급 이상), 대한검정회 (2급 이상)
3. 한국공학교육인증원이 인증한 공학교육 프로그램 이수자
• 지원서에 기재한 내용이 사실과 다르거나, 학위증명서 등 관련 서류 미제출 또는 허위 서류 제출 등의 경우 채용이 취소될 수 있습니다.
• 전형단계별 결과는 삼성채용홈페이지에서 확인하실 수 있습니다.</td></tr>
</table>

(3) 22년(하) 클라우드서비스사업부 경력사원 채용 공고

<table>
<tr>
<td>지원자격 및 모집분야</td>
<td>
지원서접수 기간 : '22.08.02(화) 09:00 ~ '22.08.17(수) 17:00
근무형태 : 정규직
근무지역 : 직무별 상이 (잠실/수원/상암)
지원자격 : - 공통 필수사항 : 병역필 또는 면제자로 해외여행에 결격사유가 없는 자
- 공통 우대사항 : 학사 학위 소지자로 4년 이상 경력 보유자(석사 학위 소지자는 경력 2년 이상)
<table>
<tr><th>모집 직무</th><th>수행 업무</th><th>지원자격</th></tr>
<tr>
<td>안전관리자</td>
<td>- 안전관리 체계 수립, 실행 및 관리
•사업장 안전점검 계획 수립 및 이행, 안전관리
•안전/보건/소방에 관련되어 있는 법규를 사업장 및 공사성 PJT에 적용, 안전관리자 (관리감독자)의 역할 수행
•안전보건관리책임자 역할 보좌 및 수행

- 사업장 안전 유해/위험요인 분석 및 방지 대책 수립
•안전보건경영시스템 구축 및 운영관리
•안전환경 위험분석 및 평가, 문제 사항들에 대한 개선 계획 수립

- 임직원 교육 및 안전의식 강화 캠페인 추진</td>
<td>[필수사항]
- 안전관리자 등 법정 업무 경력
- 안전보건업무 기획 및 실행 유경험자

[우대사항]
- 산업안전(산업)기사, 건설안전(산업)기사, 소방설비기사 등 유관 자격 보유자
- 건설, 유틸리티, 제조 등 현장 안전관리 관련 직무 경험자

※근무지 : 잠실, 상암, 수원 등 비고정 배치</td>
</tr>
<tr>
<td>클라우드 SCP/MSP 아키텍트 -요구분석</td>
<td>- 클라우드 딜리버리 업무 수행
•시스템 현황 분석
•SCP, 퍼블릭클라우드 인프라 및 네트워크 구축 및 검증
•데이터 마이그레이션
•클라우드 전환 Roll out</td>
<td>[필수사항]
- 인프라 구축 및 Application 개발 경험 또는 개발환경 구축 경험
- SCP, 퍼블릭 클라우드 (AWS, Azure, GCP, NBP 등) 구축 및 운영경험
- B2B/B2C 플랫폼 분석/설계 경험
- PJT 관리 및 백엔드 기획 경험

[우대사항]
- Software Architecture</td>
</tr>
</table>
</td>
</tr>
</table>

			or Technical Architecture 경험 - API 활용 스크립트 기반 구축 자동화 역량 ※Terraform, Ansible, K8s Helm 기반 자동화 스크립트 작성역량 ※ 근무지 : 잠실, 수원
	MSP Application - 분석/설계 - 개발 - 아키텍쳐	-MSP사업 Poc 및 적용기술 지원 - Cloud Architect •인프라(TA) 아키텍쳐 분석/설계구축, 서버용량/가용성/릴리즈 관리 - 대내외 MSP사업프로젝트 참여 - 시스템 전환 후 사용자 교육 및 클라우드 서비스 교육 - 클라우드 관련 실행기술 개발 - 어플리케이션 개발/운영	[필수사항] •경력 中 아래 유관 경험 1개 이상 보유자 - MSP사업에 대한 기본 이해, 클라우드 기술역량 - JAVA, SQL 프로그래밍 역량 - 오픈소스 기반 아키텍쳐 운영/설계/개발 역량 - 인프라 관련 TA업무 수행 경험 - 데이터 설계, DB(Oracle) 관련 경험 - 대내외 개발 프로젝트 경험 - MSP기술컨설팅 관련 컨설턴트 역할 [우대사항] - 고객 대상 구축형 시스템 사업 개발/운영 경험 및 컨설팅 리딩/수행 경험 - 컨설팅, 제안, 프로젝트 PM/PL경험 보유 - 클라우드 및 시스템(인프라 관련) 업무 경험 ※근무지: 잠실
전형절차	지원서접수 → 서류전형 → 면접전형 → 건강검진 → 최종합격 최종합격 발표시기 : '22, 10월 중		
지원방법	1. 삼성채용 홈페이지(http://www.samsungcareers.com) 로그인 ※ 계정이 없으신 분들은 먼저 회원가입을 완료하시기 바랍니다. 2. 지원회사 및 지원공고 선택 후 지원서 작성 3. 본 공고에 첨부된 입사지원서 다운로드 후 작성 ※ 첨부된 당사 입사지원서를 작성하신 후 '이력서 첨부'란에 해당파일을 첨부하시기 바랍니다. (파일명은 "입사지원서_성명_지원부문")		

다) 취업팁과 이슈[11]

(1) 채용현황

신입/경력 채용현황

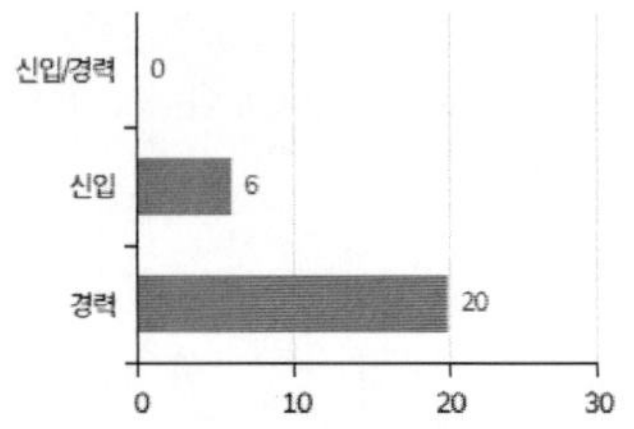

고용형태

주요 모집 직종

물류관리	8
번역·통역	7
소프트웨어	7
영어	6
IT기술지원	6

최근재직자 현황

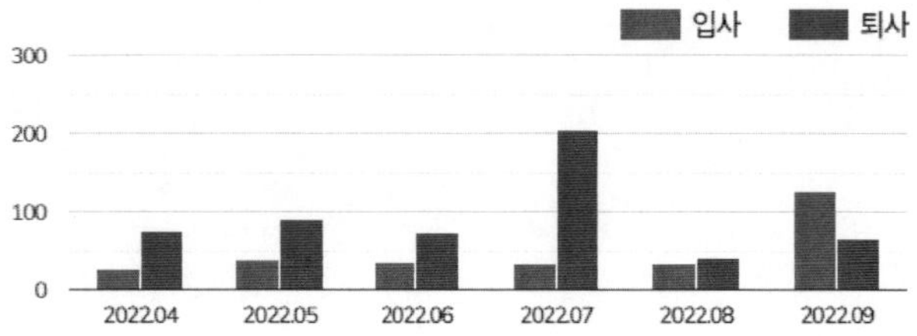

총 인원 11,785명

정보제공 : 국민연금공단

(2) 참고 내용

주요서비스	Digital / Industry / Solutions / Services
슬로건	Realize your vision
비전	Data-Driven Digital Transformation Leader
미션	2020 글로벌 탑 티어
핵심가치	고객 최우선 / 도전적 실행 / 소통과 협력 / 인재 존중 / 글로벌 지향

11) 인크루트

2) 메디블록

(1) 기업소개[12]

medibloc

메디블록은 의료정보에 블록체인 기술을 사용하는 탈중앙화 시스템을 구축하는 프로젝트이자 기업이다. 별개의 의료기관에 분산되어 있던 환자의 의료기록들을 블록체인을 통해 접근할 수 있는 통합 의료정보 시스템을 구축하는 것이다. 메디블록은 Qtum 블록체인을 기반으로 한 MED(MediToken, 메디토큰) 암호화폐를 발행하였고, 2017년 12월 15일 토큰판매(ICO)를 성공적으로 마치고 플랫폼을 개발 중에 있다.

개발자이자 동시에 의사이기도 한 동료 두 명이 모여 현장 경험을 바탕으로 의료 데이터의 가치를 극대화하자는 포부를 갖고 설립하였다.

<메디패스, 구로성심병원과 연동>[13]

커져가는 의료데이터 플랫폼의 중요성 속에서도 개인정보·의료정보의 유출에 대한 위험성과 모바일 기기 터치만으로 편리하게 실비청구와 제증명 발급 신청을 할 수 있지만, 전산 오류나 병원의 실수로 잘못된 의료데이터가 생성되는 경우에 대한 우려 속에서 시스템 구축을 망설이는 케이스는 여전히 국내 의료현장에서 흔하게 볼 수 있다.

하지만 블록체인 기술을 활용해 자신의 건강 데이터를 안전하고 간편하게 관리할 수 있도록 하는 환자중심의 의료정보 플랫폼을 완성하는 목표에 한 발짝 다가서고 있는 의료기관이 있어 주목된다.

구로성심병원 허정민 원장은 “현재 활용하고 있는 메디블록의 ‘메디패스’는 블록체인

---

12) 메디블록 홈페이지

13) 구로성심병원은 왜 메디블록 '메디패스'를 택했나? / 의학신문

방식으로 환자데이터를 보관 가능하다"며 "환자의 개인정보와 의료정보를 안전하게 전달할 수 있다는 것이 강점이라고 봤고, 환자가 병원에 직접 내방해서 진행해야 했던 일들을 가장 효율적으로 온라인화 시킬 수 있을 것"이라고 말했다.

메디패스는 블록체인 기술을 기반으로 의료기관 및 개인을 통해 생성된 데이터를 직접 환자가 안전하게 관리하고 활용할 수 있는 헬스케어 서비스이다. 설치 즉시 간단한 본인 인증을 통해 지난 3년 동안의 대형병원의 진료 내역을 조회할 수 있다. 진료가 완료된 후에는 약 10초 정도의 시간만 소요하면, 간편하게 보험청구가 가능하다.

3) 채용공고 소개[14)]

가) [닥터팔레트] 시니어 프론트엔드 개발자

주요업무	• 클라우드 기반 병원정보시스템(EMR)인 닥터팔레트 개발 및 리딩 - 애플리케이션 요구사항 및 인터페이스 디자인 검토 - 사용자 인터페이스 디자인 검토 - 사용자 인터페이스 개념을 지원하기 위한 프론트엔드 아키텍처 개발 및 구현 - 반응형 인터페이스 구현 • 기술 스택 : Graphql, Typescript, RxJs, React, Flutter • 개발 환경 : AWS, Turborepo, Pnpm, Apollo • 협업 환경 : Github, Slack, Figma, Google Tools
자격요건	• 오픈소스, 패키지의 사용 보다 본인이 직접 만들어 쓰는 것을 즐기시는 분 • 프론트엔드 성능 모니터링 및 개선점 도출이 가능하신 분 • 프론트엔드 팀 리드, 교육, 멘토링 경험이 있으신 분 • 경력 6년 이상
우대사항	• 다양한 개발 프로세스를 경험 • 대규모 프로젝트의 CI/CD 를 직접 구축해본 경험 • backend 지식 보유 • Browser 기반 디버깅 및 성능테스트 소프트웨어 경험 • Graphql 을 활용한 개발 경험 보유 • 크로스 플랫폼 모바일 앱 개발 경험 보유 • 반응형 프로그래밍에 대한 이해, 경험이 있으신 분
경력사항	경력 6 ~ 10년, 정규직

나) [메디패스 앱] 플러터(flutter) 개발자

주요업무	• 의료 데이터 활용의 중심이 될 모바일 헬스케어 앱 메디패스 개발 개인 github 주소 또는 개인 블로그가 있다면 함께 전달해주시면 좋습니다

14) 인크루트

	• 기술 스택 : Dart + Flutter • 개발 환경 : RxDart, Retrofit
자격요건	• 프론트엔드 혹은 Android 혹은 iOS 개발 경력이 2년 이상이거나 그에 준하는 역량을 가지신 분 • 새로운 기술(Flutter) 사용에 흥미가 있으신 분
우대사항	• 서비스 오픈 및 운영 경험이 있으신 분 • Flutter를 활용한 개발 경험이 있으신 분 • Clean Architecture, Reactive Programming 에 대한 이해가 높으신 분 • 확장 가능한 구조 설계를 위한 고민을 하시는 분 • 기술 부채를 해결하고 리팩토링에 대한 거부감이 없으신 분 • 모바일 앱을 사용하는 유저들을 위한 UI/UX 에 관심이 많으신 분 • 개발 뿐만 아니라 서비스 전체에 대한 문제를 함께 해결함으로써 성취감을 느끼시는 분
경력사항	경력 2 ~ 10년, 정규직

다) 역제안

메디블록이 미처 생각하지 못한 새로운 포지션을 먼저 제안해주세요!

단, 어떤 포지션으로 지원하고자 하시는지 그리고 짧아도 괜찮으니
어떤 이유에서 지원하신건지도 자기소개서 내용에 녹여주세요 :D

상시 모니터링 하며 적극 검토 하겠습니다 : D

라) 채용절차

모집시기	상시채용
모집방법	공개채용
지원방법	메디블록 홈페이지를 통한 온라인 지원
전형단계	서류전형 > 1차면접 > 2차면접

마) 취업팁과 이슈

(1) 채용현황

신입/경력 채용현황

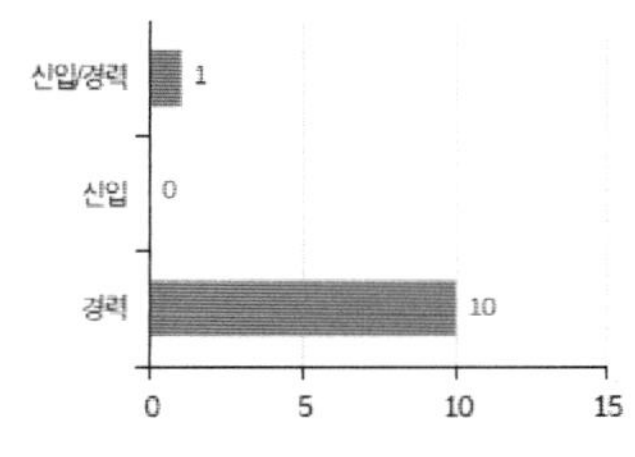

고용형태

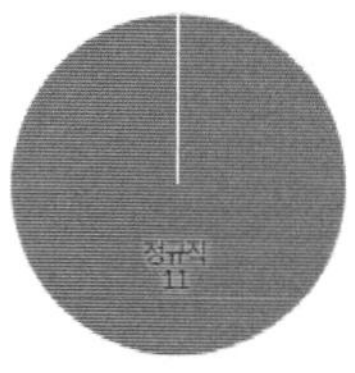

주요 모집 직종

백엔드	6
프론트엔드	5
영업기획	2
영업관리	2
JAVA	2

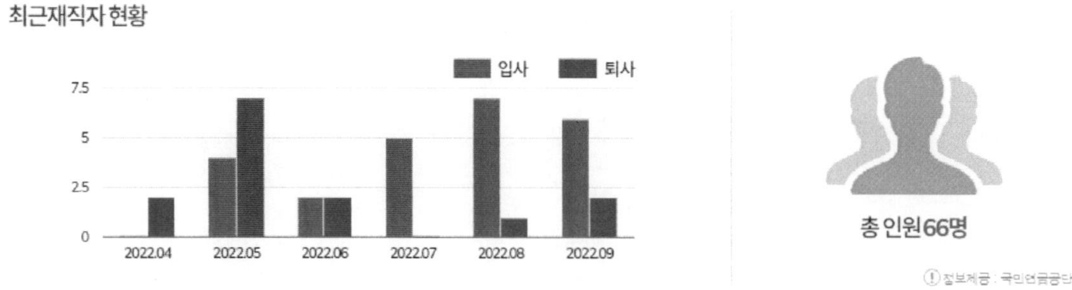

라. 거래・결제 분야

1) 아톤

(1) 기업소개

1990년 10월 13일에 시스템 소프트웨어 개발 및 공급업을 영위할 목적으로 설립되었으며 현재 핀테크 보안 솔루션과 간편인증 서비스를 주 사업으로 영위하고 있음. 제품 및 서비스는 '핀테크 보안 솔루션,' '핀테크 플랫폼', '티머니 솔루션', '스마트 뱅킹'으로 나뉜다. 계열회사는 동사를 포함하여 비즈인포그룹, 케이에프씨, 에이티애널리틱스 등 4개사이다. 2019년 10월 17일 코스닥 시장에 상장하였다.

주식회사 아톤은 1999년 설립 후, 금융기관들이 간편하면서도 안전한 서비스를 제공할 수 있게 하는 핀테크 보안 소프트웨어 기업으로, 국내 최초의 모바일 증권 거래 서비스를 개발한 이래, 국내 최초의 안드로이드 모바일 뱅킹, 세계 최초의 보안매체 금융 솔루션을 출시하며 핀테크 보안 기업으로 성장했다.

기술 혁신과 20년 간의 금융 IT 서비스 경험을 통하여 핀테크 보안 분야를 선도하며 사업 영역을 다각화, 전문화하고 있다는 평가를 받고 있다.

<핀테크 보안 기업 아톤, 스마트 전자영수증 서비스 사업 진출>[15)]
해당 사업은 주무부처인 과학기술정보통신부와 주관기관인 한국인터넷진흥원이 적극 지원하는 사업으로, 아톤은 '스마트 전자영수증 서비스'의 서비스 개발 및 운영, 서비스 확산을 총괄하게 된다.

스마트 전자영수증 서비스 사업은 KISA 표준의 전자영수증 규격에 따라 카드 결제 시 발행되는 종이 영수증을 전자적인 형태로 대체하는 사업이다.

종이 영수증 발행 비용으로 인한 사회적 비용을 절감할 수 있고, 대국민 편의성도 향상될 것으로 기대된다. 아울러 검증된 블록체인 기술을 적용하여 서비스의 신뢰 수준도 높인다.
전자영수증 시장은 2천억 원 규모로 추산되는데, 아톤은 우선 올해 12월 시범 서비스에 착수, 내년에는 강력한 고객 기반을 확보한 애플리케이션 플랫폼을 통해 범용적인 상용서비스로 출시할 계획이다. 또한 전자영수증을 통해 축적되는 빅데이터를 활용한 데이터 사업으로도 사업을 확장할 방침이다.

한편 아톤은 이번 사업을 위해 페이퍼리스 플랫폼(Paperless Platform)을 지원하는 KT 비즈메카와 협력할 예정으로, 각 부문의 전문 기업 간의 분야별 역할 분담으로 전문적이고 체계적으로 사업을 추진한다.

나) 채용공고 소개

(1) 서버 개발(경력)

담당 업무	• 이동통신사 부가서비스 개발 • Front or Back - End 서버 개발 • 제휴사 연동 interface 개발(RESTful, API, Socket 등)
지원자격	• 경력 : 2년 이상 • 학력 : 4년대 이상(학사 이상) • HTML, CSS, JQuery, Java 개발 경험 보유자 • 웹 어플리케이션/Open API 개발 경험 보유자
우대사항	• 이동통신사 서비스 개발 경험 보유자 • 오픈소스 이해 및 활용 경험 보유자 • 암호화 적용 서비스 개발 경험 보유자 • AWS서비스 개발 및 운영 경험 보유자 • 논리적이고 체계적인 문제 해결 능력 보유자 • 팀원들과의 원활한 커뮤니케이션 능력 보유

15) 핀테크 보안 기업 '아톤', 스마트 전자영수증 서비스 사업 진출..."2천억 원 시장 노린다. / 팍스경제

(2) 사업기획(경력)

담당 업무	• 사업 및 영업 • 인증사업 기획 및 영업
지원자격	• 경력 : 사업 도는 서비스 제안서 작성 3년 이상 • 학력 : 4년대졸 이상/전공 무관 • 액셀 및 파워포인트(MS Office) 스킬 “상” 보유자
우대사항	• 인증사업 기획 및 솔루션 영업을 해본자 • 팀원들과의 원활한 커뮤네케이션에 능통한 자 • 사업계획 및 제안서 작업을 해본 자

(3) 서비스기획(경력)

담당 업무	• 이동통신사 관련 서비스 기획 • IT서비스 기획
지원자격	• 경력 : IT서비스 기획 경력 2년 이상 • 학력 : 무관 • 플랫폼 기획 프로세스에 대한 이해가 있는 자
우대사항	• 서비스 구성, 기획, 관리 등의 경험 2년 이상 보유자 • 문서작성 우수자 • 엑셀 고급 능력자 • 뛰어난 프레젠테이션 능력 보유자 • 데이터 분석이 가능한 자

(4) IOS개발자(경력)

담당 업무	• 이동통신사 부가서비스 개발 • 신규서비스 IOS개발
지원자격	• 경력 : 5년 이상 • 학력 : 4년제 이상(학사 이상) • 전공 무관 • 논리적이고 체계적인 문제해결이 가능한 자 • Objective C, Swift 언어 사용 가능자
우대사항	• 컴퓨터/시스템 공학 • 정보처리기사 자격증 보유자 • 금융 또는 이동통신사 서비스 개발 경험 보유자 • 오픈소스에 대해 활용 가능한 자 • FIDO 구축 경험 보유자 • 암호화 적용 서비스 개발 경험 보유자

(5) Andorid 개발자(경력)

담당 업무	• 이동통신사 부가서비스 개발 • 신규서비스 Android 어플리케이션 개발
지원자격	• 경력 : 3년 이상 • 학력 : 대졸 • Android 개발 및 런칭 경험 보유자 • Java, Kotlin 사용 가능자 • Objective C, Swift 언어 사용 가능자
우대사항	• 이동통신사 서비스 개발 경험 보유자 • 다양한 분야의 사람과의 협업 가능자 • 팀원들과의 원활한 커뮤니케이션에 능통한 자 • 오픈소스에 대해 활용 가능한 자 • 논리적이고 체계적인 문제 해결이 가능한 자 • 정보처리기사 자격증 보유자

(6) 채용절차

• 사전 서류 검증 과정을 거쳐, 지원자께 개별적으로 연락 드립니다. • 전체 인터뷰 절차는 총 3단계로 구성됩니다. [1단계] 서류심사, [2단계] 실무 역량 검증(실무 담당자) [3단계] 조직 적합성 검증(임원진) • 2,3단계 인터뷰는 아톤 여의도 본사에서 진행됩니다.

(7) 취업팁과 이슈

(가) 직무소개

신입/경력 채용현황

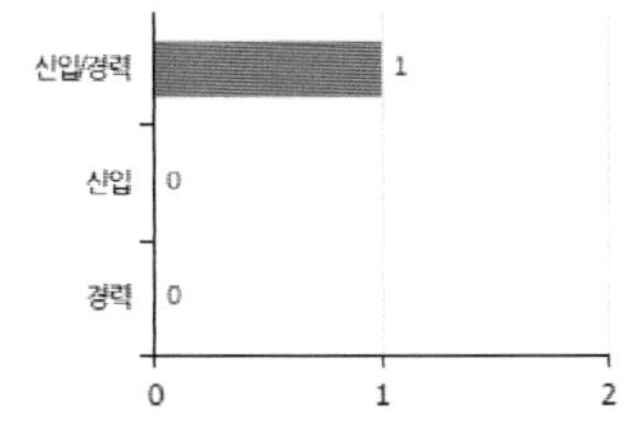

고용형태

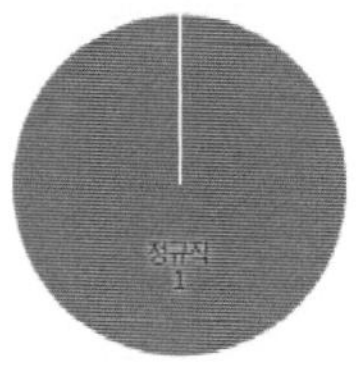

주요 모집 직종

iOS	1
백엔드	1
서비스기획·운영	1
기타 서버운영·관리	1
웹기획	1

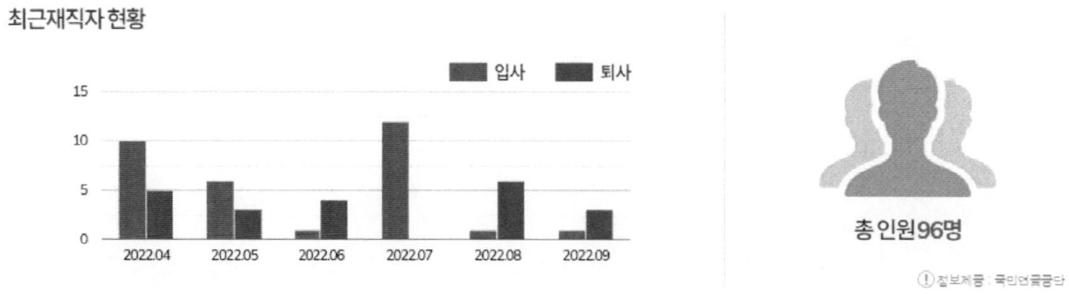

2) 두나무

가) 기업소개

Dunamu

두나무는 대한민국의 블록체인 가상자산거래 및 증권거래를 서비스하는 기업이다. 두나무의 서비스로는 업비트(암호화폐거래소), 증권플러스(증권거래앱), 세컨블록(메타버스) 있으며 그중 업비트는 가상자산거래 시장점유율 1위를 달리고 있다.

2012년 설립된 후 10년만인 2022년에 자산총액이 10조원이 넘어서며 대기업에 지정되었다. 공정위가 공시대상 기업집단(준대기업)과 상호대출 제한 기업집단(대기업)을 나누어 지정한 2017년 이래 준대기업 지정을 건너뛰고 단숨에 대기업으로 지정된 것은 두나무가 첫 사례다. 또한 암호화폐 기업이 대기업에 지정된 것도 처음이다.

나) 채용공고 소개[16]

(1) Endpoint 보안 솔루션 운영 담당자

주요 업무	• 사내 엔드포인트/네트워크 보안솔루션 운영 • 보안 관련 로그 점검 및 모니터링 • 보안솔루션 관련 요청 및 문의 대응
자격 요건	• 5년 이하의 정보보안 경력을 보유하신 분 • 맥(Mac) 환경 보안솔루션 운영 경험이 있으신 분 • 네트워크에 대한 기본적인 이해를 가지신 분
우대사항	• CISA/CISSP/정보보안기사 등 관련 자격증 보유하신 분 • IT/금융권 보안솔루션 운영 경험이 있으신 분 • 클라우드/SaaS/MSA 서비스에 대한 이해를 가지신 분
기타 사항	주민번호, 현재 연봉 및 희망 연봉 등의 민감 개인정보는 삭제 또는 마스킹 후 제출해 주시기 바랍니다.
채용 정보	• 고용형태 : 정규직 • 채용유형 : 경력직 • 근무지역 : 서울시 강남구 테헤란로 4길 14미림타워 • 공고기간 : 채용 게시일 ~ 채용 시 까지 (본 채용은 수시 채용으로 채용 완료 시 조기에 마감될 수 있습니다.)
지원 방법	두나무 홈페이지 온라인 지원

(2) 업무연속성 (BCP)관리 담당자

주요 업무	• 전사 업무연속성 관리 프로세스 수립 • 클라우드 환경에서 HA, DR 아키텍처 설계 • 서비스별 RTO, RPO 기준 수립 및 관리 • 재해복구 훈련 • 기타 업무연속성 관리 업무 일체
자격 요건	• 업무연속성/정보보호/클라우드 관련 업무 경력 5년 이상 보유하신 분 • BCMS에 대한 높은 이해도가 있으신 분 • 클라우드 환경(AWS, 컨테이너 등)에 대한 높은 이해도가 있으신 분
우대사항	• 업무연속성 관리 관련 컨설팅, DevOps, 인프라 운영 업무 경험이 있으신 분
기타 사항	• 지원서에는 세부 경력 사항을 상세히 기술해 주시면 검토하는 데에 도움이 됩니다. (예시 : 프로젝트 설명 및 구성 인원, 본인이 기여한 역할, 프로젝트 진행 시 발생했던 이슈와 해결 방법, 사용한 기술과 언어, 프레임워크 등) • Github, Gitlab, Bit Bucket 등 참고할만한 링크가 있다면 첨부해

16) 두나무 홈페이지

	주셔도 좋습니다. * 주민번호, 현재 연봉 및 희망 연봉 등의 민감 개인정보는 삭제 또는 마스킹 후 제출해 주시기 바랍니다.
채용 정보	• 고용형태 : 정규직 • 채용유형 : 경력직 • 근무지역 : 서울시 강남구 테헤란로 4길 14미림타워 • 공고기간 : 채용 게시일 ~ 채용 시 까지 (본 채용은 수시 채용으로 채용 완료 시 조기에 마감될 수 있습니다.)
지원 방법	두나무 홈페이지 온라인 지원

(3) 프로젝트 관리 (PMO) 담당자

주요 업무	• 사내 IT/보안 프로젝트의 지원, 이슈 모니터링 및 해결 • 전사 프로젝트 관련 프로세스 수립, 개선 등 • 프로젝트 추진 타당성 검토
자격 요건	• 프로젝트 관리 업무 경험이 3년 이상 보유하신 분 • 프로젝트 리딩 경험이 필수적으로 있으신 분 • Jira 등 프로젝트 관리도구 활용 능력 보유하신 분 • PM, 기획, 개발자와의 원활한 커뮤니케이션 능력을 가지신 분
우대사항	• 대규모 프로젝트 PM/PL 경험이 있으신 분 • 클라우드 환경(AWS, 컨테이너 등)에 대한 높은 이해도가 있으신 분
기타 사항	• 지원서에는 세부 경력 사항을 상세히 기술해 주시면 검토하는 데에 도움이 됩니다. (예시 : 프로젝트 설명 및 구성 인원, 본인이 기여한 역할, 프로젝트 진행 시 발생했던 이슈와 해결 방법, 사용한 기술과 언어, 프레임워크 등) • Github, Gitlab, Bit Bucket 등 참고할만한 링크가 있다면 첨부해 주셔도 좋습니다. * 주민번호, 현재 연봉 및 희망 연봉 등의 민감 개인정보는 삭제 또는 마스킹 후 제출해 주시기 바랍니다.
채용 정보	• 고용형태 : 정규직 • 채용유형 : 경력직 • 근무지역 : 서울시 강남구 테헤란로 4길 14미림타워 • 공고기간 : 채용 게시일 ~ 채용 시 까지 (본 채용은 수시 채용으로 채용 완료 시 조기에 마감될 수 있습니다.)
지원 방법	두나무 홈페이지 온라인 지원

(4) 보안성 검토 담당자

주요 업무	• 신규 서비스 및 변경 시 아키텍처 및 관리적 보안 영역의 보안성 검토 • 정보보호 관리체계(ISMS) 운영 및 심사 대응
자격 요건	• 정보보호 경력 8년 이상 보유하신 분 • 시스템, 네트워크 구성 및 API 연동에 대한 이해도가 높으신 분 • 기술/비즈니스 관점을 모두 고려한 대안 제시 능력이 있으신 분 • 기획자, 개발자와의 커뮤니케이션에 어려움이 없으신 분
우대사항	• 보안성 심의/검토 등 업무 경험이 있으신 분 • 클라우드 환경에 대한 이해도가 높으신 분 • ISMS-P 인증심사원 자격 보유하신 분
기타 사항	• 지원서에는 세부 경력 사항을 상세히 기술해 주시면 검토하는 데에 도움이 됩니다. (예시 : 프로젝트 설명 및 구성 인원, 본인이 기여한 역할, 프로젝트 진행 시 발생했던 이슈와 해결 방법, 사용한 기술과 언어, 프레임워크 등) • Github, Gitlab, Bit Bucket 등 참고할만한 링크가 있다면 첨부해 주셔도 좋습니다. * 주민번호, 현재 연봉 및 희망 연봉 등의 민감 개인정보는 삭제 또는 마스킹 후 제출해 주시기 바랍니다.
채용 정보	• 고용형태 : 정규직 • 채용유형 : 경력직 • 근무지역 : 서울시 강남구 테헤란로 4길 14미림타워 • 공고기간 : 채용 게시일 ~ 채용 시 까지 (본 채용은 수시 채용으로 채용 완료 시 조기에 마감될 수 있습니다.)
지원 방법	두나무 홈페이지 온라인 지원

(5) 백엔드 개발자 (Backend Engineer)_ 블록체인

주요 업무	• 블록체인 노드 운영 및 블록체인 기반 서비스 개발
자격 요건	• 객체 지향 설계를 포함하여, Java, C++, C#, Go, Rust, Scala 중 하나 이상에 대한 프로그래밍 경험이 있으신 분 • 객체 지향 설계를 포함하여, JavaScript, TypeScript, Ruby, Python 중 하나 이상에 대한 프로그래밍 경험이 있으신 분 • *nix OS 상에서 개발 경험이 있으신 분 (macOS 포함) • 데이터 구조, 알고리즘 설계, 문제 해결 및 복잡성 분석에 익숙하신 분 • 블록체인 개발, 노드 운영에 관심이 있으신 분
우대사항	• 코딩 표준과 관습, 코드 리뷰, 형상 관리, 지속적인 배포, 테스트 및 운영을 포함한 전체 소프트웨어 개발 수명 주기에 대한 소프트웨어 엔지니어링 사례에 대한 지식

	• 함수형 프로그래밍에 대한 지식 • 퍼블릭 블록체인 노드 운영 지식 (ETH, Bitcoin) • 암호학에 대한 기본 지식 • AWS 서비스 전반과 EKS 기반 환경에 대한 지식 • Aurora MySQL 기본 지식 • Ruby on Rails, RSpec, GraphQL • Go, gRPC • Rust • TypeScript, Electron, Jest • 마이크로 서비스 구현 지식
기타 사항	• 지원서에는 세부 경력 사항을 상세히 기술해 주시면 검토하는 데에 도움이 됩니다. (예시 : 프로젝트 설명 및 구성 인원, 본인이 기여한 역할, 프로젝트 진행 시 발생했던 이슈와 해결 방법 등) • Github, Gitlab, Bit Bucket 등 참고할만한 링크가 있다면 첨부해 주셔도 좋습니다. * 주민번호, 현재 연봉 및 희망 연봉 등의 민감 개인정보는 삭제 또는 마스킹 후 제출해 주시기 바랍니다.
채용 정보	• 고용형태 : 정규직 • 채용유형 : 경력직 • 근무지역 : 서울시 강남구 테헤란로 4길 14미림타워 • 공고기간 : 채용 게시일 ~ 채용 시 까지 (본 채용은 수시 채용으로 채용 완료 시 조기에 마감될 수 있습니다.)
지원 방법	두나무 홈페이지 온라인 지원

(6) DevOps Engineer

주요 업무	• 업비트/증권플러스/세컨블록 등 두나무 서비스를 위한 안정적이고 확장성있는 인프라 설계 및 구축 • 안정적인 서비스 운영을 위한 모니터링 시스템 구축 및 운영 • CI/CD 에 기반한 빌드/테스트/배포 자동화 환경 구성 • 효율적인 업무 환경과 유연한 개발 환경을 위한 기술 연구
자격 요건	• AWS 환경에서 인프라 및 서비스를 운영한 경험이 있으신 분 • Kubernetes 환경에서 서비스를 운영한 경험이 있으신 분 • Terraform, Helm, Packer 등을 활용한 IaC 경험이 있으신 분 • Java, Python, Golang 등 한 가지 이상의 개발 언어에 익숙하신 분
우대사항	• CNCF 생태계의 다양한 오픈소스를 적용하고 활용해 보셨던 분 • 보안 관점에서 AWS, Kubernetes 등 인프라에 대해 고민을 해보셨던 분 • 개발자들과 적극적인 커뮤니케이션으로 이슈를 도출하고 문제를

	해결해 본 경험이 있으신 분 •새로운 기술을 익히고 업무에 적용하고 공유하는 것을 즐기시는 분
기타 사항	•지원서에는 세부 경력 사항을 상세히 기술해 주시면 검토하는 데에 도움이 됩니다. (예시 : 프로젝트 설명 및 구성 인원, 본인이 기여한 역할, 프로젝트 진행 시 발생했던 이슈와 해결 방법 등) •Github, Gitlab, Bit Bucket 등 참고할만한 링크가 있다면 첨부해 주셔도 좋습니다. * 주민번호, 현재 연봉 및 희망 연봉 등의 민감 개인정보는 삭제 또는 마스킹 후 제출해 주시기 바랍니다.
채용 정보	•고용형태 : 정규직 •채용유형 : 경력직 •근무지역 : 서울시 강남구 테헤란로 4길 14미림타워 •공고기간 : 채용 게시일 ~ 채용 시 까지 (본 채용은 수시 채용으로 채용 완료 시 조기에 마감될 수 있습니다.)
지원 방법	두나무 홈페이지 온라인 지원

(7) Python_Backend Engineer

주요 업무	•업비트의 비즈니스 요구 사항을 해결하기 위한 백엔드와 백오피스 시스템을 개발 합니다. •다양한 외부 플랫폼에 대한 연동 시스템을 개발합니다.
자격 요건	•Django, Flask 등 Python 기반 WebFramework 를 활용한 백엔드 개발 경험이 3년 이상 있으신 분 •RDBMS 에 대한 경험 및 이해를 가지고 계신 분 •테스트 코드의 중요성을 이해하고, 적극적으로 활용하시는 분 •기획 문서를 만족 시키는 개발이 아니라 비즈니스를 이해하고 개발하시는 분
우대사항	•Kubernetes 또는 Docker 에 대한 이해가 있으신 분 •React 등 Frontend Framework 를 활용한 Web Application 개발 경험이 있으신 분 •AWS 의 다양한 리소스를 활용하여 Application 을 개발해보셨던 분 •코드가 마음에 들지 않으면 공격적인 리팩토링을 주저하지 않으시는 분 •다양한 장애를 경험하고 문제를 해결하기 위해 고민해보셨던 분 •본인이 사용하고 있는 언어와 기술에 대해 원리를 이해하고 개발하시는 분
기타 사항	* 주민번호, 현재 연봉 및 희망 연봉 등의 민감 개인정보는 삭제 또는 마스킹 후 제출해 주시기 바랍니다.
채용 정보	•고용형태 : 정규직

	• 채용유형 : 경력직 • 근무지역 : 서울시 강남구 테헤란로 4길 14미림타워 • 공고기간 : 채용 게시일 ~ 채용 시 까지 (본 채용은 수시 채용으로 채용 완료 시 조기에 마감될 수 있습니다.)
지원 방법	두나무 홈페이지 온라인 지원

(8) IOS 개발자 (IOS Engineer)

주요 업무	• 두나무의 업비트, 증권플러스 비상장 iOS 앱 및 신규 프로젝트 앱을 개발합니다
자격 요건	• iOS 개발 경험 1년 이상 보유하신 분 • iOS Platform 지식 • Swift 개발 경험 및 원활한 Reactive Programming (RxSwift) 사용 • 디자인 패턴의 이해 • Asynchronous IO 이해 및 TCP/IP, HTTP 통신 개발 경험 • RxSwift 사용 경험 • OOP에 대한 확실한 이해 • 프로젝트 설계능력(MVVM), 사용 경험 • 팀 프로젝트 및 코드 리뷰에 적극적인 성향 • 원활한 커뮤니케이션 가능하신 분
우대사항	• 다수의 앱 런칭 경험을 보유하신 분 우대 • 앱 최적화 경험 보유 • 디자인 패턴에 대한 깊은 이해 • 증권 업무 경험 • 다양한 언어 및 플랫폼 경험에 긍정적인 분
기타 사항	• 제출 서류에 실제 경험한 프로젝트를 어떤 방식으로, 어떻게 기여했는지 상세히 기술해 주시면 검토하는 데에 도움이 됩니다. (예시 : 프로젝트 설명 및 구성 인원, 본인이 기여한 역할, 프로젝트 진행 시 발생했던 이슈와 해결 방법, 사용한 기술과 언어, 프레임워크 등) • Github, Gitlab, Bit Bucket 등 참고할만한 링크가 있다면 첨부해 주셔도 좋습니다. * 주민번호, 현재 연봉 및 희망 연봉 등의 민감 개인정보는 삭제 또는 마스킹 후 제출해 주시기 바랍니다.
채용 정보	• 고용형태 : 정규직 • 채용유형 : 경력직 • 근무지역 : 서울시 강남구 테헤란로 4길 14미림타워 • 공고기간 : 채용 게시일 ~ 채용 시 까지 (본 채용은 수시 채용으로 채용 완료 시 조기에 마감될 수 있습니다.)
지원 방법	두나무 홈페이지 온라인 지원

다) 채용절차

전형단계	서류전형 > 실무면접 > 임원면접 > 처우협의 > 최종합격 > 입사 지원서 내용 중 허위사실이 있는 경우에는 지원이 취소될 수 있습니다. 국가 유공자 및 장애인 등 취업 보호 대상자는 관계 법령에 따라 우대합니다. 본 포지션에 합격하시는 경우, 3개월의 수습기간을 적용합니다.
기타	지원 이력에 따라 실무면접 전 Pre-Test(사전과제, 온라인테스트, 전화인터뷰 등)가 진행될 수 있습니다.

라) 취업팁과 이슈[17)]

(1) 직무소개

고객상담·인바운드, 네트워크·서버·보안, 그래픽디자인·CG, 기획·전략·경영, 재무·세무·IR, 사무·총무·법무, 인사·노무·교육, 비서·안내, 경리·회계·결산, 마케팅·광고·분석, 홍보·PR, 전시·컨벤션, QA·테스터·검증, 웹기획·PM

(2) 채용현황

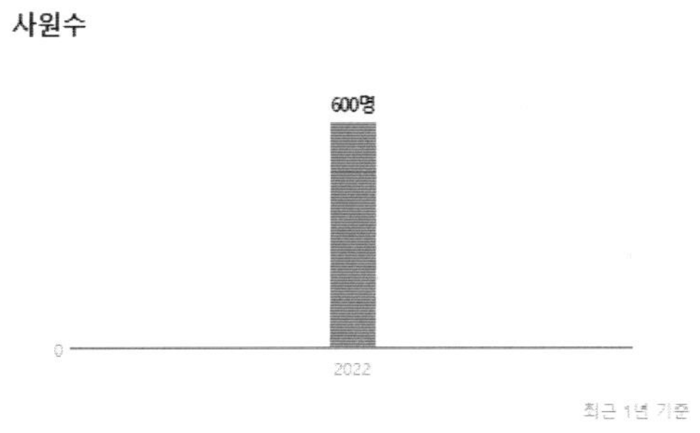

17) 잡코리아

2. 블록체인 관련 기본개념들

2. 블록체인 관련 기본개념들

가. 정의

공공거래 장부라고도 불리는 블록체인은 가상화폐를 이용해 거래를 할 때 발생할 수 있는 해킹을 막는 기술이다. 그렇다면, 블록체인은 어떠한 방식으로 해킹이나 위조를 방지할 수 있을까?

기존 금융 회사의 경우 중앙 집중형 서버에 거래기록을 보관하기 때문에 이 서버가 해킹되는 경우 엄청난 피해를 입을 수 있다. 이에 반해 블록체인은 거래에 참여하는 모든 사용자에게 거래 내역을 보내주어 거래 때마다 이를 대조하기 때문에, 그 중 몇 개가 위조된다고 해도 데이터 위조를 손쉽게 탐지하고 이를 방어할 수 있다.

이는 분산원장 기술의 원리를 이용한 것이라 할 수 있는데, 분산원장(Distributed Ledger)기술은 원장관리를 수행하는 제 3의 기관 없이 거래 당사자들이 각자 관리하고 보관하고 있는 원장을 동일한 거래 내용이 되도록 동기화하고 이를 모든 거래 당사자들의 합의하에 신뢰할 수 있도록 해주는 기술이다.

블록체인은 분산원장을 구현할 수 있는 대표적 기술이며, 대표적인 온라인 가상화폐인 비트코인에 적용되어 있다. 비트코인은 블록체인 기술을 활용한 분산원장에 모든 거래를 기록하고 있고, 거래 당사자들의 모든 합의를 위해 채굴(mining)이라는 방법을 도입했다. 우리가 아는 '비트코인'은 바로 이 채굴의 보상으로 발행되는 것이다. 또한 비트코인을 사용하는 여러 컴퓨터가 10분에 한 번씩 이 기록을 검증하여 해킹을 막고 있다.

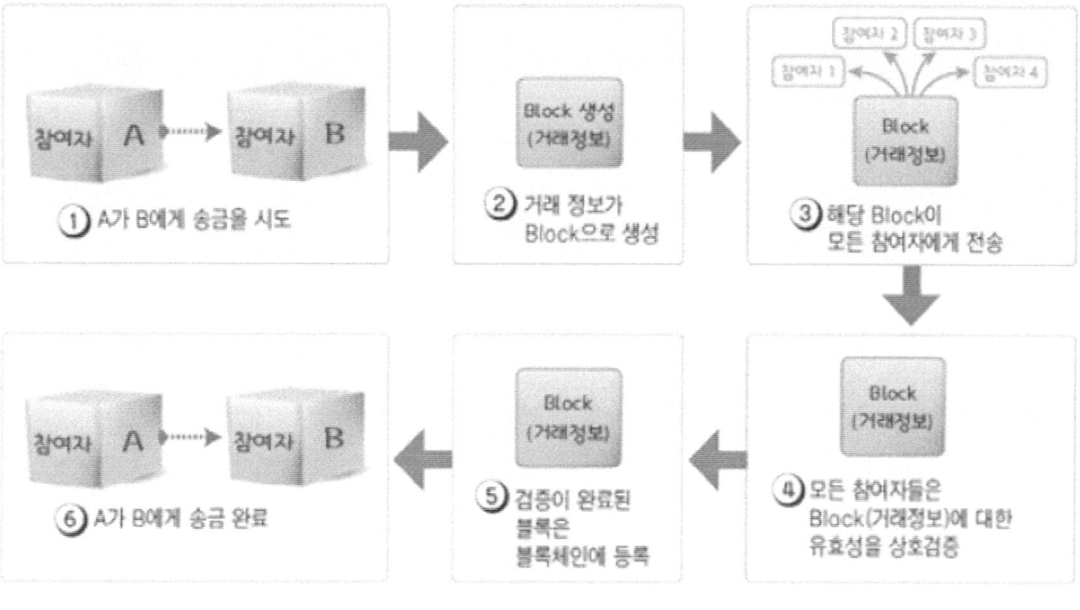

[그림 27] 블록체인 방식

블록체인이 이루어지는 방식을 살펴보면, 참여자 A가 B에게 송금을 시도하면 거래정보가 블록으로 생성된다. 이 블록은 모든 참여자에게 전송되고, 참여자들은 해당 블록의 유효성을 상호검증한다. 여기서 문제가 발견되지 않아야 블록이 체인에 연결될 수 있다. 송금은 이 과정들이 끝난 다음 이뤄진다.

이런 특성 때문에 블록체인 시스템에서는 거래내역 위조나 해킹이 거의 불가능한데, 가령 참여자 C가 블록 3에 대해 해킹을 시도한다면, C는 블록 3의 기록을 갖고 있는 블록 4의 데이터도 수정하고 현재 생성 중인 블록 5의 데이터까지 수정할 수 있어야 한다. 만약 다른 참여자들이 블록 5에 대한 또 다른 블록을 생성하고 있다면 참여자 C는 그들보다 빠른 속도로 블록 5를 생성해내야 한다. 이 모든 조건이 갖춰져야만 해킹에 성공할 수 있다. 유안타증권에 따르면 현재 전세계에서 가장 성능이 좋은 컴퓨터 1~10위의 연산력을 모두 더해도 블록체인 해킹은 사실상 불가능하다고 한다.

구분	기존 전자금융거래	블록체인 기반 전자금융거래
구조 18)		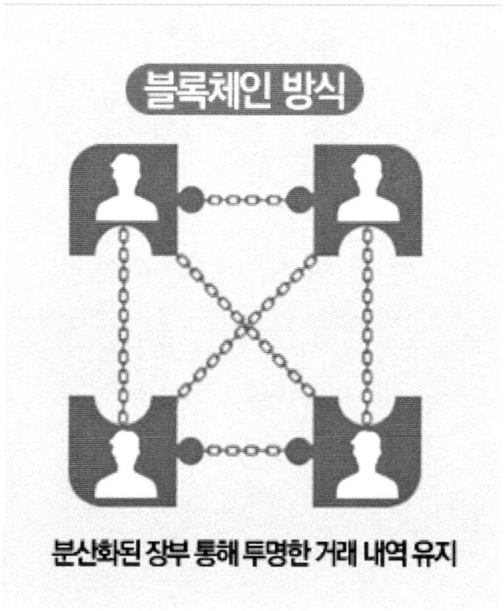
개념	• 중앙 집중형 구조 • 개인과 '제 3자 신뢰기관(은행, 정부 등)간의 거래 • 중앙 서버가 거래 공증 및 관리	• 분산형 구조 • 거래내역이 모든 네트워크 참여자에게 공유 및 보관 •모든 거래 참여자가 거래내역을 확인(작업 증명, Proof-of-work)하는 공증 및 관리
특징	• 장점 : 빠른 거래 속도, 제어의 용이성 • 단점 : Sybil attack(DDoS 공격)에 취약 중앙시스템 보안 위험 및 관리 비용의 높음.	• 장점 : 거래정보의 투명성, 적은 시스템 구축 및 유지보수 비용 Sybil attack(DDoS 공격) 불가능 • 단점 : 상대적으로 느린 거래속도 제어의 복잡성

[표 43] 전자금융거래방식에서 기존 방식과 블록체인 기반 방식 비교

19)

18) SW중심사회
19) 금융보안원

나. 블록체인 구조

블록체인은 단어 그대로 블록이 체인처럼 서로 연결되어 있다는 의미인데, 블록에는 블록체인 네트워크에 참여한 거래 당사자들의 거래 내용을 담고 있으며, 일정한 시간이 지나면 하나의 블록을 완성시키고, 다음 블록에 새로운 거래 내용을 기록한다.

다음 블록에는 새로운 거래 내용과 더불어 이전 블록들의 모든 정보들을 담아 두는데 이는 해시(hash)라는 복호화가 불가능한 불가역적 암호화 방법을 이용한다. 블록체인에 사용되는 해시는 SHA256이라는 방법을 활용하며, SHA256은 어떤 크기의 문자열을 입력받더라도 256비트 크기의 해시 문자열을 출력한다. 해시에 대한 내용은 이후 더 자세히 알아보기로 한다.

우선 블록의 구조를 살펴보면 크게 블록크기/블록헤더/트랜젝션데이터로 구성된다.

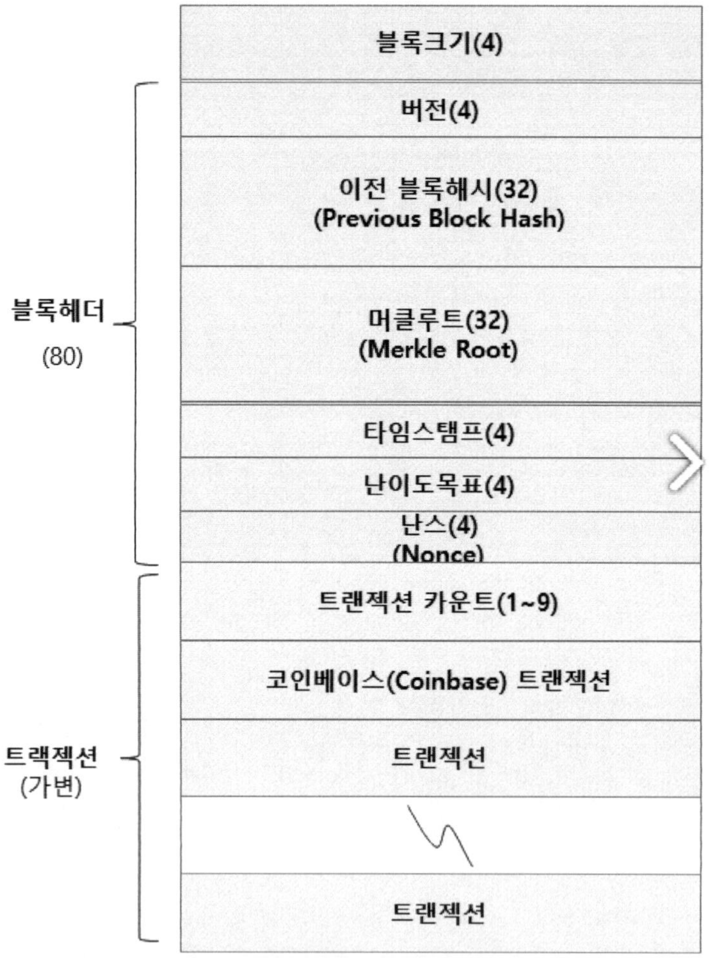

[그림 28] 블록의 구조

1) 블록크기

블록체인에서 블록이란, 정보를 담을 수 있는 용량으로, 비트코인 초기 블록은 거래 데이터 36MB를 가질 수 있었지만, 2010년 스팸이나 잠재적인 디도스 공격에 대비해 1MB로 줄었다. 이 제한은 비트코인 블록이 대량으로 증가하고 거래도 급증한 지금도 계속되고 있다. 트렌드 블록(TrendBlock)에 따르면 2013년 이후 평균 블록 크기는 125KB에서 425KB로, 거래량은 일 2.5배 증가했다. 하루 평균 4번은 이 블록 크기 한계에 도달하고 있다.

2) 블록헤더

블록체인에서 블록헤더는 버전, 이전 블록해시, 머클루트, 타임스탬프, 난이도목표, 난스를 가지고 있다. 각 부분에 대해 살펴보도록 하자.

① 버전

버전은 데이터구조의 버전으로, 데이터 구조를 변경할 때 사용된다.

② 이전 블록해시

블록 체인은 블록과 블록이 연결되어있는 구조다. 따라서 각 블록헤더에는 이전블록(부모블록)에 대한 해시 참조값을 가지고 있다. 이렇게 이전 블록에 대한 해시를 참조함으로써 각 블록이 강하게 연결되고 중간에 블록이 훼손되기 어렵게 만들어져 있다.

③ 머클루트(Merkle Root)

해당 블록에 포함된 거래로부터 생성된 머클 트리의 루트에 대한 해시이며, 블록에 들어있는 모든 거래의 요약본이라 할 수 있다. 이를 통해 비교적 큰 데이터 집합을 효율적으로 요약하고 검증할 수 있다.

④ 타임스탬프

블록의 생성시간으로, 1970.1.1. 이후 초단위로 작성된다.

⑤ 난이도 목표

Bit값을 가지는 난이도 목표는 블록의 작업증명 알고리즘에 대한 난이도 목표로, 이는 해싱을 어렵게 만드는 척도라고 할 수 있다. 난이도 목표는 블록 한 개를 생성하는데 10분정도 걸리도록 유도하는데 만약, 컴퓨팅 파워가 좋아지고 해싱파워(해시를 계산하는 능력)가 증가하여 10분이 걸리지 않으면 난이도를 높여 10분을 유지하도록 조정이 가능하다. 난이도 목표는 2016개째 블록마다 변경된다.

⑥ 난스(Nonce)

작업증명 알고리즘에 사용되는 카운터로 값을 바꿔주는 역할을 한다.

3) 트랜잭션데이터

① 트랜잭션 카운트

트랜잭션 카운트는 포함한 거래 개수를 나타낸다.

② 코인베이스 트랜잭션

코인베이스 트랜잭션은 블록 생성 시 발생되는 비트코인이며, 본 블록을 마이닝한 마이너의 수입이다.

③ 트랜잭션

10분 동안 수집한 거래정보를 나타낸다.

블록체인에서는 거래내용을 위에서 살펴본 구조를 가진 블록에 기록하고 블록들을 주기적으로 생성하며, 생성된 새로운 블록에 이전 생성된 모든 블록들의 정보를 담은 해시값을 기록한다. 이로써, 블록에 기록된 거래 내용을 해킹하여 위조 또는 변조하기 매우 어렵게 만든 것이 바로 블록체인의 핵심이라고 할 수 있다.

블록체인은 이전 블록의 해시를 참조하여 연결되기 때문에 중간에 데이터가 변경되거나 위조되기가 어렵다. 즉, 각 블록이 해시값으로 연결되어 있기 때문에 만약 중간의 값을 변경하려면 그 위에 있는 모든 데이터를 함께 변경해야 하기 때문에 위조, 변조가 어렵다.

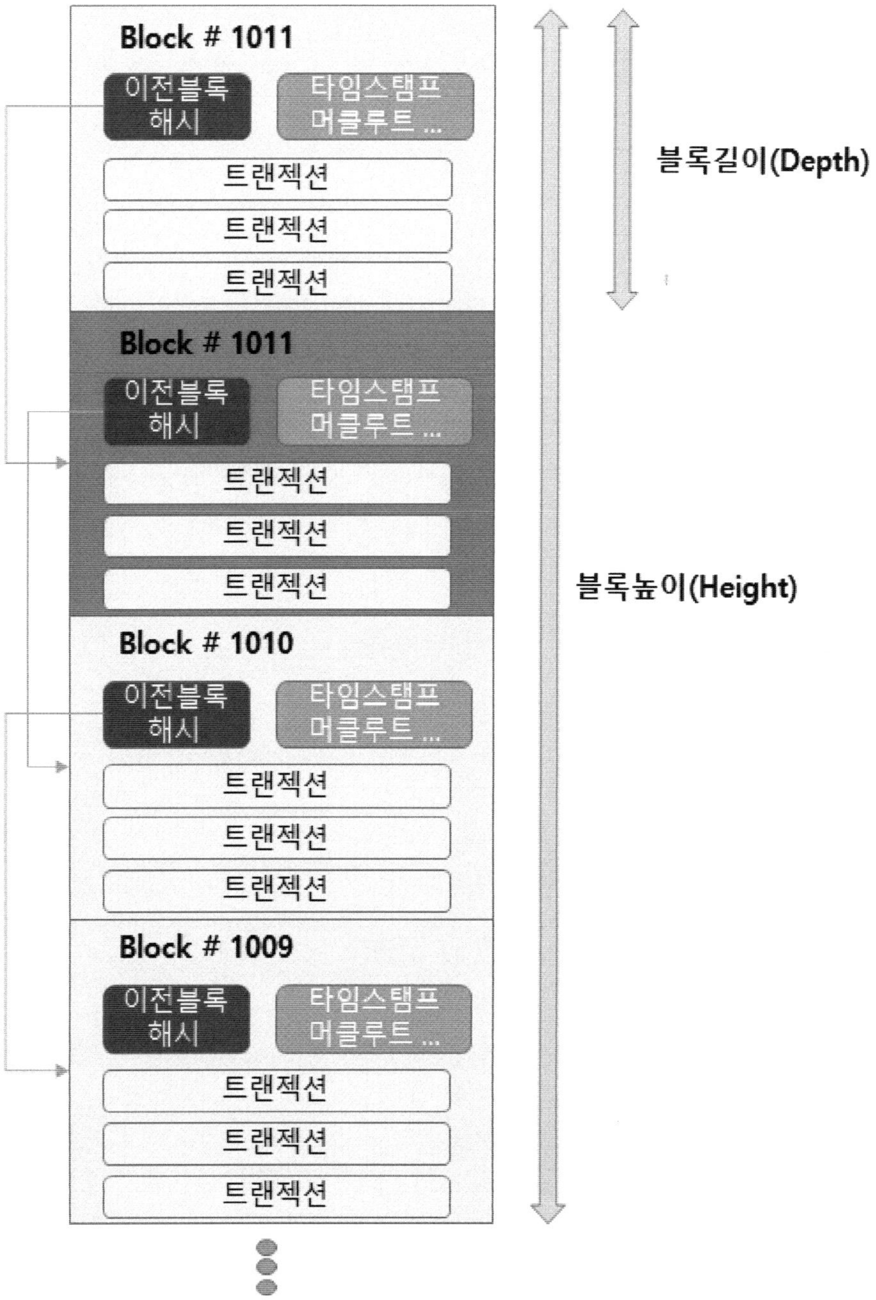

[그림 29] 블록체인 구조

① 블록높이

블록높이는 현재 블록 중 가장 최신 블록을 뜻한다. 블록체인의 각 노드들은 블록체인을 서로 공유하는데, 이 때 블록높이만 봐도 내가 최신인지 남이 최신인지 알 수 있다.

② 블록깊이

위의 그림에서 1011번째 블록을 기준으로 본다면, 블록 깊이는 1011번째 블록 위에 몇 개의 블록이 있는지를 나타낸다. 즉, 위에 블록이 쌓일 때마다 자신의 블록도 함께 승인이 된다. 만약 내용을 변경하고자 할 경우 위의 블록까지 함께 변경해야 하기 때문에 보통 거래가 발생되어 블록에 저장되면, 6번의 승인이 이루어져야 취소가 가능하다. 또한, 체인이 길어질수록 수학적 계산의 양이 급격하게 늘어나기 때문에 결국 이를 변경하는 것은 불가능하다고 할 수 있다.

블록체인은 각 블록들이 이전 블록들과 연결되어 있는데, 1번 블록은 연결할 이전 블록이 없다. 따라서 1번 블록은 이전 블록없이 시작하게 되는 태초의 블록이라 하여 제네시스 블록(Genesis block)이라 부른다. 모든 블록체인 시스템은 이 제네시스 블록에서 시작하며, 이후 완성되는 블록들을 이어 붙이는 방식이다. 비트코인의 제네시스 블록에는 1개의 거래가 있고, 이 거래는 비트코인 창시자인 사토시 나카모토에게 최초로 발행된 50비트코인을 지급하는 것으로 되어 있다.

다. 블록체인 분류

블록체인은 네트워크에 별다른 인증과정 없이 누구라도 참여할 수 있는 퍼블릭 블록체인(또는 Permissionless 블록체인)과, 블록체인 네트워크에 참여하기 위해서는 사용자 인증을 거쳐야 하며 권한에 따라 수행할 수 있는 행위가 제한되는 프라이빗 블록체인(또는 Permissioned 블록체인)으로 나눌 수 있다.

퍼블릭 블록체인은 누구나 참여할 수 있고, 누구나 운영할 수 있어 운영주체가 광범위하다. 이러한 특성 때문에 법적 구속력에 상대적으로 자유로운 편이다. 그리고 누구나 데이터를 읽을 수 있어 투명성 또한 더 크게 보장된다. 하지만 모든 노드들이 참여 하기 때문에 각 트랜잭션의 내용은 모두에게 공개되며, 검증 또한 모든 노드들이 참여하기 때문에 성능이 저하 될 수 있다. 악의적인 의도를 가진 해커들도 손쉽게 참여할 수 있기 때문에 이러한 상황을 방지하기 위한 연산 또는 추가적 수행이 필요해 성능 저하는 발생할 수밖에 없다. 또한 퍼블릭 블록체인은 블록체인의 엔진 수정이 어렵다. 참여하고 있는 많은 사람들의 동의를 얻어서 겨우겨우 수정할 수 있지만 그 과정이 오래 걸리거나 복잡할 수 있다. 또한 심각한 경우 하드포킹(Hard-fork)[20]등의 문제가 발생해서 해당 네트워크가 분기되는 상황이 발생할 수 있다.

프라이빗 블록체인은 퍼블릭 블록체인과 정반대로 운영주체가 명확하기 때문에 법적인 규제를 준수해야 한다. 하지만 노드 간 권한을 다르게 설정할 수 있고, 허가받은 대상들만 노드로 참여할 수 있기 때문에 퍼블릭 블록체인에 비해 상대적으로 적은 노드수를 운영하게 되며 이는 성능 향상으로 이어지게 할 수 있다. 또한 블록체인 엔진을 수정하는데 드는 비용도 상대적으로 저렴하고, 블록체인에 참여한 각 노드들의 권한들도 다르게 설정할 수 있기 때문에 운영상의 자유로도 보장이 되는 등 여러 가지 장점이 있다.

---

20) 하드 포크(Hard-fork) : 기존 블록체인과 호환되지 않는 새로운 블록체인에서 다른 종류의 가상화폐를 만드는 것을 말한다. 기존 블록체인의 기능개선, 오류정정, 문제점 수정 등을 목적으로 블록체인을 기존의 블록체인과는 호환이 되지 않는 새로운 방식으로 변경한다. [네이버 지식백과]

퍼블릭 블록체인과 프라이빗 블록체인은 탄생 배경 자체가 달라 아키텍처나 알고리즘 등에 있어서 많은 부분 상이하다. 대표적인 퍼블릭 블록체인이 바로 비트코인이며, 요즘 뜨고 있는 이더리움도 여기에 해당된다. 대표적인 프라이빗 블록체인은 하이퍼레저 패브릭(Hyperledger Fabric)이 있다.

	퍼블릭 블록체인	**프라이빗(컨소시움) 블록체인**
거래기록 열람 (Read-access)	누구나 익명으로 이체잔고와 거래기록을 열람	거래당사자와 규제기관만 열람
거래 참여 (Write-access)	누구나 쉽게 사용자 인증과정 없이 계좌를 개설하고 거래에 참여	법적책임을 지는 승인된 기관만 참여
거래 검증/승인 (Transaction validation)	누구나 컴퓨터를 통해 거래 검증에 참여	법적 책임을 지는 승인된 기관과 규제기관이 검증
거래 기록 보관 (Transaction storage)	누구나 전체 거래내역 보관 가능	거래 당사자끼리 같은 거래 내역을 보관
합의 도출 (Network consensus)	작업증명(Proof-of-work;채굴) 또는 지분증명(Proof-of-Stake)	BFT계열 알고리즘을 통해 합의 도출
자체 암호화폐 (Native currency)	필요	불필요

결제의 완결성 보장 (Settlement finality)	네트워크 분기(Fork) 또는 블록재조정(Block reorg)으로 인해 완결된 결제가 왜곡될 수 있음(Probablistic settlement)	결제의 완결성 보장 (Definitive settlement)
확장가능성 (Scalability)	제한적 확장	금융 후선업무에 적합한 확장성
예시	비트코인, 대시, 이더리움	R3CEV, DAH, Clearmatics

[표 45] 퍼블릭 블록체인과 프라이빗 블록체인 비교

라. 블록체인의 주요 기술

1) P2P(Peer to Peer)

P2P는 블록체인의 가장 핵심 기능 중 하나인 '탈중앙화'를 위한 기술이라고 할 수 있다. P2P는 이름에서 알 수 있듯이 사람과 사람을 직접 연결하는 기술로, 중앙 서버 없이 각 단말들이 서로 동등한 입장에서 통신을 수행하는 네트워크를 뜻한다. 이때, 단말은 각각이 서버이기도 하면서 동시에 클라이언트가 된다.

블록체인은 P2P형태로 이루어진 탈중앙화 네트워크로 P2P가 가지고 있는 장점과 단점을 모두 가지고 있다.

먼저, P2P 기술의 장점 중 가장 큰 것이 바로 '보안'이다. P2P는 모든 것을 서로간에 감시를 하기 때문에, 상대방의 컴퓨터를 감시하게 되고 올바른 결론으로 도출을 하게 된다.

즉, P2P는 모든 시민들이 참여하여 잘못된 것을 정정하는 직접 민주주의 느낌이 강하다보니 누군가의 컴퓨터가 해킹이 되어서 잘못된 연산이 된다 한들 나머지 대다수의 컴퓨터가 올바른 판단을 내리게 되면 그 잘못된 연산을 하는 컴퓨터를 무시할 수 있다. 바로 이 기능으로 인해서 비트코인 블록체인은 탈중앙화 방식으로 돌아갈 수 있게 되는 것이다.

그리고 노드(Node, 연결된 컴퓨터를 노드라고 합니다)들 중 장애가 발생하여도 서비스에 지장이 크지 않거나 고가용성 혹은 내고장성의 서비스를 기본적으로 보여줄 수 있다.

하지만 이러한 P2P에도 단점은 존재한다. 장점이 큰 만큼 P2P는 큰 단점을 가지고 있는데 그것이 바로 노드가 없다면 서비스를 이용할 수 없다는 것이다. 즉, P2P는 본인이 이용한 만큼 본인도 그 댓가를 지불하게 되는 원리기 때문에 댓가를 지불하기 싫은 사람이 많을수록 점점 서비스의 퀄리티가 죽을 수 있다.

또한, 한 노드의 속도가 느린 경우 한 노드가 전체 네트워크의 성능에도 영향을 줄 수 있다는 단점이 존재한다.

2) 해시(Hash)

해시는 '특정한 데이터를 이를 상징하는 더 짧은 길이의 데이터로 변환하는 행위'를 의미한다. 여기에서 상징 데이터는 원래의 데이터가 조금만 달라져도 확연하게 달라지는 특성을 가지고 있어 무결성을 지키는 데에 많은 도움을 준다.

예를 들어 'A'라는 문자열의 해시와 'B'라는 문자열의 해시는 고작 한 알파벳이 다를 뿐인데 그 결과가 천차만별이라는 것이다. 예를 들어 대표적인 해시 알고리즘인 MD5는 어떠한 입력값을 넣든 항상 각양각색의 32자리의 16진수 값을 반환한다.[21)]

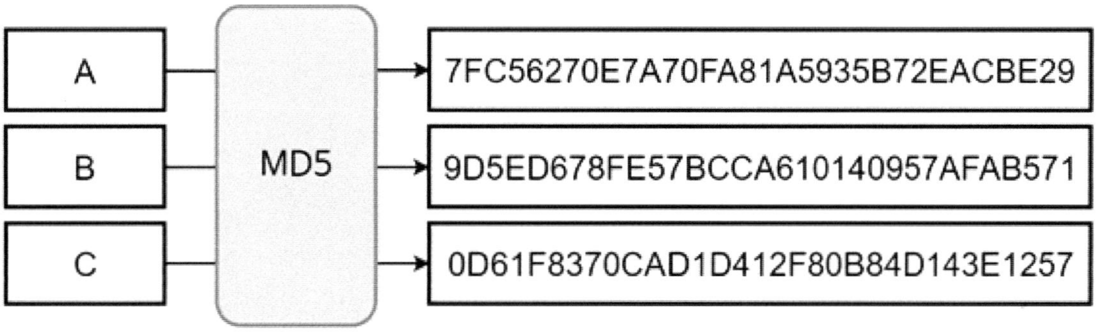

[그림 30] 대표적인 해시 알고리즘인 MD5의 연산 결과

해시의 특징은 다음과 같이 정리할 수 있다.
① 입력된 길이가 달라도 비슷한 길이의 알 수 없는 문자의 조합이 출력된다.
② 입력이 조금이라도 변경되면 완전히 다른 결과가 출력된다.
③ 출력값으로 입력값을 예측할 수 없다.

해시는 주로 DB에 비밀 번호를 저장할 때, 복제 문서를 판별할 때, 검색에서 사용되는 것으로, '단방향'으로만 되어있어 역추적이 힘들다는 장점을 가지고 있다.

그렇다면, 이러한 해시는 블록체인의 어떠한 부분에서 사용되고 있을까? 우리는 이를 살펴보기 전에, 해시의 연산을 사용하는 경우 복제 문서를 쉽게 판별할 수 있다는 것을 알아둘 필요가 있다.

A문서와 B문서가 달라지지 않았다면 두 문서의 해시값은 동일해야 할 것이다. 이를 이용해

21) 블록체인의 기본, 해시란 무엇인가? ,bitweb.co.kr

우리는 블록체인에서 손쉽게 장부의 변조 여부를 체크할 수 있다. 만약, 누군가 나의 장부를 수정했다면 다른 사람의 장부의 해시값과 나의 장부의 해시값이 다르게 출력되기 때문이다.

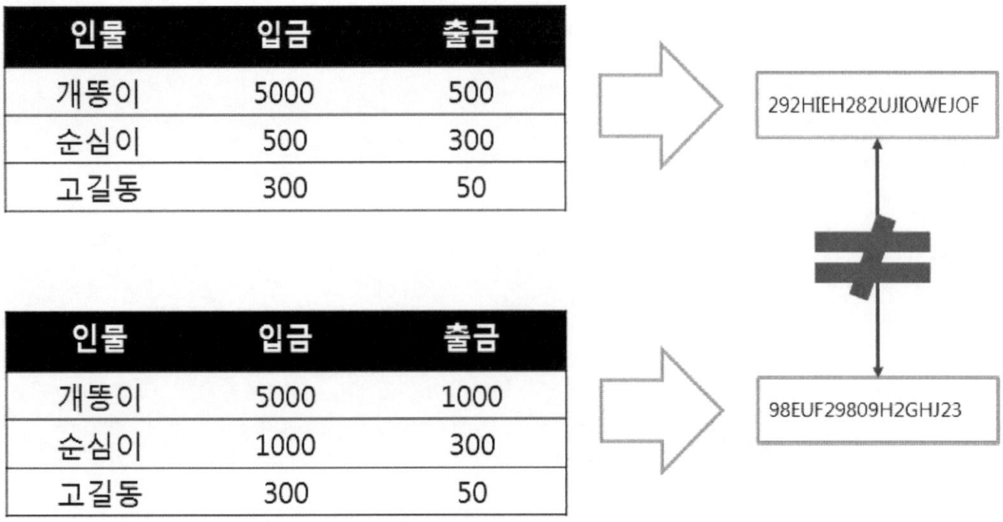

[22]

[그림 31] 블록체인에서 해시 사용의 예시

해시에 대해 조금더 살펴보도록 하자. 우리는 앞서 블록체인에 관련된 설명을 읽으며 SHA-256이라는 용어를 본 적이 있을 것이다. 이를 이해하려면 해시 알고리즘의 역사를 조금 살펴 볼 필요가 있다.

과거에 많이 사용되었던 대표적인 해시 알고리즘인 MD5(Message-Digest Algorithm 5)는 '128비트 고정 길이의 결과를 가지는 암호화 해시 함수'다. 대표적인 인터넷 표준안인 RFC 1321로 지정되어 있고, 10년이 넘는 시간동안 컴퓨터 시스템에 사용되어왔다. MD5는 최근 개인용 PC 한 대로 수 초 내로 해시 충돌을 찾을 수 있을 정도의 효율적인 공격 알고리즘이 발표되어 무결성을 보장하기 어렵다는 점에서 현재는 사용되지 않고 있다.

이처럼 MD5가 현재 무결성을 효과적으로 보안하지 못한다는 점에서 이보다 더 나은 해시 알고리즘인 SHA-1 혹은 나아가 SHA-256을 사용하도록 권장되고 있다.

SHA-1(Secure Hash Algorithm 1)은 '미국 국가안보국(NSA)에서 처음으로 개발한 해시 암호화 모델로 MD5를 대신하여 많이 사용되고 있는 해시 알고리즘'이다. 기본적으로 알고리즘은 MD5 해시 함수에서 사용되었던 것과 같이 다양한 기초 수학적 연산 과정을 포함한다. 이러한 SHA-1 알고리즘도 MD5 알고리즘만큼 치명적인 보안 결함이 발견된 것은 아니지만 충돌이 발견된 적이 있다는 점에서 보다 보안이 중요한 시스템에서는 SHA-256을 사용하도록 권장되고 있다.

기본적으로 충돌(Collision)은 해시 알고리즘의 이용 과정에서 충분히 발생할 수 있다. 단순히 수학적으로 계산해도 컴퓨터가 확률적으로 언젠가는 충돌을 찾아낼 수 있기 때문이다. 하

22) 블록체인 핵심기술 - 2. 해시(Hash), 해시함수(Hash Function), https://needjarvis.tistory.com

지만 무차별적으로 데이터를 대입하는 방식인 무차별 대입(Brute-Forcing)이 아니라 충돌을 연산 수식을 통해 '의도적으로' 발생시킬 수 있다면 보다 큰 문제가 될 수 있다.

앞서 다루었던 MD5 알고리즘은 이미 다양한 프로그램을 이용해 손쉽게 의도적으로 해시 충돌을 만들어낼 수 있다는 점에서 심각한 보안 결함을 가지고 있다. 이러한 측면에서 저자 또한 실제로 웹 서비스 등의 프로그램을 개발할 때 고객의 비밀번호를 반드시 SHA-256 이상의 해시를 적용해 저장한다.

지금까지 읽은 독자들은 SHA가 무엇일까? 하는 궁금증을 가질지도 모른다. SHA(Secure Hash Algorithm)은 미국 표준 기술 연구소(NIST)에 의해 공표된 표준 해시 알고리즘으로 소프트웨어 시장 전반에서 전세계적으로 가장 많이 사용되고 있다. SHA의 의미를 한글로 직역하면 '안전한 해시 알고리즘'으로, 현재 SHA-1과 SHA-2 계열이 많이 쓰이고 있다. SHA-0이 가장 먼저 나온 알고리즘이며 SHA-3이 가장 최근에 나온 알고리즘이다. 최근에 나온 알고리즘일수록 해시 문자열의 길이가 길고 강력하다는 특징이 있다.

SHA-2는 세부적으로 SHA-224, SHA-256, SHA-384, SHA-512로 나뉘는데 SHA-256이 가장 많이 사용되고 있다. SHA-256은 256비트로 구성되어 64자리 문자열을 반환한다. 단순히 산술적으로 계산했을 때 256비트는 2의 256 제곱만큼 경우의 수를 만들 수 있다.

이는 개인용 컴퓨터로 무차별 대입(Brute-Forcing)을 수행해 해시 충돌 사례를 찾으려고 할 때 억겁의 시간이 소요될 정도로 큰 숫자이므로 충돌로부터 비교적 안전하다고 볼 수 있다.[23)]

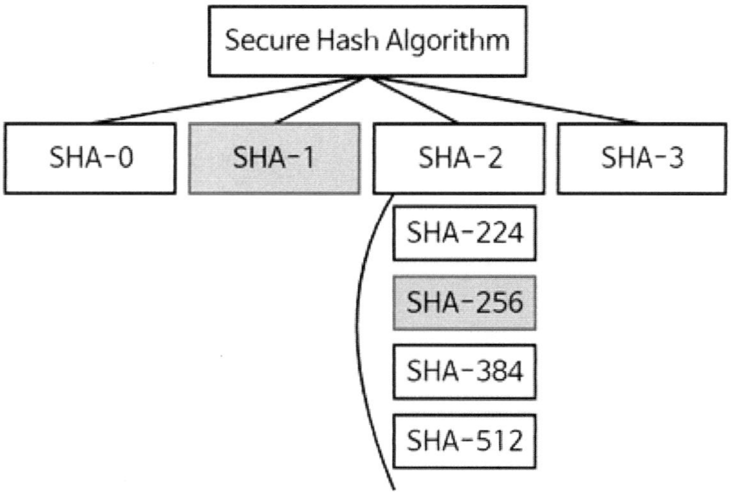

[그림 32] SHA 알고리즘의 분류

23) 블록체인의 기본, 해시란 무엇인가? ,bitweb.co.kr

3) 합의 알고리즘[24)]

블록체인에서 블록이 의도적으로 조작된 경우 혹은 동일 Timestamp에 여러 블록이 생성될 경우, 동일 번호에 복수의 유효 블록이 존재할 수 있다. 이때, 노드는 이후 연결되는 블록의 수가 더 만 많은 체인을 Main 체인으로 식별하게 된다. 따라서, 상대적으로 먼저 생성되어 전파된 블록이나 더 큰 Hash Power를 가진 노드에서 생성된 블록이 Main 체인으로 식별될 확률이 높아진다.

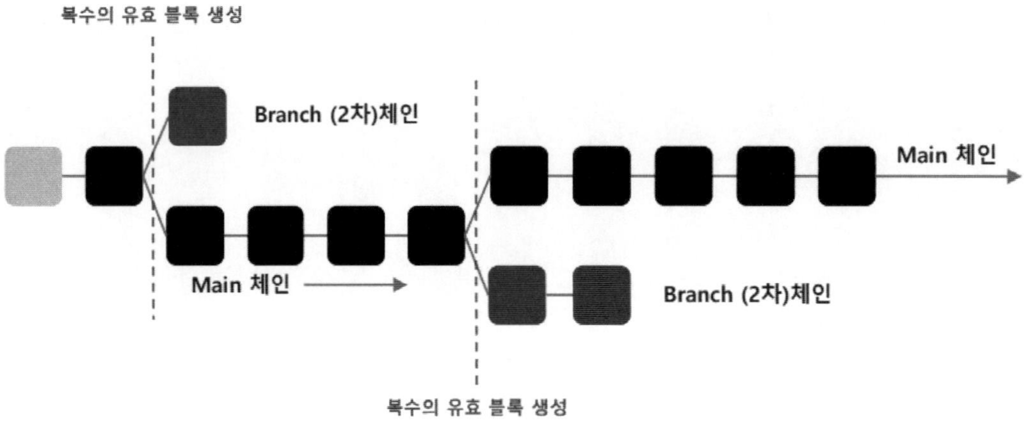

[그림 33] 복수의 유효블록과 Main 체인

합의 알고리즘은 블록체인 네트워크에서 합의를 달성하는 매커니즘이라고 할 수 있다. 따라서 블록체인 네트워크에서 합의 알고리즘은 핵심적인 요소로서, 분산화된 시스템의 무결성과 보안을 유지시키는 역할을 한다.

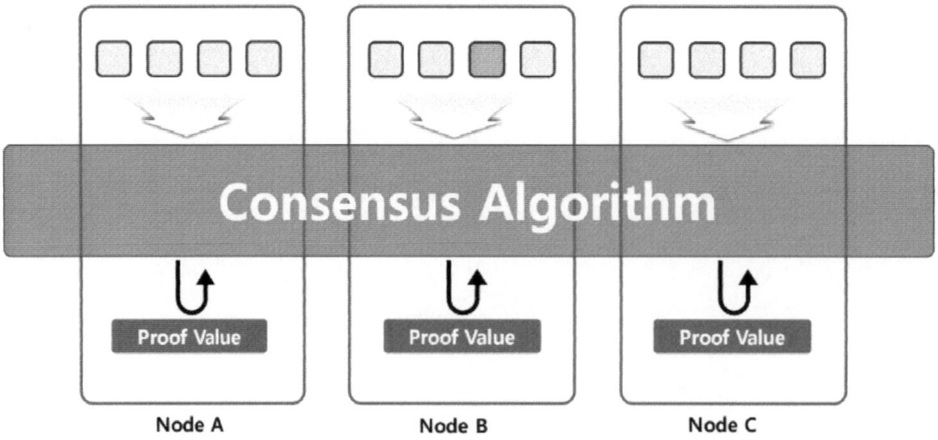

[그림 34] 합의알고리즘 개요

24) Consensus Mechanism, 코인플러그

합의 알고리즘에는 다양한 기법들이 있지만, 크게 퍼블릭 블록체인에 사용하는 합의 알고리즘과 프라이빗 블록체인에 사용하는 합의 알고리즘으로 나눠볼 수 있다.

Public Blockchain의 합의 알고리즘

비트코인의 경우 **작업증명** 알고리즘을 사용중이며, **이더리움**의 경우 2017년 8월부터 작업증명과 지분증명 알고리즘을 **Hybrid 형태**로 사용하고 있으며, 2018년중에 **지분증명으로의 전환**을 목표로 하고 있습니다.

- ✓ **작업증명 (Proof of Work, PoW)**
  - 블록체인에서 가장 보편적으로 사용중인 합의 알고리즘으로 컴퓨팅 파워를 이용하여 특정 난이도의 해시값을 역함수 해시화 하여 Nonce값을 계산해내고 이를 검증하는 것으로 합의를 도출함
- ✓ **지분증명 (Proof of Stake, PoS)**
  - PoW의 컴퓨팅 파워 낭비 문제를 해결하고자 개발된 합의 알고리즘으로 노드가 보유한 자산을 기준으로 권한을 분배하여 합의를 도출하고 보상을 분배하는 알고리즘
- ✓ Proof of Elapsed Time (PoET) 등의 다양한 알고리즘 존재

Private Blockchain의 합의 알고리즘

Private Blockchain의 경우 보편적으로 **PBFT와 PAXOS** 알고리즘을 사용하고 있으며, Enterprise Ethereum의 대표 프로젝트인 **Quorum**의 경우 **Raft** 알고리즘을 채택하여 사용하고 있습니다.

- ✓ **PAXOS**
  - 가장 일반적인 합의 알고리즘으로 Leader를 선정하고 과반수의 동의에 의해 합의를 이룸
- ✓ **Practical Byzantine Fault Tolerance (PBFT)**
  - 비잔틴 장군 문제를 해결하고자 고안된 합의 알고리즘으로 투표 메카니즘을 도입한 3단계 프로토콜을 이용한 합의 도출로 프라이빗 블록체인에서 널리 이용됨
- ✓ **Raft**
  - PAXOS를 보완한 형태로, 투표와 랜덤 타임아웃을 통한 리더 선출로 절차를 단순화 하는 것이 특징
- ✓ SBFT, Tendermint 등의 다양한 알고리즘 존재

[그림 35] 합의 알고리즘 종류

가) 작업증명 알고리즘 (Proof of Work, PoW)

작업증명은 블록체인에서 가장 보편적으로 사용중인 합의 알고리즘으로 컴퓨팅 파워를 이용하여 특정 난이도의 해시값을 역함수를 해시화 하여 Nonce 값을 계산해내고 이를 검증하는 것으로 합의를 도출한다. 작업증명 알고리즘은 개별 거래 검증, 블록생성, 개별 블록 검증, Main 체인 식별 순으로 진행된다.

① 개별 거래 검증

노드에서 발생한 거래를 네트워크상에 선파하기 전에 정의된 20개의 Checklist를 기준으로 거래를 검증한다.

② 블록생성

검증된 거래를 블록에 담은 후, 특정 Hash 값을 생성하는 Nonce 값을 역함수 Hash로 도출해내어 블록을 생성한다.

③ 개별 블록 검증

정의된 19개의 checklist에 의해 블록과 블록에 포함된 거래를 검증하고, 체인에 블록을 추가한 후 블록을 네트워크상에 전파한다.

④ **Main 체인 식별**

동일 번호에 복수개의 정상 블록이 생성된 경우, 이후 블록들의 연결에 따라 더 많은 블록이 붙는 체인을 Main 체인으로 한다.

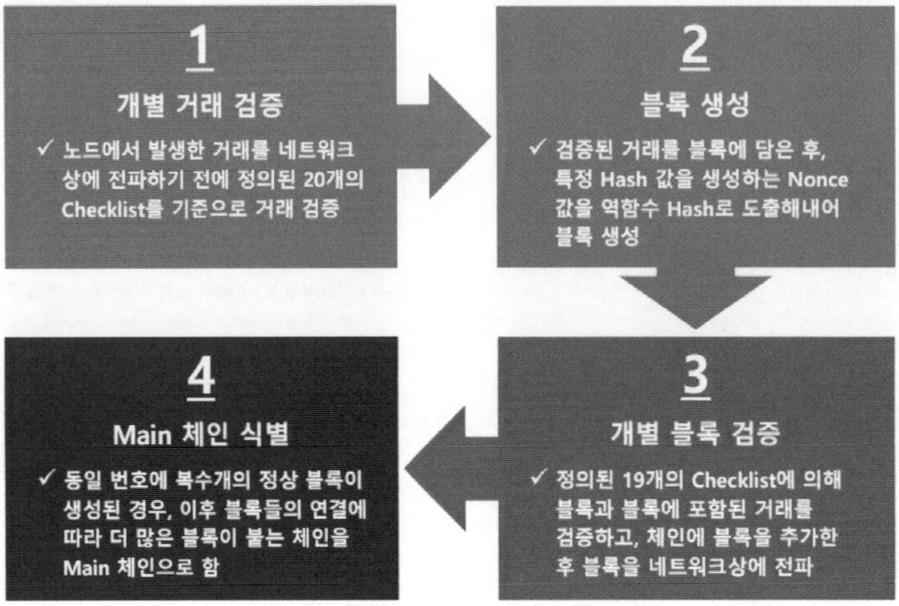

[그림 36] 작업증명 알고리즘

여기에서 해시함수는 입력값에 대해서 고정된 길이의 출력값으로 변환 시켜주는 함수로, SHA는 공개 표준 해시 함수로 결과값이 160비트로 고정되어있고, 비트코인은 SHA-256 함수를 사용하기 때문에 256비트 크기를 가진다.

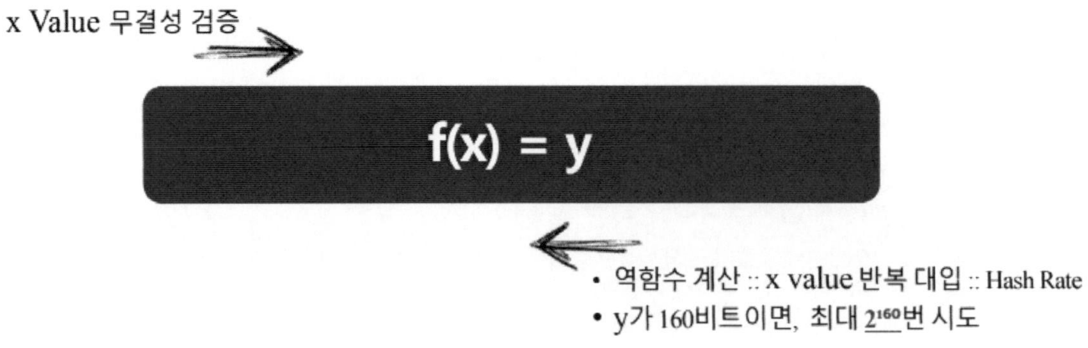

[그림 37] 작업증명 Hash 방식

거래 검증 Checklist
• 거래의 구문과 데이터 구조가 정확해야 한다. • 입력값이나 출력값 목록이 비어 있지 않다. • 거래 크기가 Block Size보다 작다. • 모든 출력값과 그 총합은 합법적인 금액 범위 내에 있어야한다. • 출력값의 총합이 입력값의 총합보다 작아야한다. • 풀이나 메인 브랜치에 있는 블록에 짝을 이루는 거래가 존재해야 한다. • 각 입력값에 대한 해제 스크립트는 그에 해당하는 출력값 잠금 스크립트에 대해 검증해야 한다. • 각각의 입력값에 대해, 출력값이 풀 내의 어떠한 거래 내부에 존재한다면 해당 거래는 거부되어야 한다. • 각각의 입력값에 대해 출력값은 존재해야 하며, 이미 소비되었으면 안된다. ...

[표 46] 작업증명 방식의 거래검증 Checklist

블록 검증 Checklist
• 블록의 데이터 구조는 문법적으로 유효하다. • 블록의 타임스탬프는 향후 2시간 이내이다. • 블록 헤더 해시는 목표 난이도보다 작다. • 블록의 크기는 허용할 수 있는 한도 내에 있다. • 등록되는 제일 첫 거래는 코인베이스 생성거래 (채굴 보상을 위한 신규 Bitcoin생성 거래)이다. • 블록 내에 있는 거래 전부는 '거래의 독립적 검증'에서의 Checklist를 이용하여 유효성 검증을 거쳐야한다. • 블록에 포함된 거래 리스트가 비어있어서는 안된다. • Nonce를 포함하고 Hash 화를 진행하여 작업증명을 검증하여야 한다. • Merkel Hash를 검증하여야 한다. ...

[표 47] 작업증명 방식의 블록검증 Checklist

나) 지분증명 알고리즘 (Proof of Stake)

작업증명 알고리즘(PoW)은 Hashing Power(연산능력)에 비례하여 블록에 데이터 업데이트 권한을 획득했다면, 지분증명 알고리즘(PoS)은 더 많은 지분(해당 코인)을 가지고 있을수록 그에 비례하여 블록에 데이터 업데이트 권한이 부여된다.

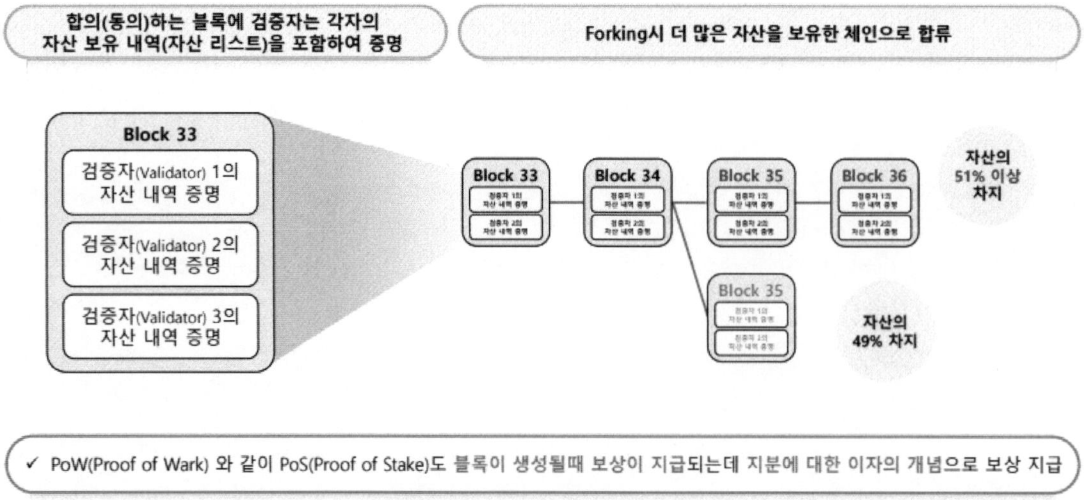

[그림 38] 지분증명 알고리즘

다) PAXOS

PAXOS 알고리즘은 사전확인과 수락 처리 2단계 절차로 진행된다.

먼저, 사전확인 단계에서는 제안 Node가 합의 도출을 위한 제안 메시지를 각 투표 Node로 전달한다. 이후 과반수의 사전 확인 후 수락 요청을 처리하게 된다.

다음으로 수락 요청 및 최종 합의 단계에서는 제안 Node 수락 결과가 검증 Node에 취합되며 최종 합의 결과는 제안 Node에 전달하여 완료된다.

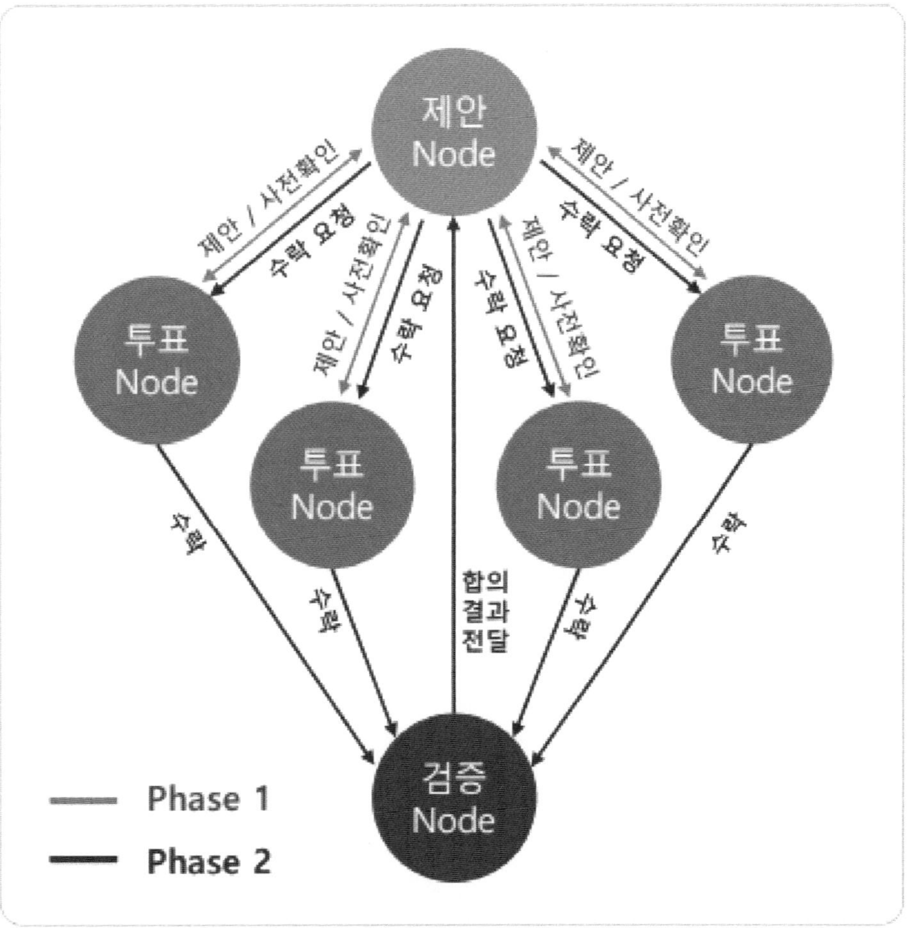

[그림 39] PAXOS

라) Raft

Raft는 PAXOS 알고리즘을 보완한 형태의 합의 프로토콜로써, Leader를 선출하고 해당 Leader로 하여금 거래 처리 및 합의 도출 과정을 전담하게 하여, 프로세스를 단순화 하고 합의 속도를 향상시켰다.

Raft는 Leader를 선출하는 Election 단계와 합의 단계로 나누어 살펴볼 수 있다.
먼저, Election 단계에서는 한번에 하나의 Leader만 존재하고, 선출 주기는 별도로 지정되어 있지 않고 다음 Leader를 선출할 때 까지로 정한다. 만약, 참여자가 Heartbeat timeout 시간 내에 메시지를 받지 못하면 Leader가 없다고 판단하고 후보자가 된다. Election을 진행할 때, 과반수의 득표를 얻은 후보자가 없는 경우 새로운 Election을 다시 진행한다.

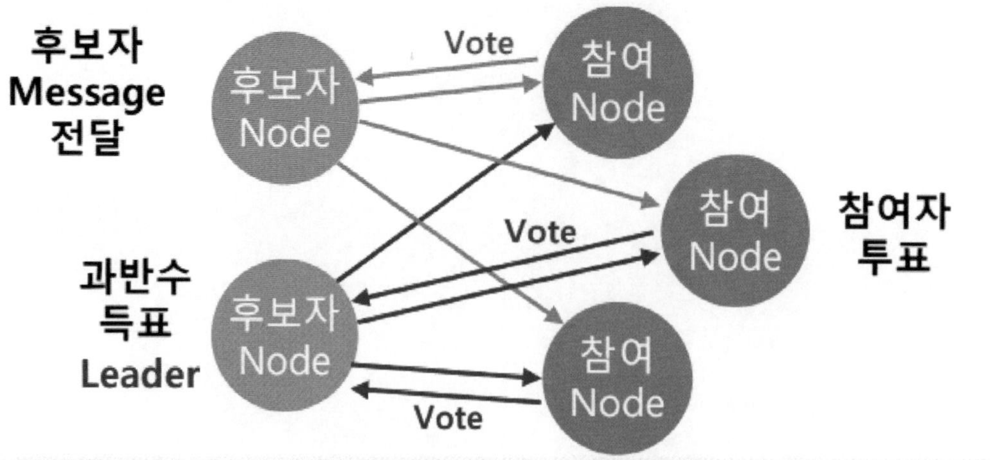

[그림 40] Election (Leader 선출) 단계

다음으로 합의 단계인 Log Replication 단계에서는 PAXOS와 유사한 구조로 합의를 진행하고, Leader만이 메시지를 전달하여 합의 절차를 진행할 수 있다. 1차적으로 메시지 수락에 대한 사전 확인을 과반수의 노드로부터 회신 받고, 2차적으로 모든 노드로 부터 확정을 회신 받음으로 합의를 도출한다. 만약 Leader가 부재일 경우, 모든 과정은 중단되고 Phase 1을 진행한다.

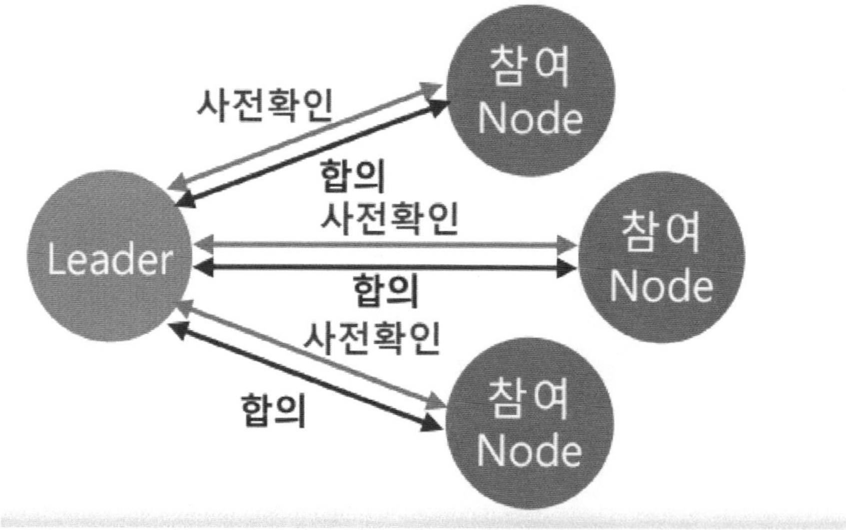

[그림 41] Log Replication (합의) 단계

마. 장점 및 단점

1) 장점

가) 보안성과 안전성

블록체인은 거래 장부가 분산 저장돼 있어서 모든 컴퓨터를 해킹하지 않는 이상 조작이 불가능하다. 또한, 서버가 처리할 수 있는 용량을 초과하는 정보를 한꺼번에 보내 과부하로 서버를 다운시키는 디도스(DDoS)공격에도 안전하다. 게다가 공인인증서와 같은 제 3자의 공증 없이도 개인거래가 가능하기에 거래수수료를 줄일 수 있고 보안성이 뛰어나 보안 투자 비용을 아낄 수 있다.

블록체인은 공개된 소스에 따라 쉽게 구축·연결·확장되므로 기존 기술과 달리 정보기술(IT)구축 비용도 획기적으로 낮출 수 있다. 또한, 정보를 블록 형태로 전세계에 PC에 분산해 저장하기 때문에 중앙 서버가 필요 없다는 장점이 있다.

나) 신속성

블록체인은 거래 승인·기록이 중간절차를 거치지 않고 다수의 참여에 의해 자동 실행되므로 신속하다는 장점이 있다. 또한, 거래의 인증·증명과정에서 제 3자를 배제시키는 실시간 거래가 이루어지므로 거래 기록의 신뢰성 확보와 동시에 거래의 효율성 및 속도가 향상된다.

기존의 예탁결제제도 하에서는 공인된 제 3자(한국예탁결제원)가 소유한 거래 장부에 기록이 수정돼야 결제가 이뤄지기 때문에 주식 주문 체결일부터 결제까지 3일이 소요됐다. 하지만 블록체인은 체결일 당일에 청산이 이루어져 투자자가 원하는 시점에 주식을 소유하거나 주식에 투자됐던 자금을 현금화할 수 있게 돼 투자자의 편의가 크게 높아진다. 이 때문에 블록체인이 도입될 경우 주식 투자가 좀 더 활발해질 것으로 업계에서는 기대하고 있다. 또한 분산원장 기술로 오류와 실수를 최소화시킬 수 있으므로 오류의 정정과 수정을 위한 시간이 줄어들 것으로 보인다.

다) 비용절감

블록체인은 기술 특성상 막대한 IT 비용과 인력이 수반되는 대규모 인프라를 필요로 하지 않기 때문에 비용면에서 우수한 장점을 지닌다. Santander Innoventures(2015)는 금융업계가 블록체인 기술로 2022년까지 약 150~200억 달러의 비용을 절감할 수 있을 것으로 전망했다.[25]

---

25) <The Fintech 2.0 Paper: rebooting financial services>, Santander Innoventrues, Oliver Wyman and Anthemis group(2015)

라) 가시성 극대화

네트워크 참여자들의 실시간 거래 모니터링이 가능해지면서 가시성이 극대화된다는 점도 블록체인의 장점 중 하나로 꼽을 수 있다.

2) 단점[26)]

가) 작업증명 방식의 문제점

블록체인은 중앙체계를 가지고 있지 않기 때문에 다수의 참여자들이 공동으로 의사결정을 내리기 위한 거버넌스(governance) 구조가 필요하다. 거버넌스란 다수의 참여자들이 공동의 목표를 위해 서로 논의하고 결정하는 체계로, 블록체인에는 중앙 체계가 없으므로 공정한 의사결정을 내리기 위해서는 네트워크에 참여하고 있는 모든 사용자들이 평등한 관계에서 합의를 도축하기 위한 거버넌스와 이를 시스템적으로 구현하기 위한 합의 알고리즘이 필요하다.

블록체인에서 처음으로 도입한 합의 알고리즘이 바로 '작업증명 방식(PoW)'로, 작업증명이란 목표값 이하의 해시를 찾는 과정을 수없이 반복해서 해당 작업에 참여했음을 증명하는 방식의 알고리즘이다. 이때, 이러한 방식이 마치 광산에서 금을 캐기위한 행동과 비슷하다고 하여 '채굴(mining)'이라고 부르고 있다. 채굴을 통해 가장 먼저 목표값 이하의 해시값을 얻게 되는 사용자는 해당 블록을 체인에 연결하고 이에 대한 댓가로 코인을 지급받게 된다.

이때, 블록체인의 문제점이 나타나게 된다. 이러한 작업증명 방식에 따른 채굴은 막대한 자원과 전기 낭비를 유발하는데, 채굴을 통해 코인을 지급받는 사람은 1명이지만, 이를 위해 수없이 많은 자원이 경쟁에 참여하기 때문에 낭비가 커지게 된다. 또한, 이러한 경쟁이 심해지면서 여러 채굴업체들은 '마이닝 풀(mining pool)'을 구성하여 공동 채굴을 함에 따라, 비민주적 의사결정이 우려되고 있다.

마이닝 풀은 채굴기를 운영하는 개인이나 업체들이 공동으로 채굴하고 수익을 분배하는 것으로, 마이닝 풀을 통해 네트워크로 연결된 채굴기들을 통해 채굴 성공률을 높일 수 있으며, 이를 통해 얻게 된 코인은 참여자들의 해시 연산력에 비해 수익을 배분받는 방식이다.

만약, 단순계산으로 상위 마이닝 풀이 담합을 하게 된다면 51% 공격을 통해 기존 거래내역에 대한 위조와 변조도 가능할 수 있다.

이처럼 작업증명 방식에 따른 채굴 경쟁과 그로인한 막대한 전기낭비 및 비민주적 의사결정을 막기 위해 다양한 대안적 합의 알고리즘인 지분증명(PoS)가 등장했는데, 지분증명(PoS)은 해당 암호화폐를 보유하고 있는 지분율에 비례하여 의사결정 권한을 주는 방식이다.

즉, 주주총회에서 지분율에 따라서 권한이 다른 것과 같다.

---

26) [Makers Basic 6] 블록체인의 문제점과 대안, 장경재, medium.com

지분증명방식은 막대한 전기를 소모하는 채굴과정이 필요 없다. 다만 이 방식은 그라인딩 공격에 취약하다는 문제를 가진다. 이것은 마지막 블록 생성자가 다음 번 블록 생성에 사용되는 랜덤 변수를 미리 계산해서 본인에게 유리한 결과를 만들 수 있다는 것이다.

에이다는 우로보로스 지분증명(Ouroborous PoS)이라는 개선된 알고리즘을 사용함으로써 이 문제를 해결했다. 하지만 이러한 방식의 암호화폐는 많이 소유한 사람에게 의사결정 권한이 크기 때문에 자본에 의한 의사결정구조를 왜곡한다는 점, 암호화폐를 거래에 사용하기보다는 보유만 하는 것이 더 유리하기 때문에 암호화폐 활성화에 악영향을 미칠 수 있다는 점 때문에 비판을 피할수 없다.

이러한 지분증명에 대한 비판으로 위임지분증명(DPoS)방식이 등장했다. 암호화폐 소유자들이 각자의 지분율에 비례하여 투표권을 행사하여 자신의 대표자를 선정해서 이 대표자가 합의를 도출해내서 의사결정을 하는 방식이다. 의원을 뽑아서 의회를 구성하는 식의 민주주의 제도와 유사하다. 이오스, 스팀, 보스코인 등이 이 방식을 하고 있다. 그러나 이 방식 또한 직접 민주주의가 아닌 선출된 소수 대표자들에 의해 독과점으로 변질될 우려를 가지고 있기에 이상적인 블록체인의 모습과는 다르다.

또한 이후, 작업증명과 지분증명의 장점을 혼합한 하이브리드형 알고리즘인 활동증명(PoA)방식이 등장하기도 했으며, 소각증명 방식, 중요도증명(PoI), 신뢰성증명(PoB) 등 다양한 합리적 알고리즘처럼 다양한 알고리즘도 등장하고 있다.

나) 체인 알고리즘의 문제점

체인(chain)이란 이전 블록의 해시가 다음 블록과 한 구성요소가 되어 연결되는 것을 말한다. 체인 알고리즘은 다수의 거래기록을 해시화하여 체인처럼 연결, 탈중앙 방식을 통해서 데이터 위변조를 방지하는 블록체인의 가장 대표적인 알고리즘이다.

다만 트랜잭션 처리 속도가 느리고 블록의 사이즈가 작아 확장성이 없다는 점, 다른 블록체인과 연결이 어렵다는 단점을 지닌다.

① 느린처리속도

하나의 거래가 발생시 이를 즉시 처리하지 못하고 다수의 거래내역이 모여 하나의 블록을 형성할때 까지 기다려야 하기에 처리속도가 느리다. 블록을 형성한 이후에도 다른 노드들에게 이를 검증받아야 하기에 오랜시간이 소요된다.

블록체인을 이용한 암호화폐의 경우 '화폐'의 역할을 하려면 신속해야 하는 데 이런 점 때문에 실생활에서 결제수단으로서 이용하기 어렵다.

② 확장성문제

블록체인을 구성하는 하나의 블록은 최대 크기가 정해져 있다. 초기 사용자수가 많지 않았을 때는 문제가 되지 않았지만, 사용자수가 증가함에 따라 하나의 블록안의 담을 수 있는 데이터의 최대 한도를 초과하는 경우가 발생하여 확장성 문제를 야기한다.

비트코인의 경우 블록 하나의 크기가 1MB로 제한되어 있었기 때문에, 하나의 블록당 2천건 정도의 트랜잭션을 기록하면 공간 부족 문제가 생긴다.

공간이 부족하면 기록되지 못하고 뒤로 밀리게 된다. 더 높은 수수료를 지급하면 순서에 상관없이 맨앞으로 이동하여 블록에 기록될 수 있으나 수수료 인플레이션 문제가 발생할 수 있다. 블록 하나의 크기를 증가시킬 수 도 있으나, 미사용 공간이 커지고 전체 블록체인의 사이즈가 커져 느려지는 문제가 생길 수 있다.

비트코인의 경우 2017년 8월1일자로 사용자의 디지털 서명부분을 블록에 기록하지 않고 제외하여 한 블록당 더 많은 데이터를 저장할 수 있도록 세그윗(SegWit)이라는 일시적 조치를 하였지만, 근본적 문제는 해결되지 않았다.

이를 해결하고자 다양한 알고리즘이 등장하고 있다.

그 중 하나는 라이트닝 네트워크(lightning network)라는 알고리즘인데, 이는 개별 거래를 다른 채널에서 처리하여 결과만 체인에 기록하는 방식으로 속도 문제를 해결한 알고리즘이다.

이와 유사하게 모든 거래내역을 메인 체인에서 처리하지않고 별도의 차일드체인(child chain)에서 처리하여 결과만 메인체인에 전달하는 방식인 플라즈마(plasma)알고리즘도 개발되었다. 또한 이를 개량한 플라즈마캐시 알고리즘이 개발되었는데, 이는 모든 사용자가 모든 블록을 다운로드해서 검증하는 것이 아닌 개별 사용자가 관심을 가진 특정 코인이 포함된 블록만 추적하여 속도를 증가시킨 알고리즘이다.

또한, 블록체인의 속도가 느린 것은 거래내역이 발생한 즉시 처리하지 않고 블록을 구성할 때까지 기다리기 때문인데, 블록을 구성하지 않아야 근본적인 속도 개선이 가능하다.

이에 따라 블록이 없는 데이터 처리 알고리즘으로 탱글(tangle)과 해시그래프(hashgraph) 알고리즘이 나타났다. 탱글은 새로 발생한 거래가 이전에 발생한 2개의 거래를 확인해주는 방식이고, 해시그래프는 하나의 노드가 다른 불특정 노드에게 가십(gossip)을 전달하는 방식으로 작동하는 알고리즘이다. 이런 알고리즘은 블록이 존재하지 않지만, 기존 블록체인의 장점인 탈중앙화와 데이터 위변조 방지가 가능하면서도 속도 또한 빠르다는 장점이 있다.

다) 오라클 문제

블록체인에서 오라클 문제(oracle problem)란 블록체인 밖에 있는 데이터를 안으로 가져올 때 발생하는 문제로 데이터를 블록체인 안에 넣어주는 사람이나 장치 있어야 하는데 이때 이런 중간 역할을 하는 사람이나 장치를 어떻게 신뢰할 수 있을 것인가 하는 문제이다.

블록체인 기술은 탈중앙 분산화를 추구하기에 권위를 가진 중앙이 존재하지 않기에, 데이터를 입력하는 중간자를 신뢰할 수 잇는 특별한 방법이 있어야 한다.

예시를 통해 알아보면 A와 B의 선택지에서 A가 선택될 경우 C에게 코인이 지급되고, B가 선택될 경우 D에게 코인이 지급되는 스마트 계약이 있다고 가정해보자. 실제로 A가 선택 되었더라도 데이터를 입력하는 중간에서 B가 선택되었다고 임의 혹은 실수하는 상황이 발생할 수 있다. 이 때 스마트 계약에 의해서 D에게 코인이 지급되므로 블록체인 상에서는 데이터 위변조가 일어나지 않은 것이지만 현실 데이터를 등록하는 과정에서 문제가 발생하는 데 이것이 오라클 문제이다.

이러한 오라클 문제를 해결하기 위한 방법으로 암호화폐 소유자들이 투표를 통해 결정하거나 데이터의 중간값을 선택하거나 신뢰할 수 있는 데이터를 제공해주는 중간자를 두는 방법등이 시도되고 있으나 확실한 해결책은 존재하지 않는다.

① 투표

암호화폐 소유자들이 지분증명이나 위임지분증명등의 방법으로 투표를 통해 의사결정을 하는 방법이다. 다만 이 방법은 암호화폐 소유자들이 투표 시 진실성에 기초하여 의사결정과정에 참여 하리라고 가정한다. 만약 허위로 투표할 경우에 피해는 암호화폐 소유자들에게 돌아가므로 진실하게 투표 하리라는 가정이다. 하지만 어디에서나 그렇지 않은 사람들이 존재하기 때문에 허위 투표를 할 가능성이 존재한다는 점을 가지고 있다.

② 중앙값

현실 세계에 존재하는 다양한 데이터 가운데 중앙값(median)을 선택하는 방안이다. 예를 들어 서로 다른 종류의 암호화폐를 직접 거래하려고 할때 수집한 가격들 중에서 중앙값을 선택하는 등에 대한 방법이다.

③ 중간자(middleware)

신뢰할 수 있는 데이터를 제공해주는 중간자를 두는 방법으로서, 조직이나 소프트웨어가 데이터를 체계적으로 제공한다. 이러한 중간자의 예로 오라클라이즈(Oraclize), 체인링크(Chainlink), 아이캐시(iCash)등이 있다. 이러한 중간자는 네트워크에 중간에 존재하면서, 신뢰할 수 있는 데이터를 안정적이고 체계적으로 제공하여 오라클 문제를 해결할 수 있다. 하지만 탈중앙화를 지향하는 블록체인에서 중간자 역할을 하는 조직이나 소프트웨어가 새로운 형태의 중앙이 될 가능성이 존재한다.

바. 블록체인 플랫폼별 기술설명[27)]

현재 블록체인을 정확히 이해하고 있는 사람은 드물고 전문가들도 블록체인에 대해 오해하는 경우가 있다. 이 때문에 블록체인의 본질을 정확히 알아야 할 필요성이 있다. 본 장에서는 블록체인 기술을 플랫폼별로 나누어 자세히 설명하고자 한다.

레이어(Layer)는 영어로 층을 의미하고, 계층이라고도 말한다. 주로 웹 브라우저나 그래픽 소프트웨어에서 사용되는 기술이며, 통신용어에서는 데이터 전송을 원활하게 하기 위해서 처리의 역할분담으로 층을 나누는 것을 레이어라 부른다.

각 레이어 역할을 블록체인에 적용하면 크게 5가지 영역으로 나누어진다. 각각 네트워크 영역, 블록체인 영역, 확장 영역, 애플리케이션 영역, 서비스 영역이 되어 레이어 수는 OSI참조 모델에 따라 7층으로 나누었다.

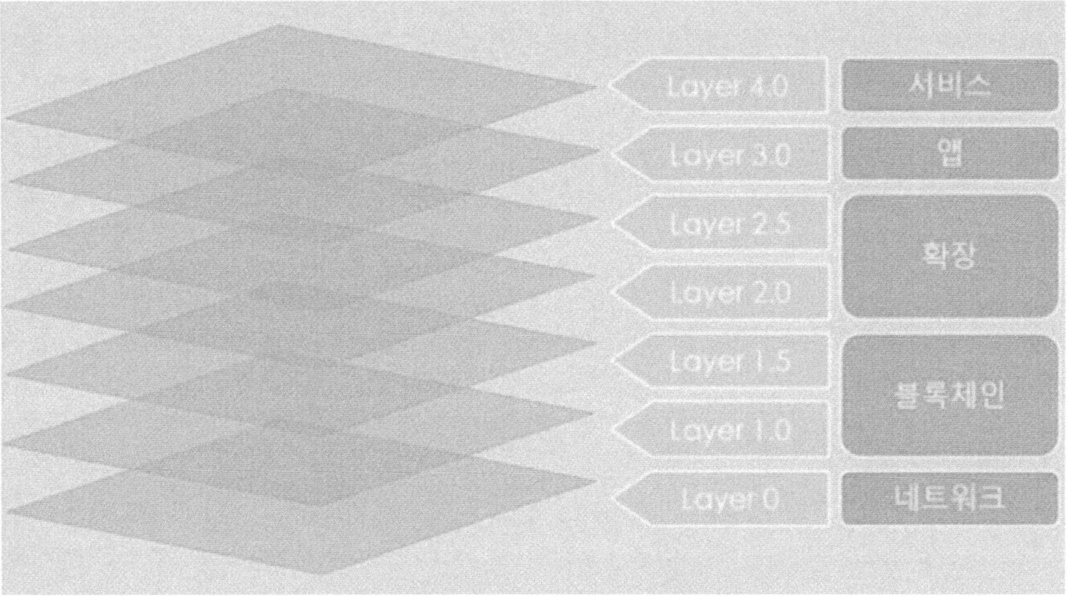

[그림 42] 블록체인 레이어 구조 도표

27) 레이어로 블록체인 확장성 솔루션/미디엄

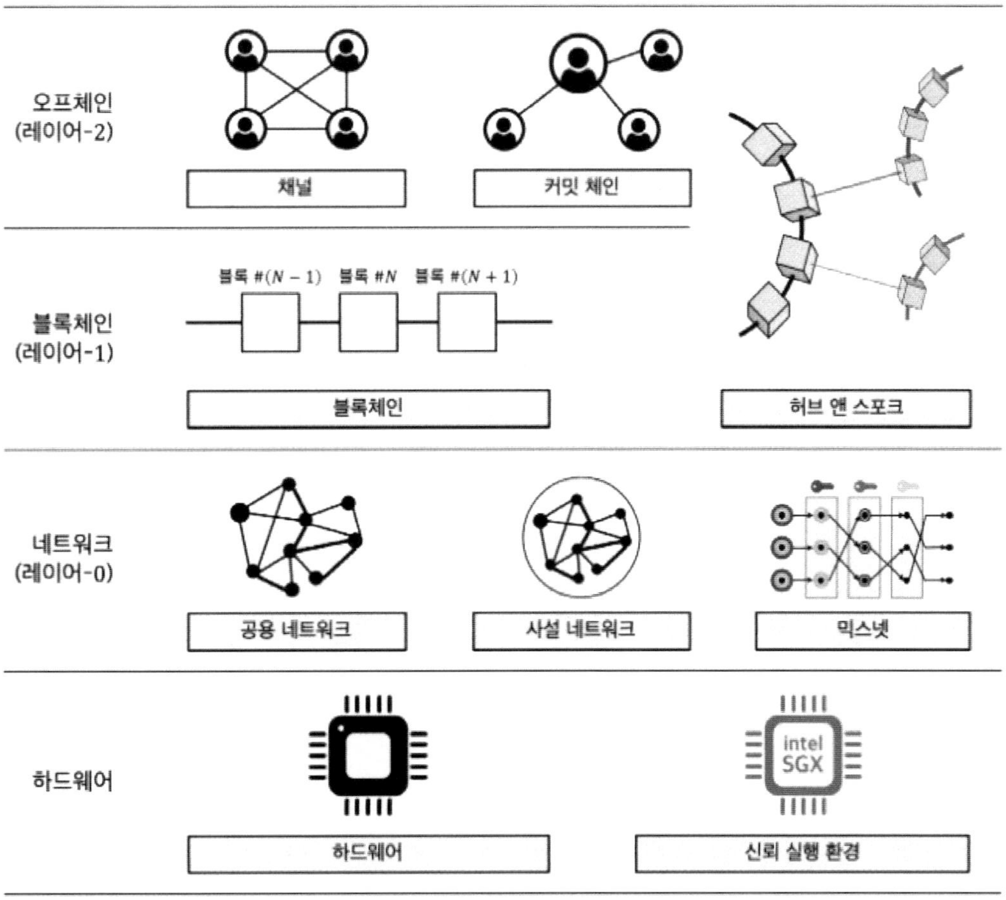

[그림 43] 블록체인 계층과 확장성 솔루션. “SoK: Off The Chain Transactions” 논문에 등장하는 그림을 참고하여 확장 및 재구성함.

1) 레이어 0(Layer 0, L0)

레이어 0은 블록체인 생태계의 중추를 구축하는 하드웨어 및 소프트웨어를 포함하는 기본 레이어이다. 블록체인에서 네트워크 구조를 결정하는 가장 하층에 위치하는 부분으로, 여기를 결정하지 않으면 통신이나 송금, 토큰 발행을 못한다.

블록체인 내에서 생성되는 블록이나 노드 사이의 통신(P2P등)을 행하기 위한 프로토콜이 된다. 컴퓨터 공학에서 네트워크 OSI 7계층을 보면 Netwrok Interface가 가장 하단 부분인 것과 같은 맥락으로 이해하면 된다.

2) 레이어 1.0(Layer 1, L1)

레이어 1은 자체 블록체인에서 트랜잭션(거래)을 처리하고 완료하는 블록체인이다.우리가 흔히 아는 블록체인이 바로 레이어1로, 가장 많이 알려진 비트코인, 이더리움, 에이다, 솔라나 등이 레이어 1기반의 블록체인이다.

레이어 1은 PoW나 PoS 등의 합의 알고리즘을 규정하는 레이어 블록 생성·승인을 규제하는 프로토콜이며, 정하는 기능에 따라 특징이 크게 좌우된다.

대표적인 PoW은 분산성과 보안 능력은 높지만 확장성 문제나 51% 공격 등의 리스크가 있다. 한편 PoS는 확장성, 51% 공격의 문제는 낮지만 보안 능력과 분산성을 희생시킨다. 이외에도 DPoS, PoI 등 취약점을 보완한 알고리즘이 있고 특징에 따라 어느 기능을 채용할지는 각양각색이다.

레이어 1의 단점으로는 느린 거래 속도, 비싼 수수료, 제한된 상호운영성이다. 레이어1 트랜잭션 처리 속도는 굉장히 느리다. 블록당 용량도 제한적이고, 처리 수도 제한되어 있으며, 다음 블록으로 넘어가는 시간도 오래 걸려 속도나 성능 면에서 굉장히 떨어진다.

블록체인이 초당 처리할 수 있는 트랜잭션 규모를 의미하는 TPS로 따져 보면, 비자 카드는 2,4000TPS, 대표적인 레이어1 코인인 비트코인은 2~7TPS, 이더리움은 20TPS로 처리 속도가 현저히 낮다.

또한, 느린 트랜잭션 처리 속도에 비해 많은 거래 요청이 들어오게 되면, 혼잡도가 증가해 처리 속도가 늦어지고, 수수료가 증가한다. 더 많은 수수료(가스비)를 내는 쪽의 거래를 더 빨리 처리해주기 때문에 수수료 경쟁이 붙어 점차 그 비용이 증가하게 된다.
이더리움과 비트코인은 코인 종류 가 달라 상호 교류가 되지 않는다. 레이어1 서비스를 모두 이용하기 위해서는 디지털 자산을 매번 교환해야 하는 번거로움이 있다.

이처럼 레이어 1 기술에서는 속도나 확장성, 수수료 문제에 있어 여러 문제점을 가지고 있다. 예전처럼 네트워크 이용자가 적을 때에는 큰 문제가 되지 않았지만, 점차 사용자가 늘어갈수록 이는 한계에 부딪힐 수밖에 없다.[28)]

3) 레이어 1.5(Layer 1.5, L1.5)

생성되는 블록 내에 어떤 정보를 놓는지를 결정한다. 이더리움은 스마트 계약에 의한 디지털 계약 내용을 블록 내에 놓거나, 비트코인에서 확장성 문제 해결책인 segwit에 관한 논의는 이 부분이 해당된다.

네트워크와 블록체인 영역인 L0 와 L1, L01.5의 층은 장단점이 현저하게 나오는 장소이며, 출시함에 있어서 어디를 중시할지는 자주 논의된다.

4) 레이어 2.0(Layer 2, L2)

레이어2는 블록체인 상의 통신 규모를 확장하여, 처리능력을 확대하는 레이어로, 프로그래밍 언어 등 구성부분을 규정하는 장소이다.

기존 이더리움 블록체인(L1)에 새로운 블록체인(L2)을 추가해, 거래를 처리하는 방법을 말한

---
28) 레이어2 기술과 코인 총정리/hitchblog

다. 즉 L1에 트래픽을 가져와 L2에서 트랜잭션(거래)을 처리하는 방법입니다. 간단히 말해, L2는 확장성과 초당 트랜잭션(시스템 처리량)을 높이기 위해 사용되는 방법이라고 생각하면 된다.

기존 블록체인이 아닌 바깥에 있는 별도의 레이어에서 연산을 수행하고 거래를 기록, 검증한 후 그 결과 값만 원래 블록체인에 기록한다. 이런 방식을 통해 블록체인의 데이터 부담을 줄여 확장성 문제를 해결할 수 있다.

레이어를 어떻게 쌓느냐에 따라 방식이 갈리지만, 사이드 체인, 롤업, 스테이트 채널, 플라즈마 방식 등 여러 레이어 2 코인 솔루션이 존재하며, 대표적인 블록체인으로는 폴리곤(Polygon), 오미세고(OmiseGo), 루프링(Loopring), 스케일 네트워크(SKALE Network), 옵티미즘(Optimism)등이 있다.

① 사이드 체인(Side Chain)

사이드 체인은 블록체인을 형성하고 있는 주요 그룹에서, 새로운 그룹을 생성해서 새로운 서비스를 제공하는 체인을 말한다. 다시 말해, 비트코인, 이더리움과 같은 애플리케이션 기반으로 새로운 서비스를 제공하게끔 하는 것이 바로 '사이드 체인'이다.

사이드 체인은 기존 블록체인 기반 애플리케이션(코어 애플리케이션)을 기반으로 하고 있기 때문에 원장을 공유한다. 앞서 언급한 블록체인 기반 음반거래를 예로 들겠다. 음반 거래와 비트코인 기반으로 개발됐다면 음반거래에서 발생한 정보 또한, 음반거래를 하지 않지만, 비트코인 거래에 참여한 노드와도 공유된다.

이는 새로운 서비스를 구현하고, 참여자가 없더라도 조작위험으로부터 안전하게 해준다. 기존 체인은 수많은 참여자가 있기 때문이다. 다시 말해 해커는 새로운 서비스의 거래정보를 해킹하기 위해서는, 사이드 체인의 노드뿐만 아니라, 사이드 체인 기반의 노드도 해킹해야 한다.

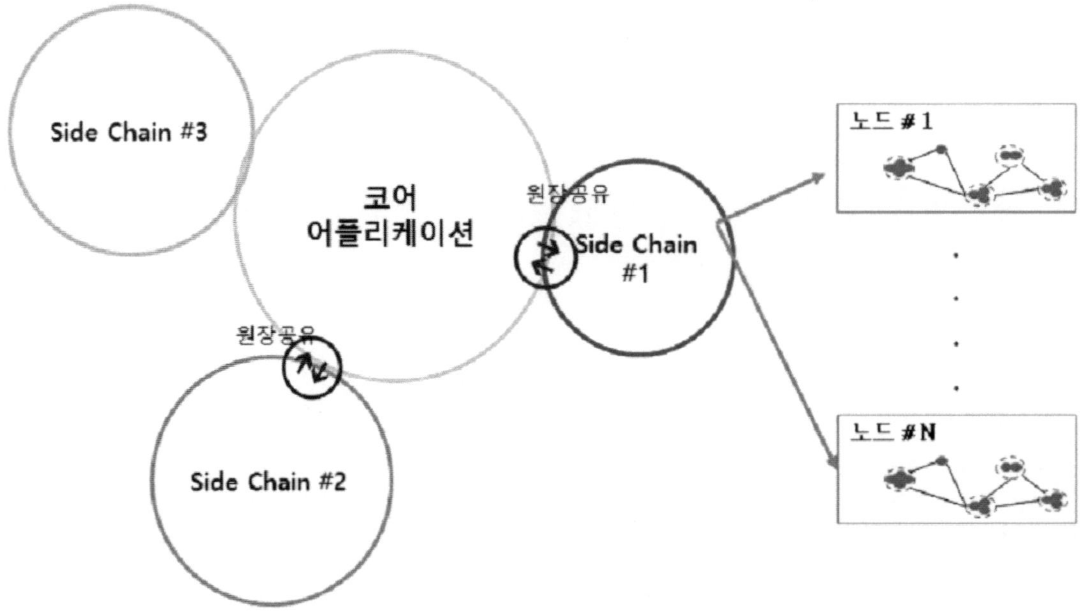

[그림 44] 사이드체인 네트워크 구성도

위 그림은 블록체인 네트워크 구성도를 나타낸 것으로 코어 애플리케이션(이더리움,비트코인 등)을 기반으로 사이드 체인이 형성되어 있는 것을 볼 수 있다. 이더리움을 예로 들면 가상화폐인 이더리움 서비스 위에 새로운 서비스인 전기 요금 자동납부, 음반거래, 금융환전 자동거래 등 다양한 서비스를 제공한다.

사이드체인은 별도의 컨센서스 알고리즘, 블록 생성 규칙, 그리고 검증자 노드를 보유하고 있어 보안이 취약할 수 있다. 같은 이유로 사이드체인을 L2 솔루션으로 취급하지 않는 사람들도 많다. 사이드체인은 EVM 호환이 가능하며 목적에 따라 다양한 방법으로 설계할 수 있다. 대표적인 사이드체인은 Polygon, Skale Network, xDai 등이 있다.

② 스테이트 채널(State Channel)

스테이트 채널은 사용자들이 2번의 온체인 트랜젝션으로 n번의 거래를 처리할 수 있게 해주는 L2 솔루션이다. 스테이트 채널을 사용하고자 하는 유저는 스테이트 채널을 열 때 (개시할 때) 거래하고자 하는 대금(ETH)를 채널에 전송하고 트랜젝션 수수료를 한 번 지불해야 한다. 채널을 연 이후에는 닫을 때까지 채널에 참가한 다른 사용자들과 n번의 거래를 할 수 있다. 이론상으로는 무한정 거래할 수 있으나, 채널이 닫힐 때까지 자금을 받지 못한다. 거래가 끝난 이후에는 각자 프라이빗 키로 디지털 서명을 한 뒤 트랜젝션 수수료를 다시 한 번 내고(총 2번) 채널을 닫으면 된다. 만약 채널에 참가한 어떤 유저가 불순한 목적을 가지고 채널을 닫지 않는다면, 상대방은 '회수 기간'(withdrawal period, 주로 7일)을 신청할 수 있다. 회수 기간이 끝날 때까지 유저가 채널을 닫기 위한 서명을 제공하지 않는다면 여태까지 있던 모든 거래가 취소되고 모든 자금이 상대방에게로 돌아간다.

스테이트 채널은 장기간 지속되는 온체인 자금 거래에 있어 매우 효과적이지만, 채널에 참가하지 않은 대상과 거래를 할 수 없으며 단순 자금 거래 외 다른 목적으로 사용하고자 하면 막

대한 양의 자금을 채널에 묶어놔야 한다는 단점이 있다. 대표적인 스테이트 채널은 Lightning Network, Celer, Raiden 등이 있다.

③ 플라즈마(Plasma)

플라즈마는 한마디로 비수탁(non-custodial) 사이드체인이다. 즉, 사이드체인에 문제가 발생(예:해킹, 검증자의 악의적 행동, 등등)하면 자금을 회수하지 못할 가능성이 높지만 플라즈마 체인에 문제가 생기면 유저들은 안전하게 자금을 L1에 이동시킬 수 있다. 다만, 사기 증명 방식이라 자금 회수에 시간이 다소 걸리고 (일반적으로 7~14일), L1에 트랜젝션 수수료를 제공해야 한다. 따라서 플라즈마는 사이드체인에 비해 보안이 더 우수하나, 그만큼 플라즈마를 구축하는 것이 기술적으로 더 어렵다. 플라즈마는 크게 Plasma Cash, MVP, Plasma Debit, Plasma Prime 총 4 종류로 나뉜다. 대표적인 플라즈마는 OMG Network과 Gluon이 있다.[29]

④ 롤업(Rollup)

롤업은 L2에서 수많은 트랜젝션을 실행 혹은 처리하고 그 결과값들을 하나의 배치(batch)로 롤업한 뒤(묶은 뒤) 해당 배치의 state root(트랜젝션이 성사된 후의 merkle root)를 L1에 저장하는 기술이다. 비탈릭 부테린은 "이더리움 생태계는 중장기적 확장성 개선 전략 차원에서 롤업에 올인하게 될 것"이라고 언급한 바 있을 정도로 롤업은 향후 이더리움의 생태계에 핵심적인 역할을 하게 될 것으로 예상되며 그만큼 업계 내에서 핫한 L2 솔루션 중 하나이다.

29) 이더리움 레이어2(L2) 솔루션 총 정리/Talken

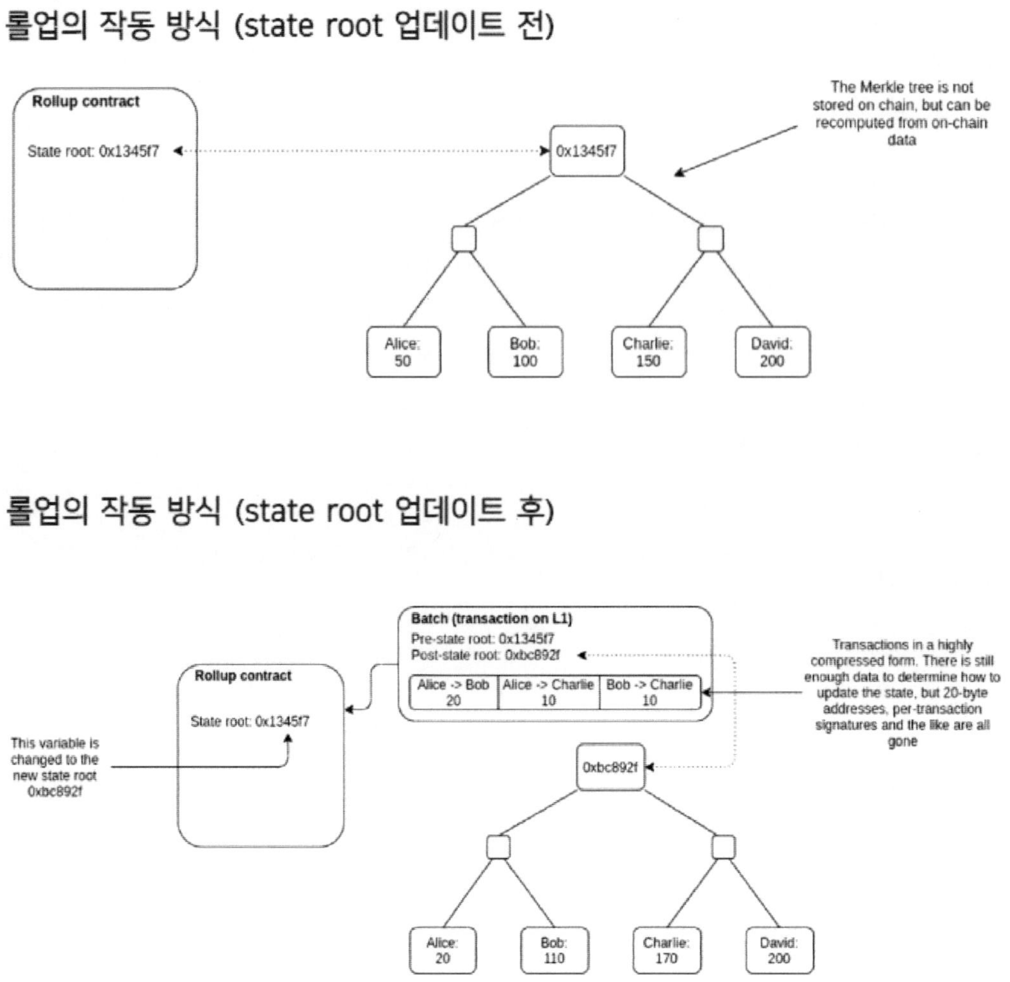

[그림 45] 롤업의 작동방식

롤업은 모두 온체인 저장방식이지만, 사용하는 암호화 증명(cryptographic proof) 방식에 따라 옵티미스틱 롤업(optimistic rollup)과 ZK롤업으로 나뉜다.

5) 레이어 2.5(Layer 2.5, L2.5)

가상 머신의 블록체인을 OS단계로 실행하기 위한 기능을 확장한다. 예를 들면 PC의 윈도우나 애플 단말기의 iOS, 구글 크롬 OS 등이 해당되고 앱이나 서비스 기능에서 필수인 부분이다.

확장 영역은 말 그대로 블록체인 처리능력을 확장하기 위한 레이어이며, 사용자가 쓸 때 방법이나 시스템 컴퓨팅을 맡은 자리이기도 한다.

6) 레이어 3.0(Layer 3, L3)

가상 머신 상에서 앱이 잘 작동하기 위한 기능을 구현하는 레이어다. 레이어 3은 애플리케이션 레이어로, 간단히 말해서 모바일 앱으로 상상할 수 있습니다. 레이어 3은 블록체인 기술을 위한 실제 애플리케이션을 제공하는 분산 애플리케이션(Dapp)이라고도 한다.

DEX나 Dapps(분산형 앱)이 이에 해당되고 실제로 사용자가 각 앱을 이용하면서 디팩토 스탠더드(사실상의 표준화)가 된다. 이제까지의 층, 영역을 플랫폼으로 하여, 실생활에서 사용자가 앱을 이용하는 부분이 된다는 것이다.

L3는 L1과 L2를 다룰 때 단순함과 편리함을 제공한다. L3는 분산 거래소, 유동성 제공 애플리케이션 등 같은 내부 및 체인 간 운영 기능의 형태로 사용자 인터페이스 및 유틸리티를 제공한다.

7) 레이어 4.0(Layer 4, L4)

이 영역까지 구현되면 사용자에게 서비스로 일반 제공되는 앱이 완성된다. 암호자산 에서는 각 거래소의 월렛, PC 상에서는 각 브라우저가 이에 해당되고 사용자는 제공된 앱이나 서비스로 부가된 혜택을 얻을 수 있게 된다.

8) 서비스별 블록체인 정의[30]

지금까지 블록체인에 대해서 기술 계층 관점에서 살펴봤다. 이에 대해 다룬 이유는 블록체인이 주목받은 지 얼마 되지 않았고, 사업적으로 블록체인에 대한 전망만 있었을 뿐이었기 때문이다. 실제 블록체인 서비스 종사자들도 블록체인에 대해서 기술적 관점에서 명확한 정의를 확립하지 못한 경우가 많았다. 서비스 관점에서 블록체인이 어떠한 가치를 가지는지 살펴본다면 블록체인 기반의 정책과 사업기획을 하는데 도움이 될 것으로 예상된다.

블록체인의 가장 핵심은 '공유'이다. 중앙기관을 거치지 않고, 모든 노드와 모든 것을 공유하는 것이다. 그러므로 블록체인은 '공유'라는 가치를 지니는데, 이러한 공유는 새로운 가치를 탄생시킨다. 바로 '조작방지'와 '투명성'이 이에 해당된다. 노드끼리 모든 정보를 공유하고 있기 때문에, 블록체인에 저장된 정보는 위변조가 힘들다. 이에 대한 설명은 앞에서 설명했기 때문에 생략한다.

이처럼 블록체인은 모든 정보를 공유하기 때문에, 당연히 투명성이라는 가치를 가지고 되고 조작방지와 투명성은 최종적으로 '신뢰성'이라는 가치를 제공케 한다. 정리하면, 블록체인은 공유라는 가치를 만들어내, 최종적으로 신뢰라는 가치로 이어지게 한다. 표 5는 블록체인 가치제공의 과정을 정리한 것이다.

---

30) 블록체인을 위한 정책 추진 방향/유성민

단계	제공가치	내용
3단계	신뢰성	블록체인 연결의 신뢰성을 제공함
2단계	조작방지	노드에 기록한 정보를 위변조 하는 것을 어렵게 함
	투명성	모든 정보를 공유하고 있기 때문에, 투명성이 있음
1단계	공유	모든 노드 간에 모든 정보를 공유함

[표 48] 블록체인 가치를 단계별로 정리

블록체인이 부상하고 있는 이유는, 바로 '신뢰'를 제공하고 있기 때문이다. 현대 사회는 신뢰를 기반으로 이뤄져 있다. 그 예로 옷을 구매할 때도 브랜드를 보고 구매하는 것을 들 수 있는데, 이는 다시 말하자면 브랜드에서 주는 신뢰를 보고 구매를 하는 것이라고 할 수 있다. 또 다른 예로 은행거래가 있다. 은행 거래에서 발생하는 은행 이자는 신용도를 기반으로 결정되기 때문이다.

결국 블록체인의 신뢰로 우리에게 줄 수 있는 가치는 두 가지이다. 첫째는 "신뢰를 제공하는 중앙기관을 없앰으로써 비용을 줄일 수 있는 이점"을 제공한다. 둘째는 "더 나은 신뢰성을 제공할 수 있는 이점"을 제공할 수 있다. 이러한 두 가지 이점 때문에, 블록체인은 신뢰를 필요로 하는 모든 산업에 적용될 수 있다. 당연한 얘기지만, 거의 모든 산업은 신뢰를 기반으로 작동하고 있다. 이는 블록체인이 거의 모든 산업에 적용될 수 있음을 의미한다.

사. 블록체인 기술변화31)

블록체인은 2009년 비트코인이 개발되면서 본격적으로 기술이 활용되기 시작했으며 단순한 디지털 화폐로서의 역할을 하는 블록체인 1.0에서 스마트 컨트랙트를 사용하며 기존의 한계를 극복하고 다양한 영역으로 확장하는 블록체인 2.0, 마지막으로 블록체인이 사회 전반에 적용되어 일상 속에서 자연스럽게 블록체인을 사용하는 블록체인 3.0으로 변화하고 있다.

블록체인 기술의 변화 과정을 살펴보게 되면 1990년 데이비드 차움은 디지캐시(digicash)라는 회사를 설립하고 최초의 상업적 암호화폐인 이캐시(ecash)를 창시하고 익명 거래 시스템을 제안했다. 이후 1998년 닉 재보(Nick Szabo)는 스마트 컨트랙트 기반의 암호화폐인 비트골드(Bitgold)를 설계하는 등 블록체인 개념이 도입되기 시작하였다.

31) 오픈소스 블록체인 플랫폼 동향/소프트웨어정책연구소

실질적으로 블록체인을 처음 만든 것은 사토시 나카모토(Satoshi Nakamoto)라는 가명의 프로그래머로 2008년 10월〈비트코인 : P2P 전자화폐 시스템(Bitcoin : A Peer-to-Peer Electronic Cash System)〉이라는 논문을 작성하여 암호학계 관련자들에게 메일을 전송하였다. 2009년 1월 3일 블록체인 기술을 적용한 최초의 암호화페인 비트코인을 개발하여 배포하였다.

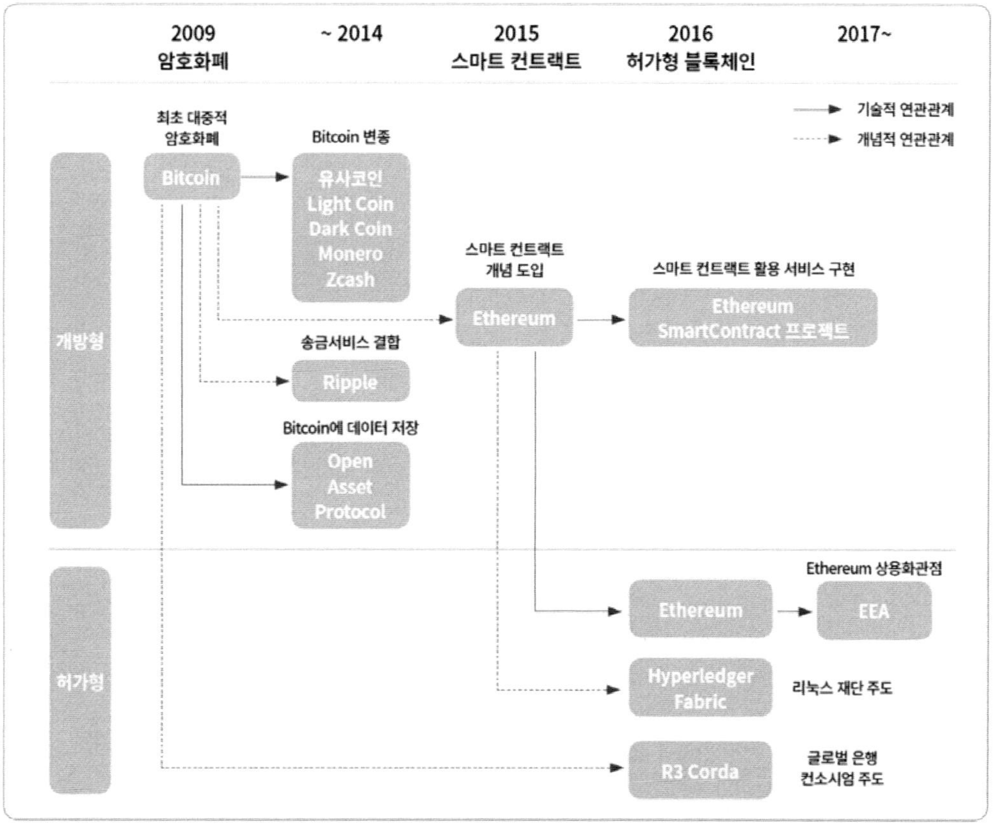

출처 : TTA 저널 no.177 블록체인 플랫폼 기술 동향

[그림 46] 블록체인 기술변화

2013년 비탈릭 부테린(Vitalik Buterin)이 이더리움 백서를 작성하여 스마트 컨트랙트를 지원하는 블록체인 기술을 제안했다. 이듬해 2014년 비탈릭 부테린은 ICO를 통해 자금을 확보하고, 2015년 7월 30일 이더리움(ethereum) 제네시스 블록을 채굴했다. 기존의 비트코인이 화폐적인 가치 저장과 전달 기능을 가진 전자화폐 기능에 제한된 것과 다르게, 이더리움은 블록체인 기술을 이용하여 각종 계약서 등을 위변조 없이 통제할 수 있는 기술이었다. 이런 관점에서 비트코인을 '블록체인 1.0'이라고 부르고, 이더리움을 '블록체인2.0'이라고 부른다.

이후 카르다노(ADA), 이오스(EOS), 스팀(Steem) 등 다양한 암호화폐가 출현했다. 이들은 기존의 비트코인을 제1세대 암호화폐, 이더리움을 제2세대 암호화페라고 부르면서 스스로 제3세대 암호화폐라 자처했다. 대부분의 블록체인 기술은 작업증명(PoW) 방식의 채굴(mining)에 의해 새로운 블록을 생성하였으나, 이들은 지분증명(PoS), 위임지분증명(DPoS) 등 다양한 형태의 합의 알고리즘을 제안하면서, 트랜잭션 처리 속도를 개선하고 네트워크 확장을 구현하고

자 했다.

[그림 47] 블록체인의 진화 자료:한국예탁결제원 자체작성

블록체인 과학연구소 설립자인 멜라니 스완(Melanie Swan)에 따르면 블록체인 패러다임은 크게 3단계로 나뉜다.

블록체인 1.0은 비트코인이라는 디지털 통화를 안전하게 저장하고 사용하기 위해 고안된 기술로서 화폐의 발행·유통·거래가 주 기능이었다. 비트코인은 수수료 절감의 효과와 뛰어난 보안성으로 주목을 받았으나 다음과 같은 이슈가 발생하였다.

이슈	내용
비가역성	한번 승인이 완료되어 거래 장부에 올라간 거래는 취소 불가능
기밀성	거래 내용이 모두에게 공개되어 완전한 익명성을 보장하지 않음
개인키 관리	해킹, 분실 등으로 개인키를 도난당하는 경우 디지털 통화를 복구할 수 없음.

32)

[표 49] 블록체인 1.0 의 이슈

이러한 블록체인 1.0의 이슈들을 해결하고 다양한 영역으로의 확장을 위해 나온 것이 블록체인 2.0이다. 블록체인 2.0은 블록체인 1.0에서 자동계약이 추가됐다. 블록체인 2.0의 정식 명

32) 강희정·정윤정, '사례연구를 통한 블록체인 기반 안전한 서비스 도입을 위한 연구

칭은 '스마트 컨트랙트(Smart Contract) '이다.[33]

스마트 컨트랙트란 거래 시 계약 조건이 성립해야지만 거래가 이루어지는 방식으로 기존 블록체인 1.0의 개인키 관리 및 비가역성 문제를 어느 정도 해결해준다. 이는 일정한 조건을 만족시킬 경우 거래가 자동으로 실행될 수 있도록 프로그래밍 된 자동화 계약 시스템을 의미한다.

도서거래를 예로 들면 철수가 인터넷으로 영희에게 중고도서를 구매한다고 가정해보자. 서로 가격 합의 하에, 중고도서 구매가 이루어 질 것이며, 이때 철수는 블록체인 2.0기반의 가상화폐를 지급하기로 한다. 그런데 철수는 가상화폐를 영희에게 지급할 때, 조건을 명시한다. 철수 본인이 도서를 받았을 때, "영희는 그 돈을 출금해서 인출이 가능하다"는 조건이다.

이러한 명시가 달린 가상화폐를 받은 영희는 돈은 입금됐지만, 영희가 도서를 보내서 철수가 승인하기 전까지는 출금할 수 없다. 이는 흔히 중고 거래에서 발생하는 물품사기를 막을 수 있다. 영희가 도서를 보내면, 철수는 받은 것을 승인한다. 그러면 도서 거래는 완료된다. 이러한 과정은 신뢰를 필요로 하는 중고도서 거래 기관을 필요 없게 한다.

또 다른 예로 부동산이 있는데 부동산에 구매자와 판매자가 점검해야 할 리스트를 블록체인 2.0으로 표준화 시켜 점검 리스트가 맞지 않으면 계약이 이뤄지지 않게 할 수 있다. 이는 부동산 사기를 줄여주는 효과가 있다. 물론 두 가지 예시 모두 갈등이 일어났을 때 중재자가 필요하다.

이처럼 스마트 기능을 금융 산업에 활용하면 체결과 정산 사이에 발생하는 시차를 제거할 수 있으며 금융기관 간 거래에서도 낭비되는 시간을 줄일 수 있다. 또한 분산된 시장 내에서 개인 간 주식·옵션거래가 체결되는 새로운 시장구조를 만드는 것이 가능할 것이며 계약 실행 간 계약조건 이행을 수작업으로 확인할 필요 없이 자기실행(self-execution)이 가능토록 설계할 수 있다.

블록체인 2.0의 대표적 활용방안으로는 이더리움(Ethereum)이 있는데, 이더리움은 디지털 통화이지만 스마트 계약을 통해 블록체인 기반의 부동산 계약, 저작권 등 다양한 서비스 개발 및 구동 가능한 플랫폼으로 확장되었다. 현재 이더리움 플랫폼을 기반으로 음원 유통, 보험계약, 혼인신고, 스마트 그리드 과금(課金) 등의 사례가 있다.

하지만 이러한 블록체인2.0의 발전에도 불구하고 플랫폼 내 자체 의사결정 기능의 미비로 인한 하드포크 발생 이슈나 블록의 트랜잭션 용량 제한, 처리 속도 지연 등은 여전히 문제점으로 남아 있다.

블록체인 3.0단계는 사회 전반에 기술이 적용되는 상황으로, 현재 월드와이드웹이나 모바일 인터넷을 당연하게 쓰는 것처럼 생활 패턴이 자연스러워지고 사회 전체에도 또 한번 변화를 가져올 것이다. 또한, 처리시간 지연에 대한 문제점을 해결하기 위해 합의 알고리즘의 변화,

33) 블록체인을 위한 정책 추진 방향/유성민

DAG(Directed Acrylic Graph)를 기반으로 한 분산장부관리 기술의 등장과 하드포크 방지를 위해 블록체인 내 자체 의사결정 합의 기능을 탑재한 Cardano 플랫폼의 대두 등 기술적 기능도 향상되고 있다.[34)]

34) 진화하는 가치플랫폼, 블록체인 3.0/고양산업

3. 블록체인 기술 현황

3. 블록체인 기술 현황

블록체인 기술의 핵심은 '신뢰기관 없는 P2P신뢰 네트워크 구축'이며 현재 지속적으로 발전하고 있는 진행 중인 기술이다. 2008년 소개된 이래 빠르게 진화중이며, Gartner는 블록체인 기술이 '부풀려진 기대의 정점(Peak of inflated Expectations)'35)의 초입에 위치해 있으며 향후 5~10년 내에 실현될 것으로 예상된다.

현재 세계는 블록체인 기술이 사회 전반에 적용되는 '블록체인 3.0 시대'로 진입하고 있다. 따라서 해외 각 국 정부는 산업별 활용, 국가 차원의 신뢰 확보 기반으로 블록체인을 공공분야에 선도적으로 도입하고 있다.

파괴적 혁신의 분야	직접효과(~2030년)	간접효과(~2030년)	직접효과(~2023년)	간접효과(~2023년)
제품, 시장 및 산업변동	높음	높음	중간높음	중간
비즈니스 방법론의 개선	낮음	중간	낮음	낮음
인력강화 및 인력변동	중간	중간	중간낮음	중간낮음
업무활동의 개선	중간	중간	중간낮음	중간낮음
고객 구매행동	중간	높음	중간낮음	중간
지출액	높음	높음	중간높음	중간
거시경제	낮음	중간	낮음	중간

* 출처: Digital Disruption Profile: Blockchain's Radical Promise Spans Business and Society, Gartner('18년)

[그림 49] 블록체인이 미치는 분야별/연도별 효과 예측

블록체인 기술이 안정화되고 시장에서 구매가 이루어지는 2030년까지 블록체인이 가져올 디지털 파괴의 직접 효과와 간접효과를 살펴보면 제품, 시장 및 산업변동과 블록체인 관련 지출액 부분이 매우 큰 것으로 확인된다.36)

가. 기술 잠재력과 파급효과

블록체인 기술은 네트워크 상에서 개인의 정보 통제권을 정보제공자가 가질 수 있다는 점에서 무한한 잠재력과 파괴적 영향력을 보유하고 있다. 구체적으로 분산·암호화 방식이 주는 신뢰도를 바탕으로 중재자를 배제한 P2P거래, 거래의 마찰 감소, 소유권 복제 방지 등 다양한 서비스로 사회 모든 분야에 영향을 줄 수 있다. 각각의 내용을 알아보면 다음 표와 같다.

35) '부풀려진 기대의 정점'구간은 초기의 대중성이 일부의 성공적 사례와 다수의 실패 사례를 양산해 내며 일부 기업이 실제 사업에 착수하지만, 대부분의 기업들이 관망하는 구간이다.
36) 비대면 시대의 블록체인/2020년 중소기업 전략기술로드맵

구분	내용
진정한 P2P거래	•모든 종류의 중재자를 배제한 P2P거래가 가능 •이용자는 블록체인 상에 자신의 식별정보로부터 금융자산, 디지털 자산 등을 등록하고 자신의 통제하에 타인과 거래할 수 있음. •미래 마켓플레이스는 아마존, 이베이와 같은 특정 기업이 제공하는 형태에서 탈피될 것으로 전망
거래마찰(비효율성) 감소	•현재 '계약→거래→실행→정산' 등 각 프로세스가 분리돼 단계별로 비용/마찰 발생 최소화 •주식거래 시 체결과 동시에 정산이 이뤄질 수 있음 •과다한 거래비용으로 활성화되지 못한 글로벌 소액결제도 블록체인 기술을 도입해 활성화 가능
디지털 희소성	•블록체인에 등록된 디지털 콘텐츠는 소유자가 소유권을 다른 사람에게 넘겼을 경우 복제되지 않고 소유권이 이전됨 •이러한 특성은 음악산업 등 콘텐츠 산업의 비즈니스 구조를 획기적으로 변화시킬 수 있음
조건부 (프로그램 거래)	•블록체인상 거래는 일반장부처럼 중앙기관이 숫자를 더하고 빼는 식으로 장부에 기입되는 것이 아니라 파일 포맷 형태로 존재. •개별거래에 스크립트 형태의 조건문을 프로그래밍해서 넣을 수 있으며, 이를 통해 금융기관을 통하지 않는 개인 간 옵션거래, 공증, 신탁 등 다양한 서비스가 손쉽게 가능
탈 중재자 및 중재기관	•블록체인 기술은 거래, 결제, 인증 등을 담당했던 외부 중개기관들의 비즈니스에 큰 변화를 일으킬 전망.

공급사슬(Supply Chain)민주화	•공급사슬 內 모든 참여 주체들 간 정보공유가 가능하며, 고객들은 상품에 대해 정확하고 자세한 정보 제공을 요구할 수 있음. •또한, 중개자(판매기관)없이 제조업체와의 직접적인 거래를 요청할 수 있어 원하는 제품 생산을 요청할 수 있음.
인공지능 경제로의 변화	•블록체인 기반 모든 기계 및 부품들이 네트워크 상에 연결되어 있어 부품유지보수 관리에 대한 효율적인 의사결정체계 구축 및 비용 절감이 가능.
규제 시스템의 재설계	•(現)제 3의 신뢰기관의 중개를 기반으로 마련된 규제는 블록체인 등장 및 확산에 따라 새롭게 변화될 것으로 예상됨.
데이터 보안성 강화	•블록체인은 연결된 블록수와 참여자수가 증가할수록 데이터의 위·변조 탐지 및 적발이 용이한 구조로 데이터 보안성이 높다.
계약의 스마트화	•블록체인의 보안성을 활용한 스마트계약(Smart contract)을 통해 기존 계약체결 및 이행에 소요되던 비용과 시간을 절감하고 강제계약 실행으로 거래의 미이행 위험을 낮출 수 있다 •다만 스마트계약은 사전에 고려되지 않는 계약변수가 있음에도 강제적으로 자동 실행되기 때문에 실제 도입에 있어서는 다각적인 검토가 필요하다

[표 50] 블록체인 기술 내용별 파급력

37)

결과적으로, 블록체인은 산업 전반의 생태계 영역을 변화시킬 것이며, 생산성 향상과 경쟁력, 효율성 확보 측면에서 막대한 경제적 파급효과와 새로운 산업 혁신을 이끌 것으로 전망된다.

37) 모든 거래 기록도니 장부 '블록체인' 진정한 P2P시대 여는 인터넷의 미래(DBR, 2015.10), Blockchain Phenomenon(Juri Mattila, University of California, Berkeley, 2016)

나. 기술내용별 동향

블록체인 기술을 활용하는 분야를 아래 세 가지로 구분할 수 있다.

중점 분야	원천기술 개발 (Source Technology)	표준 비즈니스 플랫폼 구출 (standard Biz Platform)	기존 비즈니스 연계 및 신규 비즈니스 창출 (Biz Utilization)
참여 주체	전 세계 대형 은행 및 금융 관련 정부 기관	글로벌 대형 IT기업 및 관련 벤처 기업 등	국내외 글로벌 선진기업 및 정부 기관 등
중점 목표	-금융권에 활용 가능한 금융 관련 원천기술 개발(송금, 인증 등 제반 시스템)	-각 산업별 표준 비즈니스 플랫폼 개발 -다양한 비즈니스 영역에 활용가능하도록 수정(Modification) 및 관련서비스 지원 -블록체인 관련 연구기관 설립	-기존 비즈니스 영역에 활용하여 거래 및 관리의 효율화 제고 -블록체인 기술을 적용한 신규 사업영역 발굴

[표 51] 기술활용 분야별 중점목표

38)

전 세계 대형 은행 및 정부 기관 등은 금융권에 활용 가능한 금융관련 원천기술 개발에 중점을 두고 있다. 글로벌 대형 IT기업들은 각 산업별 표준 비즈니스 플랫폼 개발 및 각 기업별 활용 니즈에 맞춰 다양한 비즈니스 영역에 활용 가능하도록 서비스를 제공하고자 블록체인 관련 연구기관을 설립하기도 했다. 글로벌 선진 기업들은 기존 비즈니스에 적용하는 것뿐 아니라 블록체인 기술을 기반으로 하는 신규 비즈니스 영역을 창출하려고 노력 중이다.

1) 원천기술개발(Source Technology)

공공부문에서는 블록체인이 금융업계뿐만 아니라 정부 공공 서비스 및 기업 비즈니스 환경에 영향을 미칠 것으로 판단하여 정부차원의 기반 플랫폼 개발 및 시범사업 등을 실시하고 있으며 성공사례 발굴에 집중하고 있다.

과기정통부와 한국인터넷진흥원은 실생활에서 블록체인의 활용가능성을 살펴보기 위한 '2021년 블록체인 시범사업'을 추진한다

이번 시범사업은 블록체인 기술을 경제·사회에 조기 적용·확산하고 공공 서비스를 혁신하기 위해 지원하는 사업으로, 선도 시범사업 9개 과제, DID 집중사업 2개 과제, 특구 연계사업 4

38) <블록체인이 기업의 경쟁력을 바꾼다!>포스코경영 연구원

개 과제 총 15개 과제들을 우선 선정하여 착수한다.

분야	과제명	주관기업 참여기업	요약
사회 안전 주거 (2)	해양 안전 확보를 위한 블록체인 기반 선박검사관리 플랫폼	㈜아이콘루프	o 선박 간 해양 사고 미연 방지를 위해 선박의 무선설비 허가·검사 기관과 선박 선체 검사 기관이 선박 검사 결과를 공유
	블록체인 기반 위험 구조물 안전진단 플랫폼	㈜시티랩스, ㈜지노시스, 방재시험연구원, ㈜씽크제너레이션	o 사물 분산신원증명(DID)이 부여된 사물 인터넷감지기로 위험 구조물의 기울기, 진동 데이터의 신뢰성 확보
신원 증명 (4)	블록체인 기반의 비대면 본인확인 및 결제 플랫폼 구축	㈜코인플러그, 갤럭시아머니트리㈜, ㈜씨유박스	o 비대면 본인확인을 통해 선불충전 및 포인트 교환 등을 할 수 있는 결제 서비스
	블록체인 기반 비대면 국민연금 수급권 확인 시스템 구축 시범사업	㈜드림시큐리티, 삼성SDS, 시스젠	o 블록체인·분산신원증명(DID)·파이도(FIDO)·안면인식 기술을 활용하여 국민연금 해외 수급자 대상으로 국민연급 수급권 확인서류 제출 시 종이 서류 없이 편리하게 증빙자료를 제출할 수 있는 서비스
	블록체인 기반 분산신원증명(DID)을 이용한 선원자격증명 서비스 구축	㈜에디넷, ㈜코인플러그, 에이치엔핀코어㈜, (재)한국화학융합시험연구원	o 선원이 직접 방문하여 발급받았던 선원 자격 증명서를 비대면 신원확인으로 발급
	군장병 복지 향상을 위한 블록체인 기반 전자지갑 서비스 구축	라온시큐어㈜, 라온스토리㈜, ㈜코비엔	o 병역의무자를 위한 전자지갑 서비스를 구축하여 온라인 금융복지 서비스 제공 및 종이없는(페이퍼리스) 행정 구현
물류 유통 (2)	블록체인 기반 수입화물의 반출입 및 내륙운송 플랫폼 구축	㈜한국무역정보통신	o 수입화물의 도착, 반·출입 등 화물처리에 필요한 정보를 운송에 종사하는 여러 당사자들(화주, 포워더, 운송사, CFS, 운송기사 등)과 실시간 공유
	블록체인 기반 의료용 마약류 관리 플랫폼 구축	㈜오퍼스엠, 비디젠	o 의료용 마약류를 블록체인으로 관리하여 업무의 투명성 강화 및 관리체계 효율화
공유 경제 (1)	예술인의 지속적 창작활동을 위한 블록체인 기반 동영상 콘텐츠 유통 플랫폼	㈜케이티, 경기아트센터	o 블록체인 기반 투명한 동영상 콘텐츠 저작권 관리 및 유통 플랫폼

[표 52] 2021년 블록체인 선도 시범 사업

	과제명	주관기업 참여기업	요약
신원증명(2)	주문배송 온오프라인연계서비스(O2O) 생태계 전반 분산신원증명(DID) 집중 구축사업	**㈜코인플러그,** 딜리온그룹	o 주문자, 배달자, 가맹점 등 온·오프라인 참여자에 대한 신원확인 체계 구축
	분산신원증명(DID) 주주증명기반 비대면 전자주총 시스템 개발	**한국전자투표,** 코스콤	o 비대면 주주총회 개최 확대를 통해 소외된 소액주주들의 주총 참여 유도 및 의결권 행사 강화

[표 53] 2021년 블록체인 DID 집중사업

	과제명	주관기업 참여기업	요약
공유경제(1)	블록체인 기반 영화투자금 관리툴과 피투피(P2P) 스트리밍 서비스	**바른손,** 웨이투넷	o 영화 제작·유통과정(펀딩, 제작, 결제, 록체인 플랫폼으로 통합하여 사용자 이익창출과 소비자 주도형 콘
사회안전주거(1)	블록체인 기반 아파트 통합 관리 플랫폼	**세정아이앤씨,** 비케이위너, 동서씨앤아이	o 공동주택의 자금 집행·관리, 회계 감사 등 주요 정보를 입주민에게 블록체인으로 실시간으로 제공하여 명성, 업무효율성 제고
신원증명(1)	분산신원증명(DID) 기반 수요자 맞춤 모바일 교통카드 발급 및 무인 편의점 출입 서비스 구축	**코인플러그,** 이비카드	o 맞춤형 교통카드 발급을 통한 교통 폼 실증 및 DID기반 무인 편의점 서비스 개발로 카드 발급 비용과 신원 단축
물류유통(1)	바이오의약품(백신) 전용 스마트 콜드체인 플랫폼 구축 및 적용 사업	**한진,** 비피앤솔루션	o 백신의 유통·물류정보와 수급·입고 상황을 블록체인으로 실시간으로 분석하여 백신 품질 보장, 국민신뢰

[표 54] 2021년 블록체인 특구 연계사업

선정된 기업 중 국민연금공단은 '블록체인 기반 비대면 국민연금 수급권 확인 시스템 구축' 시범사업으로, 국민연금 수급권 확인 시스템에 블록체인 기술과 분산ID를 적용하여, 해외에 거주하는 국민연금 대상자가 연금 수급권 확인 서류 제출 시 우편 대신 모바일 앱으로 편리하게 제출할 수 있게 할 계획이다. 연금 수급권 변동사항에 대한 서류 접수 및 검토 등의 절차를 디지털화하여 행정비용을 절감하고, 투명성 확보로 부정수급을 사전에 예방할 수 있을 것으로 기대된다.

병무청은 '군장병 복지 향상을 위한 블록체인 기반 전자지갑 서비스 구축'을 통해 블록체인 기반의 모바일 전자지갑을 구축하여, 병적증명서 등 병역 관련 전자문서 28종을 모바일 전자지갑에서 발급받고 민간서비스에 제출할 수 있게 할 계획이다. 금융(군장병 적금 등), 대학(대학 휴·복학 신청 등) 등에서 온라인으로 증빙서류 제출이 가능하여, 서류 관리·보관 및 플라스틱 증명서 발급 등에 필요한 행정비용 및 시간이 절감될 것으로 기대하고 있다.

한국인터넷진흥원은 선정된 과제들의 성공적인 추진을 위해 블록체인 기술, 인터넷 보안, 법률 전문가 등이 참여하는 '과제별 자문위원단'을 구성하여 지원하고, 블록체인 및 DID 기술 전문가 등으로 구성된 'DID 기술 및 표준화 포럼'과 긴밀한 협력할 계획이다.[39]

이외에도 금융위원회, 중소벤처기업부, 산업통상자원부 등 다양한 부처에서 블록체인을 활용한 관련 산업의 시스템 혁명을 본격적으로 모색 하고 있다.

2) 표준 비즈니스 플랫폼 구축(standard Biz Platform)

블록체인이 IT 세계에 새로운 바람을 일으키면서 대규모 조직을 중심으로 블록체인 도입이 시작됐다. 다양한 산업군에서 블록체인 기술을 접목해, 효과적인 서비스나 기존 문제점을 개선하기 위해 도입을 위한 개념증명(PoC)나 파일럿을 통해 검증을 시도했으며, 블록체인 기술에 대해 명확하게 알지 못하고 시도한 케이스는 실패를 경험했지만, 제대로 된 블록체인 컨설팅을 통해 시작한 블록체인 프로젝트는 정상적인 궤도를 달리고 있다.

R3 Corda는 국내 금융사(KEB하나, KB국민, IBK기업은행 등)를 포함한 전세계 100여개 금융사들이 참여한 세계 최대 금융 블록체인 컨소시엄이다. R3는 글로벌 금융 서비스 개발 스타트업으로서 금융 서비스 산업에 적용할 수 있는 분산원장 기술 플랫폼과 상용 어플리케이션을 개발하기 위해 컨소시엄을 결성했다.

R3는 결제·회사채·보험 등 8개 금융 분야에 적용할 블록체인 기술을 개발하기 위해 2015년 9월 골드만삭스 등 9개의 금융기관과 함께 R3 컨소시엄을 구성했다. 2016년, R3는 분산원장 기술을 적용하여 네트워크 확장이 쉽고 빠르며 유지관리 비용이 저렴한 컨소시엄 블록체인 플랫폼 Corda를 개발했다. 이들은 기본적인 시스템 설계 및 기술 개발을 담당하고, 컨소시엄 회원사는 자사 응용 프로그램 프로그래밍 인터페이스에 연결해 시스템을 테스트한다.[40]

---

39) 과기정통부, 2021년 블록체인 시범사업에 15개 과제 우선 선정/산학뉴스
40) R3/해시넷

R3 Corda는 기존 3.3 버전 기준 301TPS(초당전송속도)의 속도에서 금융컨소시움 최적화, 합의과정 분리, 처리과정 경량화 등의 방법으로 4.0 버전에는 617TPS까지 개선을 해왔다.

기업용 블록체인 시장의 64%를 차지하는 하이퍼레저 패브릭은 IBM이 주도하는 리눅스 재단의 오픈소스 블록체인 프로젝트로, 엔터프라이즈 블록체인 네트워크를 구축하는데 특화되어 있다. IBM 블록체인 플랫폼은 비즈니스 네트워크 개발 및 거버넌스, 그리고 운영 관리 효율성 증대를 위해 최적화된 기업용 블록체인 플랫폼이다.이를 통해 기업은 비즈니스 네트워크 활성화 및 참여자 통제 기능을 통한 관리 능력이 향상되고, 상시 비즈니스 네트워크를 구축할 수 있다. 기업이 일반적인 온프레미스 방식으로 도커 이미지를 직접 다운로드 받아 구축하면 많은 어려움을 겪게 된다. 하지만 IBM 블록체인 플랫폼은 기본적으로 5분 내로 원하는 네트워크 환경 구축이 가능하다. 하이퍼레저 패브릭은 기존 1.0 버전 기준 450TPS의 속도에서 Raft 컨센서스 오더링, 병렬처리 및 전송 최적화 등의 방법으로 2.0 버전을 통해 3500TPS까지 개선하였다.[41)]

블록체인 기반 표준화된 플랫폼 개발 및 지속적인 기술 개발 투자는 마이크로소프트(MS)와 IBM 등 글로벌 대형 IT 기업들이 선도하고 있다. 마이크로소프트는 기업들이 각 사의 니즈에 맞게 블록체인 기술을 수용할 수 있도록 비즈니스 플랫폼을 구축해주는 서비스(Enterprise Smart Contract)를 제공하려고 노력 중이다. 또한 비즈니스 플랫폼 구축 외에도 '코넬 블록체인 연구그룹(Cornell Block Chain Research Group)'에 합류하여 분산원장 기반 시스템, 암호화, 프로그래밍, 보안 등 다양한 분야의 블록체인 관련 연구를 수행하는데 참여한다.

국제 신용카드사들은 블록체인 기반 결제 플랫폼에 장기적 관점의 투자를 시작했으며, 블록체인을 도입한 업무 프로세스 개선 및 관리 시스템 구축에 노력 중이다. Visa는 관련서류 검토 및 승인 등 제반 절차로 최소 1~3일 결제 기간이 필요하던 기업 간 해외 송금업무가 즉시 처리 가능하도록 "Visa B2B Connect"를 통해 블록체인 기반 실시간 국제 결제 서비스를 제공할 예정이다. American Express, Union Pay 등도 글로벌 IT기업과 협업하여 거래 효율화, 포인트 시스템 개선을 위한 노력 및 관련 기업 투자도 진행 중이다.

국내 금융정보화추진협의회는 2021년 12월 24일 「금융회사 분산ID 서비스 운용 및 공유체계 표준」을 제정했다. 이에 금융권 공동의 분산ID 서비스 도입시 각 금융회사가 참조할 수 있도록 분산ID 서비스의 모델, 시스템 및 데이터 구성 등 기능요건, 신원정보 발급·제출 절차 등을 표준화한다는 설명이다.

이번 표준 제정을 통해 금융권 분산ID 서비스의 상호운용성을 확보하고 금융회사의 중복투자를 방지하는 한편 서비스 활성화를 유도할 것으로 기대하고 있다.[42)]

이외에도 의료제 증명서비스, 국제무역(신용장 등), 관세업무(전자상거래 통관), 암호화폐의 O2O 결제 등에 적용을 모색하고 있다.

---

41) 글로벌 213개 기업 중 57% 블록체인 도입 어려움 겪어/헬로티
42) 금융정보화추진협의회, '금융회사 분산ID 서비스 운용 및 공유체계 표준' 제정/블록체인밸리

3) 기존 비즈니스 연계 및 신규 비즈니스 창출(Biz Utilization)

IBM은 다양한 산업 영역의 글로벌 블록체인 기술 표준화 및 IBM 블록체인 연구소를 통해 관련 기술 개발과 제반 연구에 힘쓰고 있으며, 약 400개의 블록체인 기술 활용 사례를 보유하고 있으며, 대표적으로 중국 돼지고기 유통시스템에 블록체인을 접목한 사례가 있다. 사육 농장부터 가공업체, 판매업체 등 모든 거래 내역을 블록체인에 저장하여 소비자가 고기를 먹고 배탈이 나면 어떤 과정에서 문제가 생겼는지 추적이 가능하며, 어떤 농장에서 어떻게 사육, 가공됐는지 판매자가 투명하게 볼 수 있도록 하였다. 또한 블록체인 관련 기술 및 아이디어 체험이 가능하도록 IBM 블록체인 연구소를 뉴욕에 오픈하였으며, 런던, 도쿄, 싱가포르에도 개설하여 유럽 및 아시아 지역 금융시장 투자를 강화할 예정이다.

해외에서는 MS, IBM 등 IT 기업들이 기술력을 토대로 미래 신규 사업영역으로 블록체인을 활용하고 있다.

한편 국내의 경우 대기업이 기존 비즈니스 영역에 블록체인을 접목하는 사례가 늘고 있다. 다음은 국내 주요기업의 블록체인 추진현황을 표로 정리하였다.

분야	대표기업	내용
보안/인증	SK텔레콤	LG유플러스, 코인플러그, 해치랩스 등과 협력해 전화 번호를 바탕으로 신원을 간편히 증명할 수 있는 모바일 신분증 기술개발
	파수닷컴	블록체인 기반의 증명서 확인검증 플랫폼인 파스블록 개발
물류/유통	삼성SDS	'넥스레저(Nexledger)' 블록체인 플랫폼을 활용하여 관세청 "블록체인 기반 수출통관 물류서비스 시범 운용
	현대글로비스	정보기술(IT) 전문기업 현대오토에버는 블로코와 손잡고 중고차 이력관리 서비스 개발
의료	메디블록	블록체인 기반으로 의료, 관광, 금융을 통합해 체계적인 의료 환경과 양질의 의료 서비스를 제공해 주는 의료관광 모바일 결제 플랫폼 '메디토' 개발
	KBIDC	블록체인을 활용하여 DNA와 RNA에 있는 핵염기 순서를 규명하고 저장하는 플랫폼인 시퀀스 마이닝 플랫폼(SMP) 기술 특허를 등록
금융/보험	삼성	갤럭시 S10에 전자지갑(월렛)을 탑재하여 암호화폐를 저장 및 송금할 수 있도록 하였으며, 디앱(DApp) 등 블록체인 서비스를 출시하고, 현재 블록체인 기반 신원확인 플랫폼을 개발 중임
	SK C&C	하이퍼레저 패브릭 기반 프라이빗 블록체인에 리플 기반 가상화폐(암호화폐) 지급결제 시스템을 갖춘 블록체인 플랫폼 '체인2' 출시

[출처 : 국방통합데이터, NICE평가정보(주) 재구성]

삼성 SDS는 그룹 내 삼성증권, 삼성카드, 삼성생명, 삼성화재 등 주요 금융 계열사 간 금융 업무 플랫폼 '넥스레저(Nexledger)'를 자체 개발하여 활용하고 있으며, 해당 기술을 물류, 제조업 등으로 확대 적용 중이다.

금융 분야에서 금융기관들은 블록체인을 통한 비용 절감, 효율성 제고를 목표로 자체 프라이빗 블록체인 또는 컨소시엄 참여를 통해 생태계 구축과 서비스 표준화를 시도하고 있으며, 특히 해외 은행들은 직접 블록체인 연구개발에 참여하여 암호화폐를 개발하고, 중소기업 무역금융 등을 지원하고 있다.

의료 분야에서는 환자의 개인 건강기록 관리에 블록체인 기술을 적용하여 환자가 직접 본인의 의료정보를 관리할 수 있게 하는 프로젝트가 추진 중이며, 공공 서비스 분야에서는 법·규제의 집행과 복지 서비스의 효율성 제고 등을 위한 블록체인의 활용이 적극적으로 시도되고 있다. 또한, 전자투표의 조작 방지 및 투명성 확보를 위해 국내외 정당과 지자체를 중심으로 블록체인 적용이 시도되고 있다.[43]

다. 특허동향

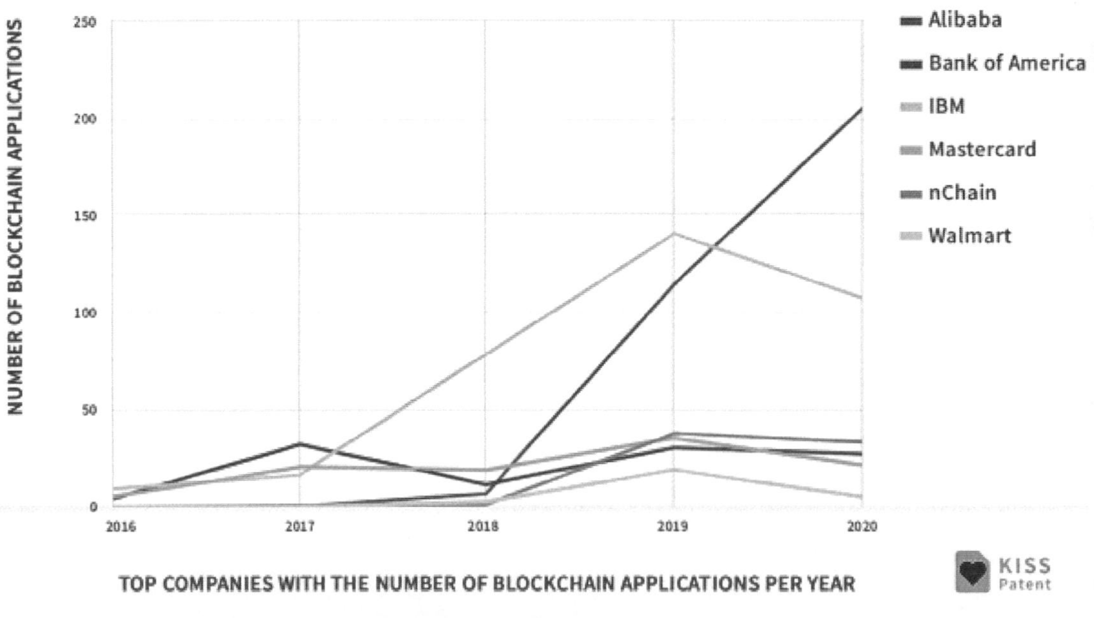

[그림 50] 전 세계 블록체인 특허 출원수 상위 기업 (자료: 키스페이턴트)

중국 전자상거래기업 알리바바가 2020년 블록체인 관련 특허 출원을 가장 많이 기록한 기업으로 꼽혔다. 2020년 상반기 특허 출원 건수가 2019년 전체 출원수보다 많으며, 2018년 특허 출원수의 3배에 달했다. 가장 많은 특허를 출원한 기업은 중국 알리바바로 나타났다. 특허 출원 건수 2위인 IBM보다 10배 많은 건수를 기록했다. 그 외 뱅크오브아메리카와 마스터카드, 월마트가 상위 5위에 들었다.

43) 블록체인,다양한 활용성으로 세계 경제 변화를 주도할 혁신기술/NICE평가정보(주)

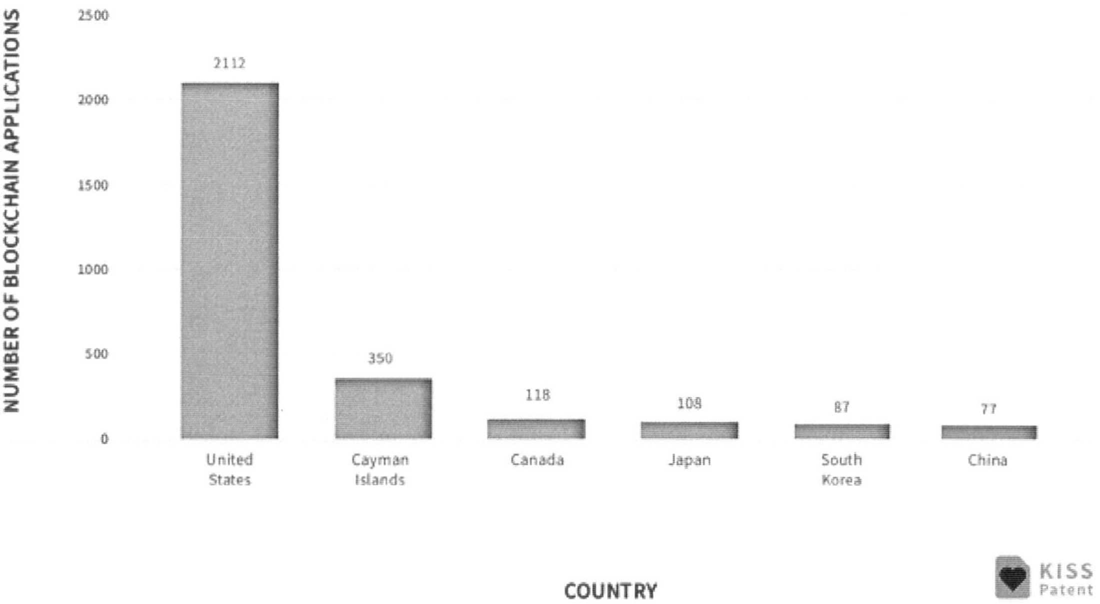

그림 51 전 세계 블록체인 특허 출원수 상위 국가 (자료: 키스페이턴트)

국가별로는 미국의 특허 출원수가 2112건으로 가장 많았고, 케이맨 제도(350건), 캐나다(118건), 일본(108건), 한국(87건), 중국(77건) 순으로 나타났다. 중미 카리브 해에 위치한 케이맨 제도(Cayman Islands)는 영국령으로 대표적인 조세 피난처로 알려졌다. 케이맨 제도의 블록체인 특허 출원수가 많은 것은 알리바바의 블록체인 특허 전담 자회사가 케이맨 제도에 자리잡고 있기 때문이다.

데보라 그레이서 키스페이턴트 CEO는 "특허 출원 현황을 살펴보면 블록체인 산업은 여전히 빠르게 성장하고 있다"면서 "핀테크와 의료, 일반 비즈니스 서비스 분야에서 블록체인 기술의 산업화가 차근차근 진행되고 있다"고 분석했다.[44]

44) 올 상반기, 세계 블록체인 특허 출원 미국 1위, 한국은 5위/디지털투데이

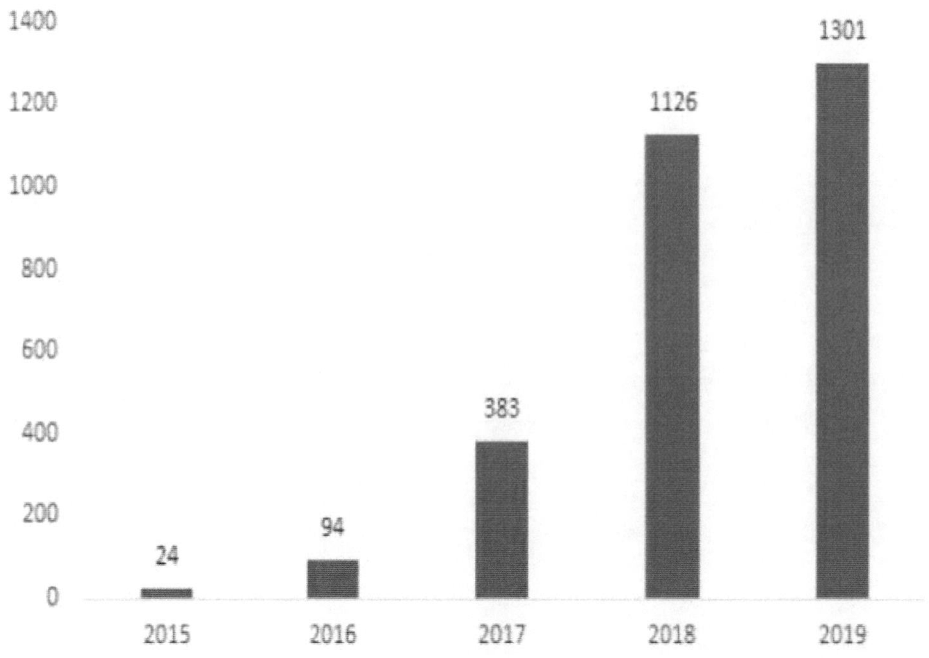

[그림 52] 국내 블록체이 관련 특허 연도별 출원건수

블록체인 관련 국내 특허출원은 2015년에 24건에 머물다가 2019년에 1301건으로 50배 이상 급증했다. 지난 2015년~2019년 5년간 출원인은 중소기업(1580건, 54%), 개인(483건, 16.4%), 대학/연구소(378건, 12.9%), 외국법인(237건, 8.1%), 대기업(233건, 8%), 기타(17건, 0.6%) 순으로 출원하고 있으며, 중소기업과 개인, 대학과 연구소가 상대적으로 높은 비중을 차지하고 있다.

블록체인 기술을 주요기술 별로 구분해 보면 인증/보안 기술(614건, 21%), 핀테크 관련 기술(573건, 19.6%), 자산관리 기술(405건, 13.8%), 블록체인기반 기술(374건, 12.8%), 플랫폼 응용 기술(167건, 5.7%), 이력관리 기술(140건, 4.8%), IoT적용 기술(31건, 1%), 기타 기술(624건, 21.3%)에 관한 분야가 있는 것으로 파악된다.

블록체인 시스템에서 사용자 인증에 관한 출원, 네트워크에 대한 악의적 공격을 탐지하는 출원, 위변조 검증 및 방지에 관한 출원 등이 증가함에 따라, 블록체인으로 구현된 인증/보안에 관한 특허출원은 2015년에 9건에 불과했으나, 2018년에 188건, 2019년에 285건으로 급격하게 증가하고 있는 것으로 분석됐다.

블록체인 기술은 비트코인과 같은 암호화폐뿐만 아니라 인증/보안, 핀테크, 전자투표, 저작권 관리, 자산의 이력관리 등 여러 분야에 응용 가능하고, 4차 산업혁명을 주도할 기술로 주목받고 있다. 코로나19가 극복된 이후에도 비대면 업무환경과 서비스는 증가할 것이고 이에 비례하여 보안 위협도 증가할 것으로 보임에 따라 블록체인으로 구현된 인증/보안 기술 관련 특허출원이 앞으로도 증가할 것으로 예상된다.[45]

---

45) 블록체인 관련 특허출원 '폭발적 증가'/전기신문

4. 블록체인 적용 분야

4. 블록체인 적용 분야

블록체인은 최초로 활용된 금융분야를 중심으로 물류, 유통, 공공서비스 등 다양한 분야로 활용이 가능하며, 점점 그 분야에서의 활용성이 증가하고 있다. 본 장에서는 창조경제연구회에서 정한 4가지 분류에 따라 활용분야 내용을 알아본다.

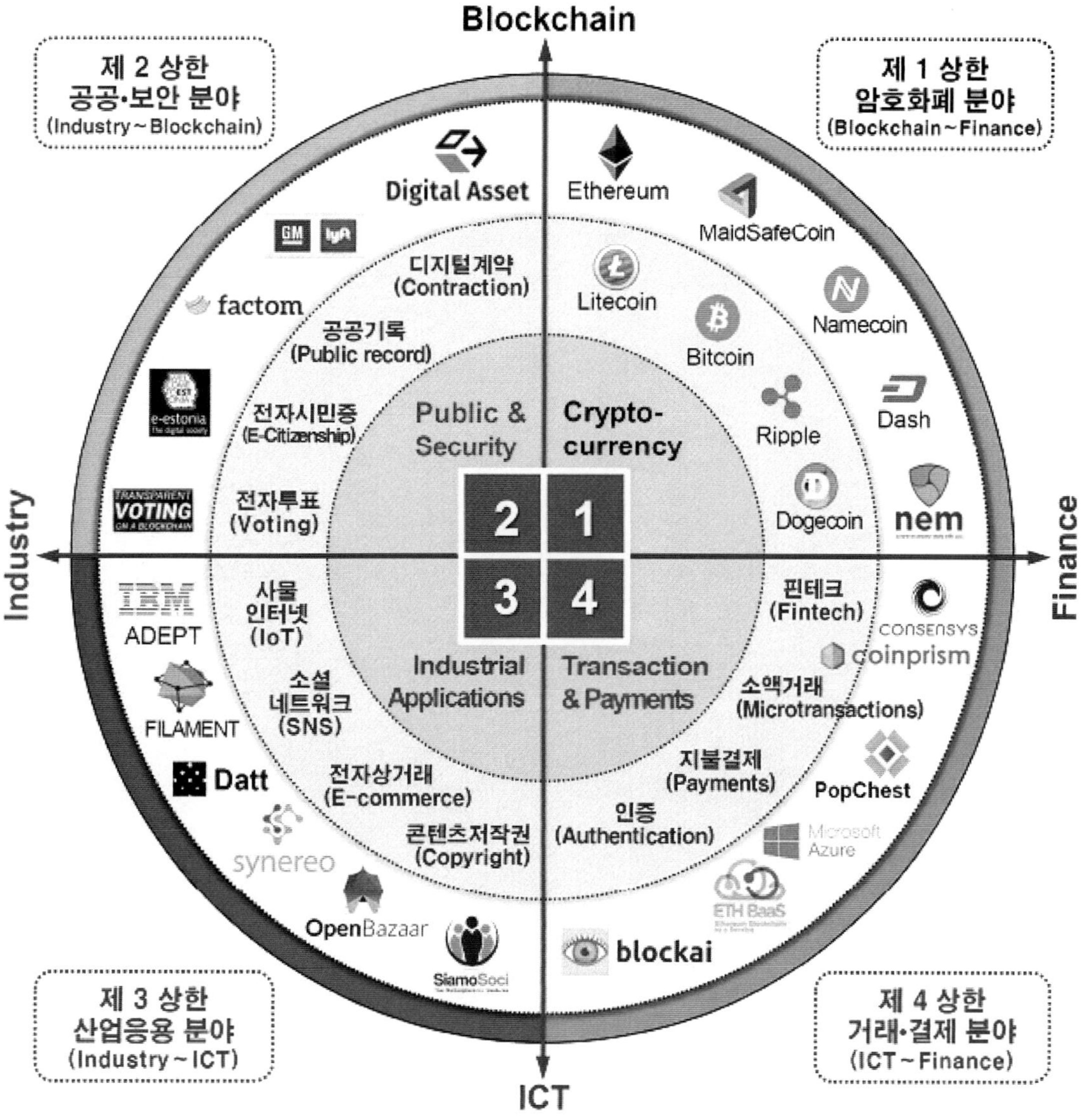

[그림 54] 블록체인의 활용 분야

46)

46) <블록체인의 활용 분야>, 창조경제연구회(KCERN)

가. 암호화폐 분야

블록체인 기술을 활용한 대표적 분야인 암호화폐는 디지털 통화(Digital currency) 또는 가상화폐(Virtual currency) 등의 용어로 혼용되며, 온라인 공간에 내재된 금전적 가치가 있는 전자적 형태의 화폐로 제한된 분야에서 저축, 지급, 결제 수단으로 통용되고 있다.

블록체인 플랫폼에서 통용되는 화폐는 참가자의 성격, 범위, 거래내용 등에 따라 여러 가지 형태가 존재하고 용도에 맞게 응용이 가능하며, 비트코인 이외에 이더리움(Ethereum), 리플(Ripple)등 다수의 암호화폐가 출시되어 경쟁하고 있다. 암호화폐는 컴퓨터 알고리즘에 의해 발행되는 무형의 가상화폐로서 독자적인 화폐단위를 갖고 본원가치 및 수요공급에 따라 거래된다. 전 세계에 출시된 암호화폐는 2022년 기준 약 2,000건이 넘는다.

블록체인 기술이 적용된 암호화폐는 실제 거래에서 지급수단으로 활용되고 있으나 사용비중은 높지 않으며, 가맹점도 늘고 있으나 거래규모는 지급카드, 계좌이체 등에 비해 미미한 편이다. 그러나 취급하는 상점과 이용자가 계속 증가하여 전 세계적으로 비트코인 결제를 허용한 기업이 약 1만5,000개 있으며 그중 2,000개 이상이 미국에 있다.

미국 기술 수도 샌프란시스코에는 레스토랑, 바, 호스텔, 상점에 이르기까지 100개 이상의 상인이 비트코인을 받고 있다. 또 샌프란시스코 시내에 65개를 포함해 베이 지역에 437개의 비트코인 ATM이 있다.[47)]

국내에는 식당, 편의점, 서점, 영화관 등 총 7만여개 가맹점에서 비트코인으로 결제가 가능하다. 2021년 6월 28일 페이코인(PCI) 운영사 다날핀테크는 페이코인 애플리케이션(앱)에서 비트코인을 페이코인으로 전환해 결제할 수 있는 서비스를 시작했다.

페이코인의 비트코인 결제서비스가 오픈됨에 따라 비트코인 보유자는 사전에 가상자산거래소에서 비트코인을 매도하고 페이코인으로 환전하는 등의 과정없이, 페이코인 앱에 있는 비트코인 지갑에 비트코인을 넣어두고 필요한 시점마다 즉시 PCI로 전환해 결제에 사용할 수 있게 됐다.[48)]

47) 비트코인의 다양한 결제를 허용하는 최전선에 있는 전 세계 '핫 스팟' 10개 도시 어디?/글로벌이코노믹

48) 오늘부터 국내서도 비트코인 결제 가능해진다/파이낸셜뉴스

[스마트폰 송금] [암호화폐 ATM 인출] [상품 구매] [포인트 전환]

[그림 55] 암호화폐 활용 사례

나. 공공·보안 분야

텍스트 문서의 디지털 서명을 블록체인에 연결하면 각종 계약을 안전하게 체결하고 관리할 수 있어서 디지털 자산, 공공시설, 건축물, 토지, 자동차 리스, 자전거 관리, 소유권 확인 등에 활용될 수 있다. 디지털 서명의 경우, 블록체인에서 서명하면 내용과 시점이 명백하게 기록되어 향후 분쟁이 발생하더라도 블록체인을 이용하여 해결할 수 있으며, 표준계약 포맷 등을 개발하면 비즈니스도 가능하다.

1) 공공기록물 사업

정부의 시스템은 종이 기반으로 시간이 걸리고 불투명한 경향이 있으며 때로는 부패로 연결될 수도 있다. 블록체인 기술을 도입함으로써 종이 기반의 프로세스를 절감하고 부정행위를 최소한으로 억제하여 효율성과 투명성을 높일 수 있다.

두바이 정부는 2020년까지 모든 문서를 블록체인으로 대체하는 걸 목표로 하고 있다. 또 에스토니아는 이미 블록체인 기술을 도입했고 행정 서비스의 99%가 온라인에서 완결된다. 이에 의해 전자상의 거주자가 됨으로써 사업 측면에서 장소에 제한이 없어져 국외에서 온라인으로 에스토니아의 은행구좌를 열거나 창업하는 게 가능해진다. 에스토니아의 인구는 131만 명에 불과하지만 디지털 이민자를 받아들여 전자 시민권자 1,000만 명을 유치하여 10만개 기업이 활동할 수 있게 하는 것이 목표이다. 최빈국 중 하나인 온두라스는 블록체인 기술을 활용하여 새로운 국가 토지대장 DB를 구축하고, 이를 안전한 주택담보대출, 계약, 광물권에 적용하고 있다.

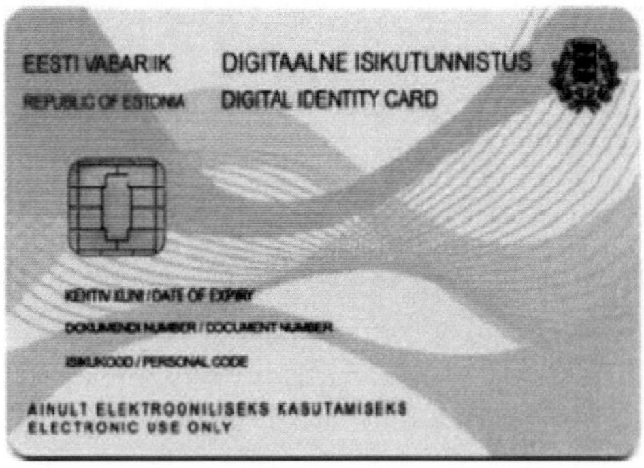

[전자시민증]

[블록체인 신분증]

[그림 56] 에스토니아의 전자시민증과 블록체인 신분증

2) 선거나 투표

선거에서는 투표자의 신원 확인, 표를 추적하기 위한 기록 등 당선자를 결정하기 위해 신뢰할 수 있는 집계 방법이 필요하다. 블록체인 기술을 이용하면 유권자의 등록, 신원 확인, 정당한 투표만이 카운트되고 투표가 변경되거나 삭제되거나 하지 않도록 할 수 있다. 또한 암호화를 통해 완벽한 비밀투표를 보장하고 투표집계 전 과정을 투명하게 모니터링 할 수 있어 이를 상용화하기 위한 투표기기 개발과 실제 투표가 시행되고 있다.

세계 최초 블록체인 투표기기는 미국 뉴욕의 Blockchain Technologies Corp.에서 개발한 "Blockchain Apparatus"이며, 팩스와 화면이 연결된 형태로 투표 수집과정에서 외부조작을 막기위해 인터넷 연결을 차단되고 수집된 투표는 DVD에 기록된다. 블록체인 기반의 투표가 투명하고 안전하다는 인식이 형성되고 긍정적인 평가를 받고 있어 2014년 5월에는 세계 최초로 덴마크의 자유동맹당(Liberal Alliance Party)이 자체 선거에 적용했으며, 이후 스페인 의회에서도 '암호투표'를 시행한 바 있다. 미국은 2016년 대통령 선거에서 블록체인 기반의 전자투표가 준비된 가운데, 유타주 공화당에서는 당원들이 웹사이트에 등록함으로써 투표장에 가지 않고 공화당 대통령 후보지명에 대한 투표권을 행사할 수 있는 최초의 블록체인 온라인 투표를 도입하였다.

최근 코로나19 여파로 인해 세계적으로 블록체인을 기반으로 한 전자투표 시스템이 개발되거나 도입되고 있다. 일본기업 '레이어X' 사에서 블록체인을 기반으로 전자투표가 이뤄질 수 있는 시스템 개발을 발표한 바 있다. 발표된 전자투표 시스템은 투표가 정확히 기록·집계됐는지 증명하기 위해 암호화 기술을 활용하며, 이중 투표 방지, 안전한 정보 저장, 투표자 비밀유지, 운영 기록 관리 등이 가능하다. 또한, 투표자는 이 시스템을 통해 자신이 투표한 내용을 다시 확인할 수 있다.

다. 산업응용분야

암호화폐나 공공분야 이외에도 사물인터넷 클라우드 등 기존의 플랫폼서비스에 블록체인을 적용하여 활용되는 분야를 알아보자.

1) IoT 분야

IoT와 블록체인 기술은 친화성이 높다. 미래에는 수백억개의 사물들이 네트워크에 연결되어 이를 중앙집중형으로 관리할 경우 막대한 비용이 소요될 것으로 예상하고, 특정 서버가 고장나면 여기에 연결된 사물들은 모두 작동될 수 없기 때문에 분산형의 P2P 방식을 사물인터넷에 활용하는 것을 적극 검토하고 있다. 블록체인 기술을 이용해 디바이스끼리 서로 식별이 가능하므로 중앙제어 시스템을 가지지 않아도 된다면, 디바이스는 자율적으로 통신하여 소프트웨어 갱신, 버그, 에너지 소비상황 등을 관리하는 것이 가능해진다. 또 자율적으로 됨으로써 개개인에 의해 디바이스를 사용하고 있는 유저를 특정할 수 있으므로 공공의 컨셉을 허가된 특정 유저만이 사용할 수 있게 하는 등 개인에게 맞춘 대응도 가능해진다.

최근 IBM은 블록체인 기술을 이용한 사물인터넷 플랫폼 'ADEPT'를 개발하였는데, 이 플랫폼은 삼성전자의 스마트 세탁기를 IoT에 연결하여 주변 사물들과 소통을 통해 소모품 교체를 위한 주문, 자체 점검시스템을 통한 유지관리 등을 스스로 해결하는 솔루션을 알려져 있다. GM은 자동 운전차량 개발관련 승차공유기업 리프트(Lyft)와 협력하여 블록체인과 사물인터넷 기반의 '차량 금융계약'을 추진하고 있다. 차량 컴퓨터에 적용되는 사물인터넷을 통해 차량 등록, 유치권, 이전, 압류, 담보관리 등의 추적도 스마트계약을 통해 자동화되도록 구현하고 있다.

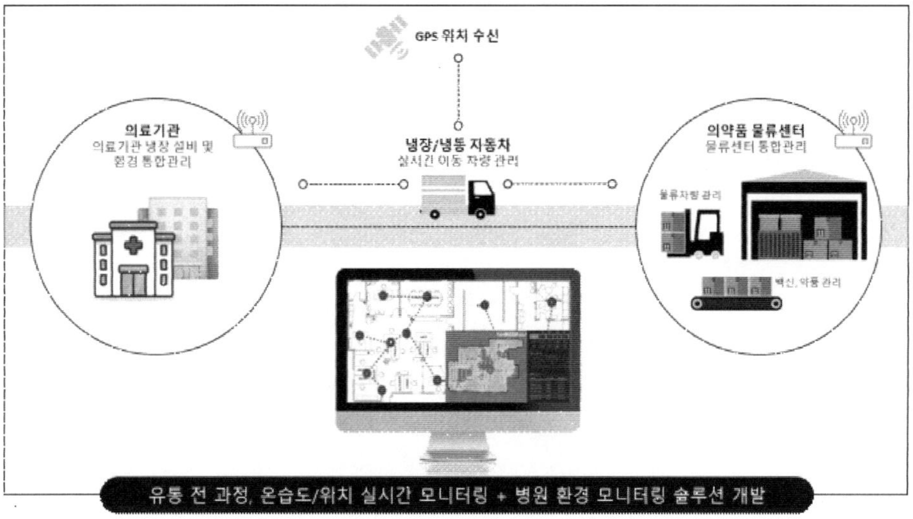

49)

[그림 57] 의약품 냉장보관시설 관리 모니터링 및 블록체인 기반 서비스 개요

이외에도 중소벤처기업부의 '중소기업 기술혁신 개발사업'의 일환으로 바인테크와 마크애니

49) 의약품 냉장유통, 블록체인-IoT로 구현…마크애니/파이낸셜뉴스

가 컨소시엄을 구성하여 기술을 개발한 의약품 냉장보관시설 관리 모니터링 및 블록체인 기반 무결성 검증 서비스를 발표된 바 있다. 바인테크는 냉장보관시설 자동 측정과 관리 모니터링을 위한 IoT 기술 개발을 담당했으며, 마크애니는 의약품 관리기록 신뢰도 향상을 위한 블록체인 기술 개발을 담당했다. 이번 컨소시엄을 통해 사용하기 전까지 적정 온도를 유지해야 하는 백신 및 의약품의 특성을 고려하여 전문적이고 안전하게 백신을 비롯한 의약품의 보관 및 유통이 이루어질 전망이다. 최근 유통중에 상온 노출 사고가 발생한 독감 백신을 비롯하여 현재 한정된 인력망을 갖춘 의료계에서 의약품 냉장시설 관리에 어려움을 겪었던 문제들을 수월하게 해결할 수 있을 것으로 보인다.

또한 운송 컨테이너, MRI장비, 건설 기계 등 모든 자산을 실시간 디지털 마켓 플레이스로 연결함으로써, 기업들은 장비를 가동하지 않는 유휴시간을 기업 간에 거래할 수 있다. 일부 스타트업은 블록체인 기술을 IoT 플랫폼에 넣는 것도 검토하고 있다. 예를 들어 Filament는 IoT 센서가 서로 통신하기 위한 분산형 네트워크를 제공하고 있는데, 이를 통해 모든 디바이스의 접속, 통신을 가능하게 하고 있다.

2) 이커머스 업계

온라인 쇼핑 사이트에서 무엇보다 중요한 것은 소비자에게 신뢰감이나 안정감을 주는 것이다. 예를 들어 아마존에 제품을 올리는 이유는 아마존의 높은 신뢰도를 통해 소비자가 안심하고 상품을 구입하도록 할 수 있기 때문이다.

그러나 블록체인 기술은 구입 기록을 분산하여 기록하는 것이 가능하므로 쇼핑 사이트 자체보다도 신용을 높일 수 있다.

실제로 OpenBazaar와 같은 스타트업은 블록체인 기술을 활용해 중개업자나 관련 비용 없이 바이어와 판매자를 연결하는 것을 실현하고 있다. 즉 아마존 등의 마켓플레이스나 플랫폼의 신뢰도에 의존하지 않고 개인이나 기업이 수수료 없이 안전하게 개인에게 판매할 수 있게 된다.

이커머스 기업들은 블록체인 기술을 이용해 자체 플랫폼 내에서의 부정 사용자를 걸러내기 위해 블록체인 기술을 활용하고 있다.

알리바바는 2015년 미국 증시 사상 최대 규모인 250억 달러의 기업공개에 성공하면서 주가가 한때 120달러에 육박했지만, 짝퉁 논란으로 인해 80달러로 추락한 바 있다. 이후 알리바바는 고객 신뢰회복을 위해 많은 노력을 기울였으며, 대표적으로 블록체인 기술을 활용해 위조 수입품과 가짜 식품을 판별하고자 노력했다. 알리바바가 2018년 기준 전 세계에서 블록체인 기술 특허를 가장 많이 보유한 기업인 이유이다. 알리바바는 블록체인 기반 물류 시스템을 통해 50개국에서 수입된 3만여 종의 상품 정보를 추적할 수 있다. 또한 가짜 식품의 유통을 방지하기 위해 블록체인 상에 유통 이력을 기록해 문제가 있는 상품을 추적해 걸러낸다. 위·변조가 불가능한 블록체인 기술을 활용해 상품과 식품 안전에 대한 신뢰를 확보할 수 있는 것이다.

아마존 역시 블록체인 기술 도입에 적극적이다. 아마존은 클라우드 사업인 AWS(Amazon Web Services)를 중심으로 블록체인의 서비스화를 추진한다. 아마존은 2019년 2월 '순환형 공급망 블록체인 프로젝트'를 시작했다. 자원을 절약하고 폐기물을 줄인 물품을 파악해 소비자가 선택할 수 있다면 소비자의 선택이 공급자의 의사결정에 영향을 미칠 수 있다. 이는 소비자의 의사가 반영된 상품이 공급되는 순환형 공급망이 가능해지도록 만든다. 이를 위해서는 해당 상품이 어떤 과정을 통해 생산되고 유통되었는지 등의 정보를 투명하게 확인할 수 있어야 한다. 미국의 유통기업 월마트는 IBM과 협력해 식품공급망에 블록체인을 적용하는 시범사업을 실시한 바 있다. 그 결과 특정 식물의 원산지를 추적하는데 약 2초 가량이면 충분하다.

귀중품 거래는 블록체인의 확장성이 높아질 수 있는 영역이다. 2016년 설립된 영국의 스타트업 에버레저(Everledger)는 120만 개의 다이아몬드 유통 정보를 블록체인으로 관리한다. 다이아몬드의 기본 특성을 나타내는 4C[색(Color), 투명도(Clarity), 컷(Cut), 캐럿 무게(Carat weight)] 외에도 산지나 가공회사와 같이 고유의 특성을 나타내는 40개의 정보를 종합하면 다이아몬드를 특정할 수 있는 정보가 된다. 에버레저에 등록된 다이아몬드 정보는 거래할 때 블록체인을 통한 인증이 요구되기 때문에 도난·분실된 다이아몬드는 거래가 불가능하다. 브랜드와 빈티지에 따라 수천만 원을 호가하는 와인도 블록체인으로 가짜 상품을 사전에 차단한다. 이스라엘 스타트업 빈엑스(VInX)는 와인 감정가들과 수입상들이 병에 주입하기 전 단계인 숙성 단계에서 해당 정보를 빈엑스의 블록체인 플랫폼에 입력해 와인 생산지를 밭 단위까지 추적할 수 있다.[50)]

3) 콘텐츠 유통

블록체인 기술을 활용하여 개인정보를 보호하고 최적 콘텐츠 유통에 초점을 맞춘 분산 및 오픈 소스의 소셜 네트워크도 구축되고 있다. 2016년 5월 출범한 스팀(Steem)은 블록체인 기반의 SNS로 폭발적인 인기를 얻으면서 다양한 콘텐츠가 게시되고 있다. 누구나 스토리, 사진, 영상, 음악 등을 업로드 할 수 있으며, 이용자들로부터 투표를 많이 받아 좋은 콘텐츠로 인정되면 스팀 코인으로 보상을 받을 수 있다. 그러나 스팀은 중앙화된 서버에서 중앙화된 투표권으로 중앙화된 결정권과 지분구조를 가지기 때문에 기술적으로 검열이 가능하고 강제로 서비스를 중단시킬 수 있다.

반면에 이더리움 기반의 소셜 미디어 아카샤(AKASHA)는 검열이 불가능한 탈중앙화를 표방하여 주목을 받고 있다. 즉, 기존 중앙화된 SNS와 달리 분산 서버시스템으로 중앙 서버가 존재하지 않기 때문에 단 하나라도 유효한 노드가 남아 있다면 네트워크상에서 영원히 서비스가 중단되지 않는 특징이 있다.

4) 콘텐츠 저작권

음악이나 영화 등의 콘텐츠는 불법 전용이 많아 그 콘텐츠를 만들어내는 크리에이터에게 원

50) 블록체인, 4차 산업혁명의 기반기술로 진화할까?/KDI 경제정보센터 자료연구팀

래의 수익이 환원되지 않는 경우가 많다. 크리에이터에게 있어 콘텐츠를 보다 공평하게 공유하기 위해 블록체인에 눈을 돌릴 필요가 있는데, 블록체인은 콘텐츠저작권 관리에도 매우 효율적이다. 중복사용이 불가능한 블록체인의 장점을 이용하여 음악, 영화, 예술 작품, 콘텐츠 등의 저작권 구조를 획기적으로 변화시키는 솔루션이 개발되어 권리보호와 유통거래에 활기를 넣고 있다.

블록체인 스타트업 Blockai는 온라인에서 유통되는 예술가들의 작품에 대해 저작권을 요구할 수 있는 서비스로 호평을 받고 있다. 이용자는 블록아이에 가입한 뒤 저작권을 주장하는 사진, 그림을 업로드하면 소유증명서(Proof of Ownership)가 발급되며 이름, 일자, 이메일 등의 정보가 저장된다.

또한, 워터마크와 암호같은 전통적인 DRM(Digital Rights Management)은 디지털 예술작품의 저작권 보호에 한계를 보임에 따라 디지털 미디어 작품의 소유구조를 블록체인 기술로 구현하여 디지털 지식재산 관리의 한 부분으로 부각되고 있다.

5) 크라우드 펀딩 업계

기존의 크라우드 펀딩에서는 독자적 플랫폼 상에서 자금조달이 이뤄지므로 수수료가 비쌌다. 그러나 블록체인 기반의 크라우드 펀딩에서는 블록체인의 토큰을 발행하고 상장기업이 주식을 파는 것과 같은 방법으로 자금조달을 함으로써 중개업자에게 수수료가 필요 없어지는 구조를 실현한다. 많은 블록체인 신흥기업은 이러한 토큰의 판매를 통해 수백만 달러의 자금을 조달을 하고 있다.

6) 부동산 업계

부동산 거래는 아직 종이를 기반으로 이뤄지므로 거래 도중 및 거래 후의 투명성 결여, 대량의 서류 작성, 사기 가능성, 공적 기록 작성시의 실수 가능성 등 여타 문제가 많이 발생한다. 블록체인 기술을 사용해 거래 데이터를 전자적으로 관리함으로써 그런 문제를 개선하고 이해관계자가 효율성을 향상시켜 거래의 모든 면에서 비용을 절감할 수 있다.

최근에는 부동산 업계에서 4차 산업혁명 기술을 결합한 '프롭테크'가 이슈가 되고 있다.

스웨덴은 모든 부동산 거래를 블록체인 거래장부로 디지털화하여 개방성과 투명성을 높인 디지털 토지장부를 개발하였다. 이에 따라 토지 장부 등록 시스템에 블록체인을 적용하는 과제를 추진하고 있으며, 스타트업 기업인 크로마웨이에서 16년 6월 개발 가능성 테스트를 끝낸 상황이다. 이로 인해 연간 약 1억 유로의 예산이 절감될 전망이다.

미국에서는 프로피(Propy)와 REX, Ubitquity 등의 플랫폼을 활용하여 부동산 산업에 블록체인을 활용하고 있다.

프로피(Propy)는 부동산 거래시에 블록체인에 기록하여 매매자와 중개인들 사이에 수기 문서를 없애고, 온라인을 통한 투명하고 간편한 거래를 지원하고 있다. 미국 부동산 협회에서도 이러한 점을 감안하여 지분을 매입한 바 있다.
REX는 블록체인을 기반으로 글로벌한 부동산 정보를 제공하는 플랫폼이다. 이더리움의 분산원장, 분산파일공유, 분산스토리지의 기술을 활용하여 중앙서버 없이 부동산 데이터를 배포 및 공유한다.

부동산 소유권 추적을 위한 시스템을 갖추고 있는 Ubitquity는 부동산 거래 계약을 투명하게 보관함과 동시에, 거래시에 필요한 많은 양의 서류 및 사기등의 고질적인 문제를 해결해주는 플랫폼이다.

일본 역시 2018년부터 토지 대장 관리에 블록체인을 활용하고 있다. 일본 법무성은 전국 2억여 개의 토지 구획과 5천만여개 건물 정보를 비롯해 부동산 매매에 관한 데이터를 블록체인으로 관리할 예정이다. 한편, 자산관리의 영역에서 블록체인 기술이 활용되는 것은 개발도상국 입장에서는 매우 중요한 일이다.

이외에도 블록체인을 거래를 통해 부동산을 토큰화 하여 현금화가 어렵고, 많은 자금이 필요한 부동산 거래에 활용되기도 한다. 실제로 프랑스 파리에서 이러한 사례가 있으며, 다양한 장점으로 인해 각광받고 있는 분야이기도 하다.

하지만 부동산 블록체인 거래에는 한계도 존재한다.

- 또한 현재까지 상용화가 되지 않았기에 충분한 네트워크 형성이 되질 않았다는 점 또한 한계점이라 할 수 있다.
- 익명으로 거래를 진행하기에 이에 따른 탈세 및 지하경제로의 성장에 대한 법적 제도 및 제한이 필요하다.
- 개인key를 분실하거나 도난당하는 경우 새로운 개인key를 발급받을 수는 있지만, 그 기술적·법적 구조가 마련되어있지 않고, 피해를 보상받을 수 있는 법적 구제제도가 없다.

성장 가능성이 높은 분야이기에 이러한 점들까지 개선해 나간다면, 부동산 분야에서 두드러지는 활용도를 보여줄 것이라 예상된다.[51]

51) 블록체인 기반 온라인 부동산 경매 플랫폼 '경매야' 특허출원/벤처스퀘어

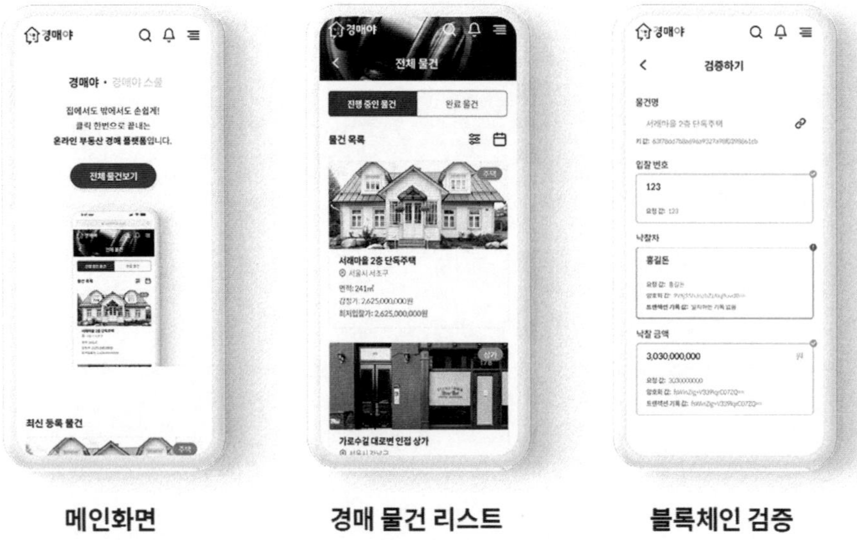

[그림 58] 블록체인 기반 부동산 플랫폼 사진

또한 최근 온라인 부동산 경매 플랫폼에서도 블록체인을 기반으로 한 서비스가 출시된 바 있다. 프롭테크 기업 넥스트아이비에서는 '경매야' 라는 어플에 블록체인 기술을 활용하여 비대면 부동산 경매를 진행하는 특허를 국내 최초로 출원한 바 있다.
이 특허 서비스를 활용하면 등록된 부동상 경매가 종료된 이후에도 부동산 경매에 입력된 다수의 입찰 정보를 암호화하고, 경매 참여자들로부터 해당 입찰 정보 제공에 대한 요청을 받으면 '경매야'에서 상요된 암호키의 접근권한 설정을 해제하여 입찰 정보를 참여자들에게 제공하게 된다.

7) 교육과 학술 분야

교육 분야도 마찬가지로 종이 기반으로 낭비가 많은 편이다. 블록체인 기술을 활용하면 성적증명서 등의 등록과 참조를 쉽게 할 수 있고 조작 리스크도 낮출 수 있다. 또 권한을 부여한 제3자에게 신뢰성 높은 정보를 안전하게 곧바로 개시할 수 있게 된다. 소니와 소니 글로벌 에듀케이션은 복수 교육기관의 데이터를 일원적으로 관리하고 신뢰성 있는 학습 데이터나 디지털 성적증명서 등의 등록 및 참조를 가능하게 하는 시스템을 개발하고 있다. 이들 데이터를 활용해 교육 기관의 수업 계획이나 운영의 개선이 이뤄지면 교육 수준의 향상도 가능해진다.

8) 에너지 분야

유럽에서는 현지의 전력회사들이 재생가능 에너지의 제어/최적화를 위해 블록체인과 가정용 축전지를 활용한 실증 프로젝트가 진행되고 있다. 독일은 재생가능 에너지 선진국이지만 그

반대로 송전 인프라 용량을 억제하는 발전량이 문제시되기 시작했다. 그래서 용량을 오버한 만큼을 가정에서 가진 축전지를 버퍼로서 사용하여 수급 전체의 최적화를 꾀하고자 하고 있다.

그때 전력거래 데이터를 관리하기 위해 블록체인이 활용되고 있다. 이에 의해 서로 이익이 연결되고 실시간으로 거래가 필요한 전력거래를 서로 정당성을 보증하면서 실시간으로 실행할 수 있게 된다.

최근 고양시에서는 온실가스 저감사업을 위해 블록체인 기반의 스마트 기술을 활용한 체계적인 탄소저감량 측정 및 파리협정 원칙에 따른 탄소저감량 이중 산정 방지를 위한 '통합에너지 관리시스템' 특허 출원을 마쳤다. 이 특허로 인해 탄소배출권 거래제와 관련 있는 시설의 온실가스 저감량 산정 시에 해당 정보를 블록체인에 보관하여 관리함으로써, 시설 관리에 대한 접근이 간편해지고 실시간 위·변조 모니터링이 가능해져 통합 에너지 관리에 대한 투명성, 일관성 및 신뢰성을 확보할 수 있게 되어 향후 탄소절감 및 에너지 절약에 큰 도움이 될 것으로 예상된다.

9) 모빌리티 분야

이스라엘 스타트업인 'LaZooz'는 가상화폐를 발행하여 분산형의 라이드쉐어링 서비스를 전개하고 있다. 기존의 쉐어링 서비스는 중앙집권형 운영체가 관리, 통제했으므로 그 의향에 따라 서비스 사양이 변경된다거나 중개자가 개입하여 필연적으로 수수료가 발생했다.

LaZooz는 또한 블록체인을 이용한 가상화폐를 이용해 승용차의 빈자리를 매매하는 라이드쉐어링 플랫폼을 준비했다. 그에 의해 분산형으로 중개자가 없어도 P2P로 거래가 성립할 수 있도록 쉐어링 이코노미의 기반의 구축을 목표로 하고 있다.

10) 기부 분야

자선단체와 관련된 해결과제로는 자선활동의 비효율성이나 기부금 행방의 불투명성과 관련이 많다. 그러나 블록체인 기술을 사용해 기부를 추적하여 기부금 용도를 투명화하고 효율화할 수 있다. 실제로 비트코인을 기반으로 한 자선단체인 BitGive 재단은 블록체인 기술을 활용해 기부금 행방을 지원자에게 보여준다. 이를 통해 기부금의 부정 이용이 없다는 것을 증명하여 지원자에 대한 신뢰도를 높인다. 또 가상화폐에 의한 기부는 송금 수수료가 없으므로 지원하고 싶은 금액을 전액 보낼 수 있다는 점에서도 주목을 받고 있다.

최근 이포넷의 블록체인 기반 기부 플랫폼 '체리(CHERRY)'는 꾸준한 성장세를 이어가고 있다. 간편결제를 통한 쉬운 지불 기능은 결제 수단을 늘려 나가는 쪽으로, 블록체인을 이용한 투명성 높은 기부금 전달 기능은 추적 범위를 넓히는 방향으로 발전이 이뤄지는 중이다. 체리는 기부금이 모금되고 전달되는 모든 정보를 실시간으로 블록체인에 기록해 투명하게 공개하고 스마트 계약을 통해서만 기부금이 자동 전달되어 기부금 유용의 위험을 최소화하도록 설계된 것이 특징이다. 네이버페이와 같이 절차가 비교적 단순한 결제 수단을 제공한다. 블록체인을 활용한 기부 플랫폼인 체리는 일반 신용카드 외에도 네이버페이와 같은 결제 방식으로도 기부금을 납부하는 등의 편의성과 수납한 기부금을 블록체인 네트워크를 활용해 '기부 전용 암호토큰으로 환전하여 기부금 전달 과정에 활용하는 투명성을 갖춰 주목받고 있다.

11) 헬스케어 업계

의료 업계에서는 의료기관이 가진 각 플랫폼 간에 데이터를 안전하게 공유할 수 없다는 문제가 있다. 그것을 블록체인 기술을 사용함으로써 나라, 병원, 의료관계자가 데이터의 보안과 정합성을 손상시키지 않고 네트워크에 액세스할 수 있게 된다. 의료기관의 데이터 연계의 개선은 정확한 진단과 효과적인 치료법 제안, 비용대비효과 높은 의료를 제공하는 등 의료 시스템 전체의 향상으로 연결된다.

미국 스타트업인 'BitHealth'는 블록체인을 이용해 헬스케어 데이터를 안전하게 기록·보관하는 서비스를 개발하고 있다. 빅데이터 시대를 맞아 헬스케어 데이터는 앞으로 다양한 용도로 활용이 기대되고 있지만, 그를 위해서는 침해로부터의 보호나 높은 신뢰성이 요구된다.
동사는 블록체인을 이용해 의료기관이 아니라 유저 자신이 헬스 데이터를 안전하게 보관하면서 의료기관에도 제공할 수 있는 시스템을 목표로 하고 있다.

의료 분야에서는 그 밖에도 위조의약품을 방지하기 위한 블록체인 활용도 진행되고 있다. 특히 서플라이 체인이 미정비된 신흥국에서는 위조의약품 문제는 심각하다. 블록체인이 가지는 '재기록 불가능한 데이터 스토어'라는 특징을 살려 제약회사도, 이용자도 안심할 수 있게 된다.[52]

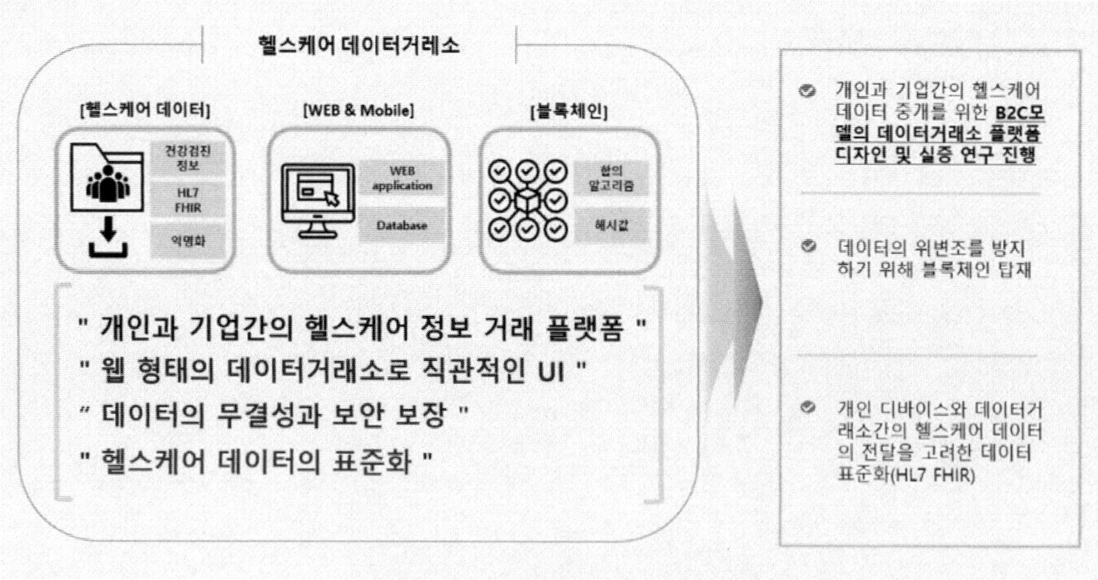

[그림 59] 헬스케어 데이터 거래소 모델

최근 대한의료정보학회에서는 '블록체인 기반 헬스케어 데이터거래소 구축 및 운영 실증 연

52) "안전한 헬스케어 데이터 중개 플랫폼, 블록체인이 대안"/메디파나뉴스

구' 결과 발표를 통해 보다 빠르고 안정적인 데이터 중개 시스템 모델을 발표했다. 이번 발표에서 공개된 '헬스케어 데이터 거래소'는 헬스케어 데이터의 표준화, 데이터의 위변조 보호, 개인 데이터 제공 보상 및 역동적 동의, 데이터거래 상황 모니터링이 가능하다. 그렇기에 데이터 소비자인 기업이 원하는 정보를 검색하고 헬스케어 데이터 활용을 요청하여 개인 헬스케어 데이터 사용 동의를 받은 후, 해당 데이터를 표준화하고 블록체인까지 적용한다. 그리고 위변조 검사를 끝낸 후에 요청된 데이터를 기업에 전송해주어 데이터 제공자에게는 보상이 진행되는 전체 과정을 데이터중개소를 통해 이루어지게끔 된다.

현재 헬스케어 산업의 경우 진료기록, 개인건강기록, IoT기반 의료기기 등 다양한 출처를 통해 데이터가 매일 생성되고, 이를 활용하고자 하는 기업의 수요가 높다. 하지만, 데이터 수집을 위해서는 환자의 동의가 필요하며 개인정보 유출 및 데이터 위변조 우려를 해소해야 한다. 데이터 자체도 각 의료기관에 분산 저장되어 정제된 데이터 수집도 어렵기에 이번 모델에 대한 기대가 높아지고 있다.

12) 소매유통 분야

안전한 먹거리를 제공하기 위해서는 식품 유통과정의 투명성과 안전성을 개선해야 하는데 여기서 블록체인 기술이 활용될 수 있다. 기존 식품 추적 시간이 블록체인 기술을 도입하면 엄청난 단축을 할 수 있다는 시험결과가 나왔으며, 현재 글로벌 식품 유통회사들이 블록체인에 참여한다고 한다. 8개의 글로벌 소매 업체인 월마트, 크로거, 네슬레, 유니레버, 타이슨, 돌, 맥코믹앤컴퍼니, 골등스테이트푸드는 IBM이 제공하는 블록체인 플랫폼을 이용하기로 했다. 식품 유통 과정에 블록체인을 도입하면 식품이 처음 생산되고 우리 밥상에 올라오기까지의 모든 과정을 추적할 수 있게 된다. 예를 들어, 아이스크림의 유통과정을 추적한다면, 아이스크림의 원료가 생산된 공장, 가공된 공장, 유통기한, 냉동고의 온도, 배송의 세부사항들까지 빠르게 알 수 있다.

IBM은 블록체인 기술을 활용해 '공급망 기록 관리'의 투명성과 효율성을 향상시키고 중국 소비자들의 먹거리 안정성을 보장한다는 목표를 설정하고 블록체인 솔루션 공급 업체로서의 주도적 역할을 견고히 하고 있다. IBM은 제약 소매 분야에서도 블록체인 플랫폼의 또 다른 출시를 한 바 있다. 중국 공급망 관리 회사인 Hejia와 공동으로 개발한 Yijian Blockchain Technology Application System은 의약품 소매 업체의 공급망 금융 운영 효율을 개선하기 위해 2017년 4월 시작되었다.

13) 자동차 공유 및 배차 분야

자동차 사용을 공유하는 공유 시스템은 자동차 업계에서는 새로운 것이 아니다. 하지만 블록체인 기술을 활용하면 차량의 소유권이나 사용을 기록하여 보험료나 기타 비용을 배분하는 데 도움이 된다. 또 스마트폰 앱을 사용해 고층빌딩 입주자가 필요에 따라 같은 건물 내에 주차해 있는 차량을 간단히 공유해 이용할 수 있게 되면 빠른 속도로 자동차 공유가 보급될 가능성이 있다.

우버와 같은 배차 앱에서도 블록체인 기술의 활용이 기대된다. 현재는 기본적으로 이용 유저에게 드라이버를 할당하고 알고리즘을 사용해 드라이버의 차량을 제어하고 과금하므로 서비스의 가격관리가 중앙집권으로 이뤄지는 상태다. 하지만 블록체인 시스템을 통해 거래하면 드라이버와 유저를 직접 연결할 수 있으므로 유저와 드라이버 간에 과금 설정을 하는 것이 가능해지고 드라이버는 독립적인 서비스 제공자가 되므로 개개인의 판단으로 보다 좋은 서비스를 제공할 수도 있다.

14) 서플라이체인 관리 분야

블록체인 기술을 활용하면 제품의 제조에서 판매까지 서플라이체인 전체를 투명하게 할 수 있으므로 시간 지연이나 쓸데없는 비용, 실수를 대폭 삭감할 수 있다. 나아가 폐기물이나 배출량을 감시하기 위해서도 사용할 수 있으므로 환경에 대한 영향을 가시화할 수 있다. 예를 들어 영국 런던에 거점을 둔 PROVENANCE는 블록체인 기술을 활용해 원재료부터 소비자에게 도달하기까지의 신뢰성 높은 실시간 데이터를 제공하여 소비자로부터 신뢰를 얻는 데 성공했다.

15) 의료 분야

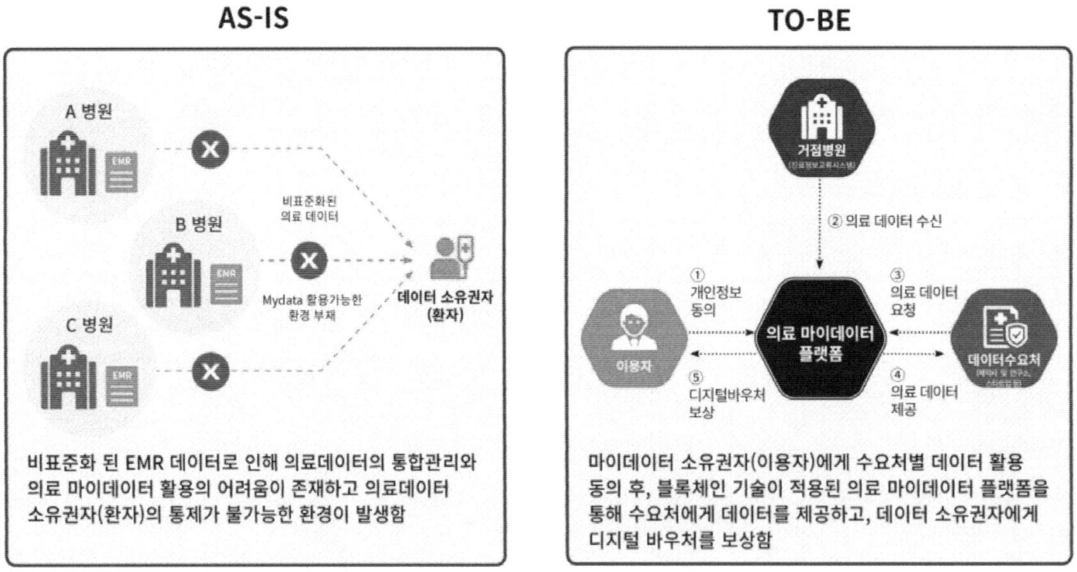

[그림 60] 블록체인 의료분야 활용도

정부가 최근 발표한 디지털 뉴딜로 인해 2025년까지 58조 2천억 원을 투입할 계획을 밝히면서 데이터, 네트워크 등 인공지능을 통한 각 산업의 생태계 강화를 내걸고 있다. 이에 더불어 블록체인 기반 의료 마이 데이터 비대면 플랫폼 서비스가 주목받고 잇다. 현재 세종텔레콤과 에이아이플랫폼, 재영소프트, 부삼대 병원이 컨소시업으로 참여하고 있으며 향후 발전가치가 큰 사업으로 주목받고 있다.53)

16) 신분증 및 개인정보 분야

최근 국내 보안 전문기업인 라온시큐어에서는 행정안전부의 모바일 신분증 도입 사업으로 인해 2021년 1월 분산신원증명(DID) 기반 모바일 공무원증 발급 및 운영을 시작했다. 이번 모바일 공무원증에는 라온시큐어 DID 플랫폼 '옴니원'이 적용됐다. 옴니원은 FIDO 생체인증과 DID 기술을 결합한 신원증명 플랫폼이다. 플라스틱 신분증을 단순히 복제해 모바일 형태로 변환하는 기존 모바일 신분증과 달리 신원증명을 위한 개인정보를 암호화한 후 이를 스마트폰 등 개인이 통제할 수 있는 안전한 영역에 보관하는 방식이다. 블록체인 기술을 활용했기 때문에 암호화된 개인정보는 신원증명이 필요할 때 원하는 정보만 사용자가 직접 선택해 제공할 수 있다. 기존에는 중앙 기관에서 개인정보를 모두 저장·보유·통제했다면 DID 기반 모바일 신분증을 통해서는 사용자가 개인정보를 직접 소유 및 이용할 수 있는 '자기 주권 신원'을 실현할 수 있다는 설명이다.

[그림 61] 네이버 모바일 예시

54)

[그림 62] 카카오톡 모바일 예시

또한 과학기술정보통신부에서 '제11차 신기술·서비스 심의위원회'를 통해 네이버와 카카오·카카오뱅크가 신청한 모바일 운전면허 확인서비스 등 총 5건에 대해 임시허가 결론을 내리면서

53) 디지털 뉴딜 본격화, 블록체인으로 시동 : 코로나19로 의료분야 주목
54) 네이버·카카오, 블록체인 운전면허로 신원확인한다./파이낸셜뉴스

네이버와 카카오가 자체 블록체인 기술로 위·변조를 방지한 '모바일 신분증' 서비스가 시행되었다. 이번 '모바일 운전면허 확인서비스'는 운전자격증의 본질적인 기능 외에도 19세 이상 성인여부 등을 입증할 수 있다. 쏘카 등 차량공유나 전동킥보드 관련 무면허사고를 막는 한편, 술·담배 등을 성인에게만 팔 수 있도록 안전장치 역할이 가능해진다. 네이버는 자체 개발한 블록체인과 외부 블록체인 역량을 활용할 예정이며, 카카오도 향후 경찰청 논의를 거쳐 외부 블록체인을 접목해 데이터 암호화 등 위·변조 및 해킹방지를 위해 노력해 나갈 예정이다.

코로나19 사태로 인해 비대면 문화가 확산되면서 접촉이 필요한 지문이나 홍채인식과는 다른 비 접촉이 가능한 안면인식 기능이 확대되고 있다. 때문에 보다 더욱 정교한 보안성 및 안전성이 요구되는 시점이다.

최근 포스코 ICT는 자체적으로 개발한 안면인식 솔루션 프로그램 페이스로(Facero)에 국내 최초로 블록체인 기술을 적용하여 사용자 정보에 대한 보안적 요소를 더욱 강화시켰다.

페이스로는 타인에게 대여할 수 없는 개인의 얼굴을 인증해 출입을 관리하거나, 소액결제, 출결관리 등 다양한 서비스까지 확대 적용 가능한 솔루션이다. AI 기반의 딥러닝 기술이 적용돼 얼굴의 미세한 변화까지도 캐치할 만큼 정확도가 향상된다.

포스코ICT는 페이스로에 블록체인을 적용해 사용자의 얼굴 등 등록 데이터의 위변조를 방지함과 동시에 해킹 등의 위협으로부터 데이터를 안전하게 보호할 수 있게 했다. 여기에는 포스코ICT가 오픈소스인 하이퍼렛저 패브릭를 기반으로 자체 개발한 블록체인 솔루션 포스레저(PosLedger)가 적용됐다. 지난해 한국인터넷진흥원로부터 99.9%의 정확도를 인증받기도 한 페이스로는 0.5초 이내의 빠른 응답 속도와 블록체인 기반의 향상된 보안성을 내세워 솔루션 적용을 더욱 확대하고 있다.

포스코 그룹사의 주요 시설물에 적용된 페이스로는 일반적인 출입관리뿐만 아니라 작업현장 투입 전 근무자의 안전 장비착용 상태를 확인하는 안전관리, 온라인 화상교육의 출결관리, 사내식당 및 카페 등의 결제관리 등의 용도로 확산을 추진하고 있다. 더 나아가 택배업체가 운영하는 물류센터에서 화물의 크기나 모양 등에 대한 형상인식을 통한 택배 분류, 공공장소에서 불특정인의 위험한 행동을 감지해 사전 대응하는 치안 등의 분야로 적용을 확대해 나갈 예정이다.

라. 거래·결제 분야

세계적인 은행, 주식, 투자, 보험회사들과 핀테크 기업들은 블록체인 기술을 활용하여 거래결제 분야에 플랫폼과 솔루션을 개발하여 서비스를 제공하고 있으며, 금융 중심에서 소유권 증명, 이전, 거래 등으로 확대하고 있다.

1) 결제와 송금 분야

돈을 관리하는 은행은 블록체인 기술을 활용해 업무의 신속화, 효율화, 안전화를 기대할 수 있다. 은행 자체에 문제를 안고 있는 나라에서는 가능성이 더욱 크다. 이미 스위스의 UBS은행이나 영국의 바클레이는 백오피스의 기능과 결제를 신속화하는 방법으로 블록체인 기술을 도입하여 실험중이며 이를 통해 비용 절감이 기대되고 있다. 미국 Ripple은 블록체인 기술을 활용하여 중개기관에 의한 수수료 부담을 최소화 하는 해외송금 서비스를 선도적으로 제공하고 있으며, Fidor Bank(독일), CBW/Cross River Bank(미국), Westpac/ANZ(호주) 등도 사업에 참여하고 있다. Ripple의 글로벌 금융결제 솔루션은 가치 인터넷(Internet of Value)에 초점을 두고 은행들 간에 거래를 거치지 않고 직접 및 실시간 거래를 결제할 수 있도록 추진함으로써 금융 서비스에서 발생하는 전체 비용을 낮추는 전략이다.

한편, 한국에서도 중앙은행 발행 디지털화폐(CBDC)의 발행, 유통, 환수 등 기본기능과 오프라인 결제 등 확장기능에 대한 기술적 구현 가능성을 검증하기 위한 모의실험을 진행하고 있는 가운데 은행들도 블록체인 기술을 활용한 비즈니스 모델을 확장에 박차를 가하고 있다.

금융권에 따르면, 우리은행은 '블록체인 플랫폼'을 구축, 한은의 CBDC 모의실험 연구의 민간기관 유통을 위한 기술 검증을 완료한데 이어 하반기 CBDC 유통 확대 실험에도 적극적으로 대응할 방침이다. 우리은행이 구축한 블록체인 플랫폼은 블록체인 기술을 활용해 결제, 인증, 자산 관리 등 각종 거래에서 개인정보를 안전하게 보호하며 거래의 신뢰성과 투명성을 보장할 수 있는 네트워크 환경을 말한다.

이를 통해 스테이블 코인인 '우리은행 디지털화폐'(WBDC, WooriBank Digital Currency), 디지털 자산의 소유권을 증명할 수 있는 대체불가능토큰(NFT)의 발행과 이를 송금과 결제에 이용할 수 있는 '멀티자산지갑' 등 다양한 서비스에 활용할 계획이다. 또 블록체인 기반의 분산식별자(DID, Decentralized IDentifier)를 통한 신원 및 자격증명 서비스도 은행 업무에 적용한다.

우리은행 관계자는 "블록체인 플랫폼 구축으로 디지털 신기술을 통한 혁신 서비스를 제공할 수 있는 토대를 마련했다"며 "전담조직 신설로 관련 신사업 개발을 가속화할 것"이라고 말했다.
앞서 국민은행은 2021년 12월 블록체인 기반의 '멀티에셋 디지털 월렛'의 시험 개발을 성공적으로 완료한 바 있다. 멀티에셋 디지털 월렛은 한은이 진행 중인 CBDC 모의실험에 사용된 블록체인 플랫폼인 클레이튼(Klaytn)을 기반으로 개발됐다. CBDC 외에도 가상자산, 지역화폐, NFT 등 다양한 디지털 자산의 충전, 송금, 결제 등이 가능하도록 구현됐다.

CBDC는 블록체인 기술을 기반으로 중앙은행이 직접 발행하는 전자적 형태의 화폐로, 최근 전세계 중앙은행과 국제기구를 중심으로 각국의 CBDC를 연계해 국가간 지급서비스를 개선하기 위한 논의와 실험을 시작하는 등 연구가 활발히 진행되고 있다.

한은 역시 구체적인 도입시기를 단언하긴 어렵지만 CBDC 도입이 결정되는 시점이 도래할 경

우 차질없이 발행에 나설 수 있도록 기술적 토대 구축을 위해 모의실험을 진행중이다.[55)]

블록체인은 소액거래(Microtransactions)에서도 매우 유용한데, 소액거래 금액기준은 일반적으로 10달러 수준으로 보고 있으며, PayPal은 12알러 이하, 비트코인은 5달러 정도이다. 신용카드 또는 직불카드 결제 시 수수료 등 비용이 발생하기 때문에 효율적인 소액거래 결제 방식이 필요한 실정이다. 상품가격 10달러 내외의 금액을 비트코인으로 결제하는 방식은 이미 2013년부터 블록체인 스타트업 BitWal, BitMonet 등에서 솔루션을 출시하여 사용되어 왔다. 이후 안전성과 편리성을 만족시켜 디지털콘텐츠 사용료, 실시간 송금, 비영리단체 기부금 등에 확산되고 있다. 비디오 영상을 업로드하여 수익을 창출하는 PopChest는 개방형 소액결제 전문영상 플랫폼으로, 비디오를 시청하기 위해 비트코인으로 소액(최소 0.1달러, 보통 0.5달러, 고가 5달러)을 결제하되, 가입, 서명, 의무 등이 필요없어 매우 편리하다. 소셜네트워크 기반의 온라인 서비스에서 유용한 콘텐츠에 대한 'Like(좋아요)'이상의 보상차원으로 소액을 송금하거나, 비영리단체의 구호금으로 소액을 보낼 때 개인정보가 보호되면서 빠르고 신속하게 전달할 수 있다. 전 세계적으로 비트코인으로 기부금을 받는 자선단체는 Antiwar.com, Direct Relief, Red Cross, Greenpeace, BitGive Foundation 등이 있다.

지불결제관련 블록체인은 이중지불을 원천적으로 방지하고 거래비용을 절약시키지만 금융거래, 주식투자, 소매상점 등에서 지불 및 결제 수단으로 아직은 보편화되지 못했고 일부는 실험단계이다. R3CEV에서 지불결제 솔루션을 개발하고 분산장부가 새로운 거래 DB 기술로 인정받고 있지만, 현재의 지불결제시스템을 완전히 대체하기에는 한계가 있다. 이러한 가운데 온라인 결제 스타트업 스트라이프(Stripe)는 인터넷 쇼핑몰에서 전자결제 기능의 간편결제 플랫폼을 출시(2015.02)하여 인기를 얻고 있다. 사용자는 Stripe의 결제 API를 설치하여 서비스를 이용하고 Stripe는 비트코인 결제 수수료로 결제액의 0.5를 부과하며, 이용자는 카드처럼 사용하고 환불도 가능하다. CoinBase는 가상화폐의 디지털 플랫폼인데 지갑, 환전, 결제대행 서비스 등 900만 명 이상의 고객에게 서비스를 제공하고 있다. 이처럼 블록체인 기술을 사용한 금융계 스타트업의 성장도 두드러지고 있다.

한편, 증가하는 데이터 침해, 불법해킹, 신분사기 등의 폐해를 방지하기 위한 새로운 결제 시스템의 구축, 복잡한 수출입 상거래의 종합 인증, 사람의 업무가 포함된 추상적 서비스 인증에 이르기까지 다양한 필요성이 제기되고 있다. 신원인증과 분산 블록체인 원리를 조합한 디지털 ID솔루션의 경우, 모든 온라인 거래에 할당될 수 있는 디지털 워터마크 기능을 생성하여 실시간으로 신원확인이 필요하다. 이와 관련 거래사기를 제거하고, 소비자는 사용자 이름과 암호를 입력하지 않고 간단한 블록체인 앱으로 로그인 및 지불을 확인하는 다양한 인증 플랫폼들이 출시되고 있으며, 이 중 HYPR의 보안시스템은 지문 등 생체정보 방식으로 개발하여 안전한 플랫폼으로 평가받고 있다.

55) 속도내는 CBDC…은행권, 블록체인 기술 확장 '속도전' / 아시아타임즈

2) 보험 업계

보험시장은 신탁관리에 기초한다. 블록체인 기술은 신뢰를 관리하는 데 적합하고 지금까지 종이 기반이었던 작업을 대폭 감소시켜준다. 또 피보험자의 신원 확인, 투명성 및 정확성, 작업 속도의 향상 등도 기대할 수 있다. 이미 국내외에서 많은 보험회사가 블록체인 기술을 활용하고 있는데, AIG가 블록체인 기술을 사용한 세계 최초의 보험증권을 영국 스탠다드차타드 은행에 교부했다고 한다. AIG에 따르면 이를 통해 몇 개월이나 걸렸던 업무를 며칠로 단축할 수 있었다고 한다.

최근 보험 업계에서는 대표적으로 한화생명이 있는데, 그룹차원에서 블록체인 분야에 높은 관심을 가지고 있고, 관련한 블록체인 인재 양성을 위해 노력하고 있다. 한화생명 내부에서 블록체인 적용 신규 사업을 추진하기에 전문적인 인재를 확보하기 위함이다.

주요 핀테크 부문별 투자

(단위 : 십억달러, 개)

구 분	금 액	건 수	주요 업체
인슈어테크	1.6	58	wefox(보험상품비교 및 관리 플랫폼, 독일), SHUIDIHUZHU(상호부조 P2P보험, 중국)
자본시장	1.0	60	carta(주식관리, 미국)
자산관리	0.9	46	acorns(소액투자서비스, 미국), STASH(투자자문 및 연결서비스, 미국)
디지털뱅킹	0.7	17	N26(인터넷전문은행, 독일), Chime(인터넷전문은행, 미국)
레그테크	0.3	25	onfido(신원확인용 생체인증 소프트웨어 제공, 영국), Comply Advantage(자금세탁방지솔루션 제공, 영국)
기타(결제, 뱅크테크 등)	1.8	239	Klarna(결제플랫폼, 스웨덴), MAMBU(뱅킹 플랫폼 제공, 독일)
전 체	6.3	445	

주 : '19년 1분기 기준
자료 : CB Insights, "Global Fintech Report Q1 2019"

56)

[그림 63] 주요 핀테크 부문별 투자

또한, 미래 보험 시장의 대안 중 하나로서 떠오르는 것이 바로 '인슈어테크'다. 2019년 6월 금융감독원이 발표한 '글로벌 핀테크 10대 트렌드' 에서 인슈어테크가 선정된 바 있다. CB 인사이트 자료에 따르면 2019년 1분기 기준 글로벌 핀테크 투자의 주된 분야에도 인슈어테크가 있다. 참고로 인슈어테크는 전체 투자의 25%로 가장 큰 비중을 차지하고 있는 것을 확인할 수 있다.

인슈어테크는 보험(Insurance)과 기술(Technology)의 합성어다. 데이터 분석, 인공지능(AI), 사물인터넷(IoT) 등의 기술을 활용한 혁신적인 보험 산업을 서비스를 말한다. 이 인슈어테크를 활용하면 인공지능이 적용된 챗봇을 통해 고객에게 보험계약, 보험금 청구 등의 보험 업무를 알기 쉽게 설명할 수 있고, 사물 인터넷 기술을 활용해서 고객의 건강 상태에 최적화 된 보험 요율을 적용할 수 있다. 블록체인을 통해 보험금 청구망을 구축하고, 빅데이터를 이용하여 보

56) 언택트 보험의 시대/BRAVO

험 가입현황이나 질병 발생 빈도 등과 같은 다양한 통계정보또한 제공이 가능하다.

인슈어테크 시장은 현재까지 지속적인 성장세를 보이고 있다. CB 인사이트에 따르면 인슈어테크 기업에 대한 투자 규모는 2012년 3억 4700만 달러에서 2018년 39억 5300만 달러까지 증가하였으며, 2019년 2분기에는 28억 5700만 달러를 기록하며 전년 동기 대비 약 159% 성장했다. 미국이 이 산업을 선도하고 있지만 영국, 중국 등 다른 국가에서도 투자 비중이 확대되고 있는 추세다. 중국의 경우 알리바바와 바이두와 같은 인터넷·유통 플랫폼 회사가 보험산업에 뛰어들어 인슈어테크 시장의 성장을 견인하고 있다.

3) 스마트 계약

스마트계약의 경우, 블록체인 장부의 개별거래는 프로그래밍(조건문삽입)이 가능하여 개별거래에 계약조건을 스크립트로 넣고 그것이 충족되는 시점에서 바로 결제가 이루어지며, 기존에 분리되어 있던 계약조건 이행 및 대금결제가 통합된다. 또한 주식시장에서 체결과 정산 사이에 발생하는 3일 정도의 시차를 궁극적으로 제거할 수 있으며, 금융기관 간 거래에서도 최종 정산이 이루어지기까지 주고받는 각종 서류를 대체할 수 있다.

IBM은 최근 삼성과 함께 ADEPT(Autonomous Decentralized Peer-to-Peer Telemetry)라는 실증 프로젝트를 전개하고 있다. 이것은 가정용 세탁기에 IoT를 탑재하여 세제의 잔량 저하를 인지하고 자동으로 소매업자에게 세제 공급을 의뢰할 수 있도록 하는 것을 목표로 한 프로젝트다. 이 계약 관리에는 스마트계약 시스템이 들어가있다. 기존의 계약은 악용이나 손상을 방지하기 위해 당사자 간에 계약서를 맺고 또 특히 큰 계약에서는 제3자 기관이 그 중개자로 개입했다.

5. 블록체인과 비트코인

5. 블록체인과 비트코인

가. 비트코인이란?

블록체인은 비트코인에 관해 얘기할 때 가장 많이 언급되므로 블록체인을 이해하기 위해서는 '비트코인'을 알아야 한다. 비트코인은 온라인 가상화폐로 블록체인을 기반으로 한다. 비트코인은 금융학적으로 대안화폐의 한 종류이며 화폐에 대한 신용이 정부, 기관, 단체 등에서 오지 않고 Hash함수와 비대칭키를 활용한 디지털 서명을 결합한 구조에서 온다.

2009년에 '사토시 나카모토(예명)'로 알려진 개인 또는 다수의 개발자들을 통해 탄생되었으며, P2P네트워크, 해시[57], 암호화, POW(Proof of Wo가 :작업증명) 등의 기술을 다차원적으로 종합하여 만든 일종의 프로그램이다. 기존의 가상화폐들과 달리 암호화 기술(cryptography)와 Hash시를 이용한 POW 방식을 이용하였다는 점에서 암호화폐(cryptocurrency)로 불리고 있다. 이러한 암호화폐 발행 및 거래 프로그램을 '비트코인' 또는 '비트코인 코어'라고 부르며, 이 프로그램 안에서 통용되는 암호화폐 또한 '비트코인'이라고 칭한다.

기본적으로 모든 통화는 발행주체를 지니며 화폐로 통용되기 위한 가치와 지급을 보장받는데, 예를 들면 우리나라는 한국은행을 통해 화폐를 발행하고 운영한다. 포인트나 상품권, 사이버 머니의 경우에도 발행 및 운영 주체인 기업이 존재하는데, 이들은 발행기관이라는 중심부가 존재하며 이용자들은 이들이 구축한 지급 결제 인프라를 통해 수직관계를 맺을 수밖에 없다.

---

57) 해시 함수(혹은 Hash로 표기)는 임의의 길이의 입력 메세지를 고정된 길이의 출력값으로 압축시키는 함수이다. 데이타의 무결성 검증, 메세지 인증에 사용한다. 해시 함수는 일방향성과 충돌 회피성이라는 2가지 성질을 만족해야 한다. 먼저, 일방향성은 주어진 해시 값 h에 대해서 H(x)=h를 만족하는 값을 찾는 것이 계산적으로 불가능한 것을 말한다. 다음, 강한 충돌 회피성이란 주어진 x에 대해 H(x)=H(y)를 만족하는 임의의 입력 메세지 y(x)x)를 찾는 것이 계산적으로 불가능함을 뜻한다. [네이버 지식백과]

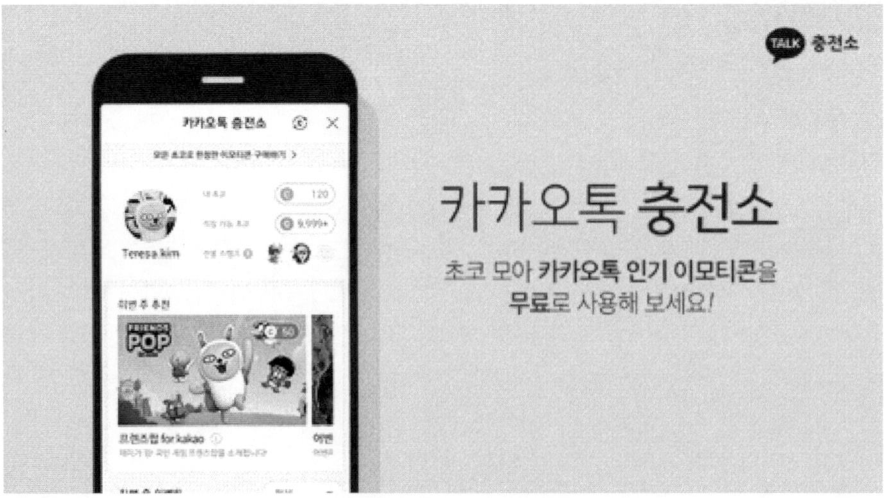

[그림 65] 가상화폐의 예

그렇지만 비트코인은 특정한 발행 또는 관리 주체 없이 운영되는데, 참여하는 사용자들이 주체적으로 화폐를 발행하고 이체내역을 관리하게 된다. 중앙화 된 주체에서 주도적으로 관리하는 것이 아니라 P2P로 운영되기 때문에 계좌동결, 강제인도, 강제신원공개 및 서비스정지 등이 불가능하다. 쉽게 말해, 이용자끼리 직접 연결되어 거래 비용이 발생하지 않고 쉽게 계정을 만들 수 있기 때문에 송금이나 소액 결제에 유용하다.

향후 100년간 발행되는 비트코인의 숫자는 전체 2100만 개로 제한되어 있으며, 4년마다 통화 공급량이 줄어들어 2140년에 통화량 증가가 멈추게 되어 있다. 이는 임의로 통화량 조절을 하지 못하는 장치로 비트코인의 중요한 특징이기도 하다. 비트코인은 세상에 나타난 지 5년 만에 시가총액으로 세계 100대 화폐 안에 들어갈 정도로 성장했다.

비트코인으로 거래가 이뤄지는 방식을 구체적인 예시를 통해 살펴보도록 하자.

비트코인을 갖고 있는 A는 비트코인 결제가 가능한 온라인 판매자 B에게 물건을 사고 싶다고 가정해보자. A와 B는 모두 자신의 컴퓨터에 비트코인 월렛(Wallets)을 갖고 있다. 월렛은 비트코인 주소에 다중으로 접속할 수 있도록 하는 파일들의 모음이다. 비트코인 주소는 'IHULMwZEPkE'처럼 연속된 문자와 숫자의 조합이다. 각 주소에는 사용자의 비트코인 잔액이 담겨있다.

B는 A가 결제에 사용할 비트코인을 보낼 수 있는 새 비트코인 주소를 만들면 A는 비트코인 중개업체에 B의 주소로 물건 금액만큼 전송하고 싶다고 요청하면 된다.

월렛은 주소마다 개인키를 갖고 있기 때문에 비트코인 업체는 B가 송금하려는 비트코인 주소의 개인키를 이용해 거래를 승인한다. 이제 네트워크상의 누구나 공개키를 이용해 이 거래가 합법적인 계좌 소유자의 요청이라는 것을 확인할 수 있다.

한편 C, D, E는 비트코인 채굴자다. 그들의 컴퓨터는 지난 10분간의 거래를 새로운 거래 블록으로 통합한다. 이들 채굴자의 컴퓨터는 암호 해시 함수 연산을 시작한다. 암호 해시 함수는 데이터 묶음을 '해시 값'이라고 부르는 일정한 길이의 문자와 숫자 구별이 없는 알파넘버릭(alphanum) 열로 변환한다. 이때, 극히 작은 액수도 예외없이 해시 값으로 치환한다. 따라서 초기 데이터 값들을 예측하는 것이 근본적으로 불가능하다.

비트코인은 같은 데이터로도 서로 다른 해시 값을 생성하기위해 '난스(Nonces)'를 사용한다. 난스는 해싱 작업에 앞서 데이터에 무작위 추가되는 숫자이다. 난스를 바꾸면 해시값도 변하게 된다. (각 새 해시값에는 모든 이전 비트코인 거래에 대한 정보가 포함된다.)

채굴 컴퓨터는 이전 해시값의 조합, 새로운 거래 블록, 그리고 난스 등을 바탕으로 새 해시값을 계산한다. 해시 생성은 컴퓨터 작업 측면에서는 일상적인 것이다. 그러나 비트코인 시스템은 특정한 형태, 특히 임의의 숫자 만큼의 0으로 반드시 시작하는 새로운 해시값을 필요로 한다. 채굴자는 이처럼 선행 0과 함께 어떤 난스가 해시값을 생성하는지 미리 알아낼 수 있는 방법이 없다. 그래서 원하는 해시값이 나올 때까지 서로 다른 난스로 다양한 해시를 생성할 수밖에 없다.

각 블록은 채굴자에게 50비트코인을 지급하는 코인베이스(coinbase) 거래를 포함한다. 여기서는 C가 처음으로 풀어낸다고 치면 새로 채굴한 잔액이 추가된 새 주소가 C의 월렛에 만들어진다. 시간이 흐르면서 E가 D에게 보낸 송금내역은 최신 거래에 밀려 다른 항목 밑에 깔린다. 만약 여기서 이를 변조하려면 개리가 했던 작업을 다시 해야 한다. 뿐만 아니라 그 이후의 모든 채굴자들이 했던 작업도 다시 해야하기 때문에 값을 수정하는 것은 거의 불가능하다.

이처럼 비트코인은 거래 당사자만이 거래에 참여하여 거래 시 수반되는 비용도 지불할 필요할 필요가 없고 세금도 내지 않기 때문에 매우 유용한 가상화폐로서 부상하고 있다. 그러나 반면에 이러한 점들이 불법적이 온라인 거래 사이트에서 이용될 소지를 만들어주고 있다.

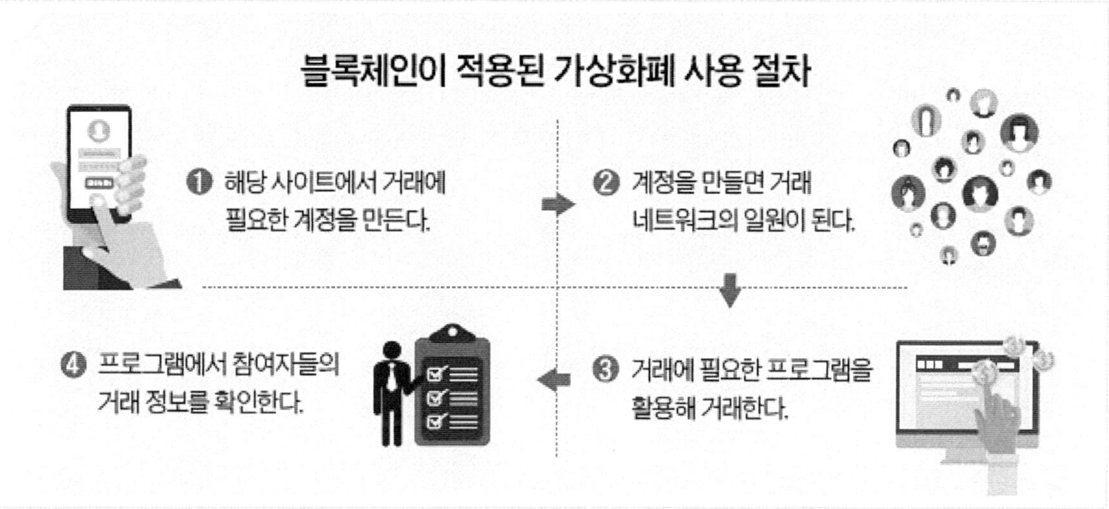

[그림 66] 블록체인이 적용된 가상화폐 사용 절차

사실 비트코인이 대중들에게 알려진 것도 2011년 초 실크로드 사건이 터지면서 음성적, 비공식적 인터넷 환경에서 불법적 거래 수단으로 이용된다는 사실이 알려지게 된 이후이다. 최근 세계적으로 문제가 되었던 렌섬웨어도 비트코인으로 대금을 지급하도록 협박하는 등, 가상화폐의 익명성을 활용한 범죄사례가 증가하고 있다. 또한 비트코인의 화폐 공급 구조는 비트코인 운영 방식이 다단계 판매 혹은 폰지(Ponzi)사기와 유사하다는 비판이 제기되는 원인이 되기도 한다.

나. 비트코인 작동원리

초기 블록체인인 비트코인의 핵심기술로는 암호기술, 체이닝 로직, 분산 합의 등을 등이 있다. 이러한 기술들은 사토시 나카모토의 독자적인 아이디어라기보다는 기존의 아담백(Adam back), 웨이 따이(Wei Dai) 등 여러 연구자들이 일찍이 제시한 이론에 기반하고 있다. 본 장에서는 블록체인의 작동원리를 비트코인 핵심기술 위주로 1)~5)순서로 설명하고자 한다.

1) 채굴

비트코인은 사용자들에 의해 직접 발행이 되는데 이를 통상적으로 채굴이라고 부른다. 이를 기술적으로 끊임없는 해싱 작업을 통한 '목표값(target value)'이상의 해시(hash)값 찾기(작업증명, POW)[58]로 정의할 수 있다.

채굴에 참여하는 모든 사용자가 목표값을 찾기 위한 경쟁을 벌이며, 특정한 사용자가 목표값에 해당하는 해시값을 찾는데 성공하면, '블록'을 발행하게 된다. 이들은 블록을 발행하고 이를 네트워크에 전파하면서 동시에 블록발행보상인 '비트코인'과 해당 블록 안에 포함된 '이체수수료'를 받게 된다. '비트코인 지급'이라는 경제적 보상이 채굴자들이 해싱작업에 참여하는 원동력이 된다.

채굴은 근본적으로 끊임없는 해싱작업이며, 많은 컴퓨터 파워를 가지고 있을수록 빠른 속도의 해싱이 가능하다. 즉, 컴퓨터 파워를 많이 투입할수록 다른 경쟁자들보다 비트코인을 많이 받게 되는 구조이다. 블록 발행 확률(목표값 경쟁 승리확률)과 네트워크 상에서 자신이 차지하는 컴퓨팅 파워 비율은 정확히 비례하며, 만일 누군가가 전체 투입 컴퓨팅 파워 중 30%를 점유하고 있다면, 수학적으로 블록 생성 확률도 정확히 30%에 수렴한다.

2) 조폐

블록은 위에서 설명된 채굴 작업을 통해 발행되며, 매 발행 시마다 비트코인 프로그램 자체(coinbase)에서 '블록발행보상'을 채굴자에게 지급하는 방식으로 신규화폐를 발행(조폐)하게

---

58) POW로 통칭하는 '작업증명'은 기본적으로 특정한 난이도의 작업을 수행했음을 증명하는 기법이며, 해당 작업의 어려움은 난이도에 맞게 설정되어 있어야 하지만 그 작업이 완료되었음을 확인하는 것은 쉬워야 한다. 여러 가지 방법이 작업증명에 사용될 수 있는데, 비트코인의 경우 위에 언급된 'Hashcash'방식을 통해 작업증명을 한다.

된다. '블록발행보상'은 2016년 기준으로 25 비트코인이며, 매 '21만 블록(약 4년)'을 기준으로 발행량이 절반으로 줄어든다.

2009년 1월 첫 발행 시에는 50비트코인씩 발행이 되었으나 약 4년 뒤인 2013년 말부터는 25비트코인으로 발행량이 줄었으며, 역시 4년 뒤 2015년 7월 10일에는 12.5비트코인으로 매 4년마다 계속 반으로 줄어든다. 이렇게 발행되는 비트코인의 총량이 2,100만개에 이르면 비트코인의 신규발행은 종료된다.

단계	블록번호	블록 당 보상	기초금액	발행액	기말금액(기초+발행)	발행누적액/총액
1	10	50.00000000	0.0000	10500000	10500000.0000	50.0%
2	210000	25.00000000	10500000.0000	5250000	15750000.0000	75.0%
3	420000	12.50000000	15750000.0000	2625000	18375000.0000	87.5%
4	630000	6.25000000	18375000.0000	1312500	19687500.0000	93.8%
5	840000	3.12500000	19687500.0000	656250	20343750.0000	96.9%
6	1050000	1.56250000	20343750.0000	328125	20671875.0000	98.4%
30	6090000	0.00000009	20999999.9433	0.0189	20999999.9622	99.9999993%
31	6300000	0.00000004	20999999.9622	0.0084	20999999.9706	99.9999997%
32	6510000	0.00000002	20999999.9706	0.0042	20999999.9748	99.9999999%
33	6720000	0.00000001	20999999.9748	0.0021	20999999.9769	100.00000000%

59)

[그림 67] 비트코인 발행 시 블록 당 발행 보상액

3) 블록(Block)

블록은 위에서 설명된 채굴행위를 통해 매 10분을 주기로 발행된다. 블록은 일종의 데이터 패킷으로 몇 가지 정보를 담고 있다. 가장 중요한 것으로 참여자들이 화폐를 거래한 '거래내역', 그리고 이전 블록의 해시값, 난이도, 논스(nonce) 등이 포함된다. 매 블록은 바로 전 블록의 해시값을 담고 있으며, 이렇게 이어진 블록들은 시간순으로 발생한 이체내역들을 담고 있는 하나의 '블록체인(Blockchain)'을 이룬다. 각 블록은 최대 1MB의 크기까지 확장될 수 있으며, 헤더 80바이트, 기타 17바이트 등을 제외하고 총 1,048,479바이트 가량이 이체내역 저장을 위해 사용될 수 있다.

블록은 헤더(header)와 바디(body)로 나뉜다. 헤더는 다음의 6가지로 이루어져 있다.
1.현재 비트코인 프로그램의 버전
2.이전 블록을 해싱한 해시값
3.현재 블록의 거래내역들을 모두 해싱한 해시값
4.현재 블록의 타임스탬프
5.난이도(해시 목표값)
6.논스값-바디는 해당 블록 안에 기재된 모든 이체내역을 담는다

59) 블록체인 피넥터 보고서

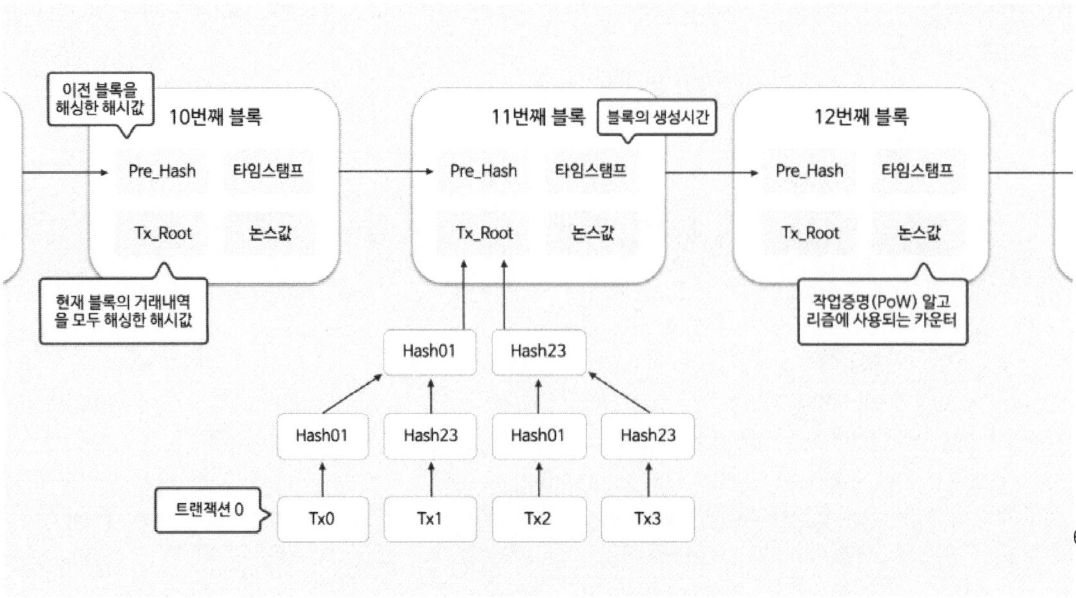

60)

[그림 68] 블록 구성

4) 난이도

블록의 생성 주기는 네트워크 전파 속도 및 보안성 등을 이유로 사토시에 의해 '10분'으로 채택되었다. 그러나 위 '채굴'부분에서 언급된 바와 같이, 블록 생성은 곧 특정한 목표값을 해싱 작업으로 찾아내는 것인데 그렇다면 해싱작업 속도만 빠르다면 10분이 아니라 1분 안에도 목표값을 찾아낼 수 있을 것이다. 이것을 막기 위해 도입된 것이 '난이도'이다.

비트코인이 채택한 작업증명(POW:Proof of Work)방식은 'Hashcash'방식이다. Hashcash 방식은 요소는 네 가지로, '목표', '작업방식', '난이도 조정방법', '난이도 조정시점'이다. '목표'는 2016개의 블록을 생성하는데에 2주 (2016블록X10분=2주)가 소요되야 한다는 것이며, '작업방식'은 해싱을 통한 목표값 찾기, 그리고 '난이도 조정방법'은 목표치를 초과/미달하는 부분만큼 '목표값(target value)'의 난이도가 변경되는 것이다. 이 난이도 조정은 매 2016번째 블록마다 이루어진다.

만일 2016개의 블록을 생성하는데 2주가 아닌 1주일이 걸렸다면, 목표에 도달키 위한 필요 작업의 50%만 이루어진 것으로, 목표에 도달치 못한 것이다. 따라서 난이도를 2배로 증가시켜서, 기존 1주일의 두 배인 2주가 걸리게 조정하고 목표를 충족시킨다.

---

60) Matthaus Wander 재구성

5) 이체확인(Confirmation)

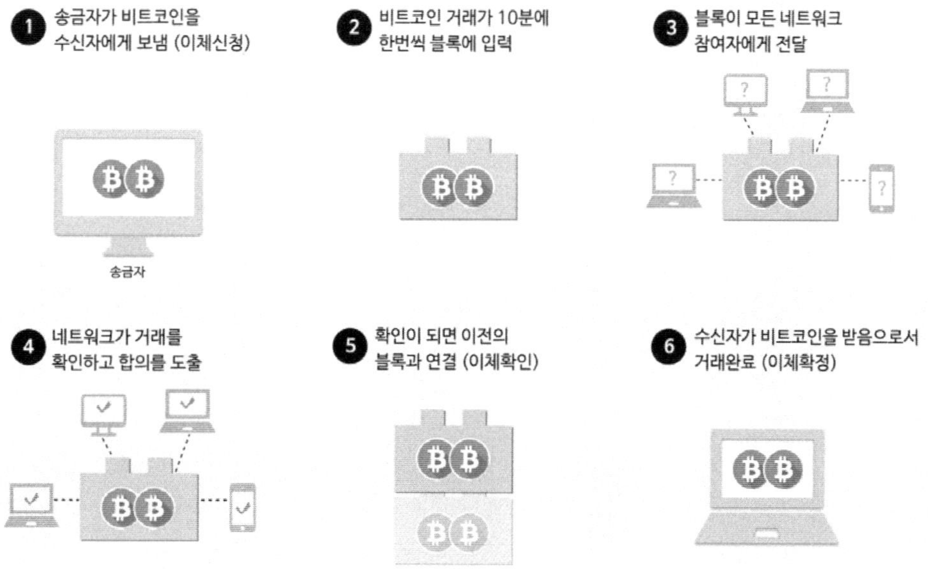

[그림 69] 비트코인 이체확인

이용자가 이체를 하면 이를 채굴자가 자신의 블록에 넣어서 발행하게 되는데, 이 순간 해당 이체내역의 '이체확인(confirmation)'은 1이 된다. 그리고 해당 블록의 해시를 이용한 다음의 블록이 발행되면, 해당 이체내역의 이체 확인은 2가 되는 식이다.

비트코인 프로그램은 각 이체가 총 6번(60분)의 이체확인을 받아야 재이체(사용)가 가능하도록 설계되어 있는데, 이것을 일반적인 POS과정에 그대로 도입하는 것은 불가능할 것이다. 따라서 각 사업자는 자신의 리스크를 지고 필요에 따라 1~2이체확인 또는 단순히 TxID를 통한 이체신청내역 사실 확인만으로도 이체 확인을 해주는 '제로 컨펌(zero-confirmation)'까지 다양하게 조정하여 사용하고 있다.[61]

---

61) 블록체인 피넥터 보고서

다. 비트코인 시세

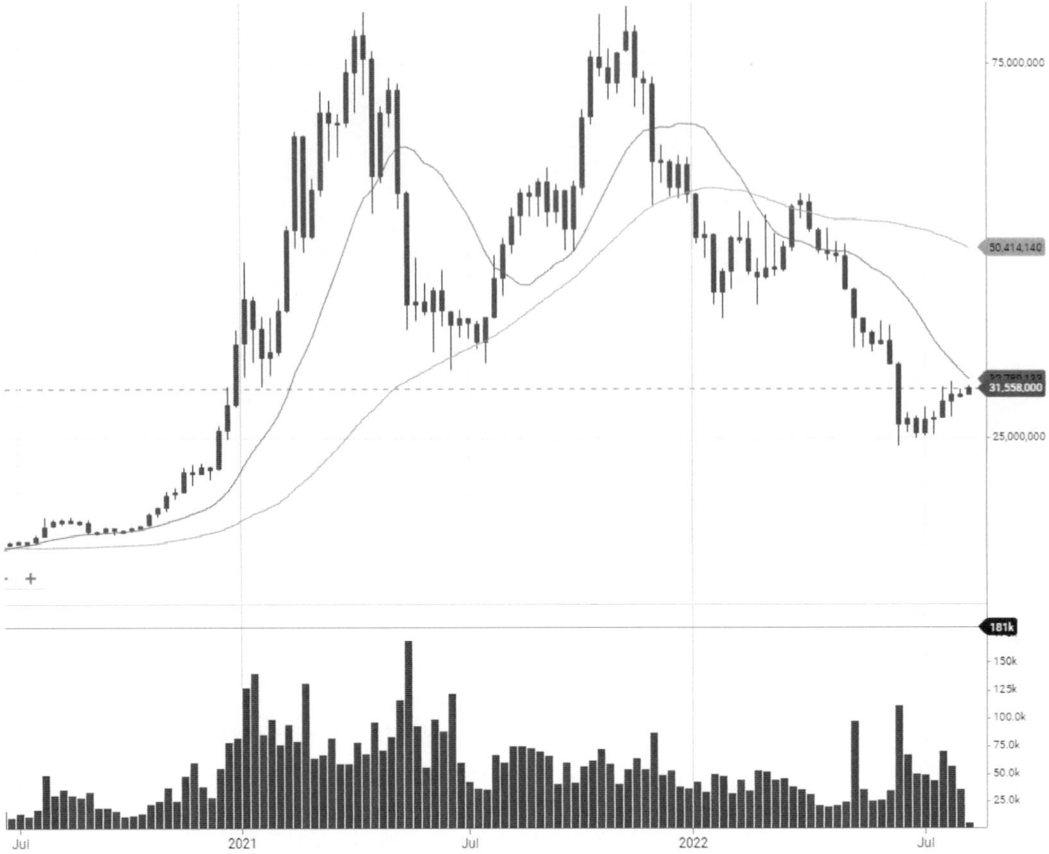

[그림 70] 비트코인 최근 2년간 가격 변동 현황

2022년 8월 9일 업비트 거래소 비트코인 가격은 31,558,000원이다. 2021년 11월 82,700,000원이였던 거에 비해 61.84% 하락한 가격이다. 2017년 비트코인 최고가를 경신한 이후 '검은 2018년'로 기록되는 대폭락 이후 처음 있는 일이다. 당시 비트코인은 최고가 대비 77% 하락 하였다.

2021년 5월 비트코인은 하루만에 30% 급락하면 3만 달러 선을 찍었다. 2021년 4월 6만 4800달러와 비교하면 사실상 반토막이 난 거다. 가상화폐 시총 2위인 이더리움도 24시간전보다 40% 폭락했고, 머슬라가 띄웠던 도지코인도 한때 44%정도 떨어지기도 했다.

당시 테슬라 CEO 일론 머스크가 테슬라 차 구매시 비트코인으로 결제를 하도록 하겠다며 폭등을 불러오더니, 갑자기 비트코인 결제를 중단한다고 발표하며 폭락을 하게되었다. 여기에 더해 중국이 가상화폐 시장 과열을 경고해, '사용 불허' 방침을 다시 확인하면서 폭락을 더욱 부추겼다.[62]

62) 뉴스쏙:속]가상화폐 '검은 수요일'…비트코인 폭락 왜?/노컷뉴스

라. 비트코인 문제점

비트코인의 가장 큰 특징은 중앙 집중형이 아니라 분산 네트워크형이라는 데 있고, 이는 다시 말해서 해킹을 하기 위해서는 모든 컴퓨터를 동시에 공격해야 한다는 뜻으로 보안 측면에서도 커다란 안정성을 지닌다. 그렇지만 개인들이 지닌 비트코인을 관리하는 전자지갑이 거래소에 접속하는 방식은 해킹 위험에 취약하며, 실제로 다수의 거래소에서 비트코인이 도난당하기도 했다.

내부 운영자들의 도덕적 해이도 문제가 되고 있다. 세계 최대의 비트코인 거래소 마운트곡스(Mt. Gox)에서 전체 거래량의 5%에 해당되는 65만 비트코인(당시 시세로 약 1200억 원)이 부당 인출되어 폐쇄되었다. 처음에는 해킹에 의한 피해인 줄 알았으나, 대부분은 회사 시스템의 잔액 데이터 조작에 의해 사라진 것으로 밝혀졌다.

비트코인을 투자 수단이 아니라 대안 화폐로 이용하려고 할 때 가장 불안한 부분은 가격변동성이다. 비트코인이 처음 거래된 2010년 4월에 1비트코인의 가치는 미국 달러화 기준으로 14센트였지만, 2011년 5월에 27달러까지 상승했다. 2013년에는 유로존 위기와 미국, 중국 정부의 비트코인에 대한 긍정적 평가 등이 기폭제가 되어 투기와 버블이란 말이 나올 정도로 폭등해 11월에 1200달러를 돌파했다. 이후 비트코인 시세는 마운트곡스의 파산과 중국 인민은행의 거래 금지 이후 폭락을 거쳐 2019년 기준 3,400달러에 거래되고 있다.

정부 입장에서 문제가 되는 것은 비트코인의 익명성을 악용한 마약, 무기 등의 불법 거래나 돈세탁, 탈세 등이 발생할 여지가 높다는 점이다. 미국에서는 현행법상 불법성을 띠는 거래만 규제하겠다는 입장을 가지고 있으며, 자격을 갖춘 회사에 면허를 주는 방향으로 가고 있다. 독일은 비트코인을 법정 화폐로 인정하고 거래와 차익에 대해 세금을 부과하기로 했다. 또한 국제 공조도 이뤄지고 있는데, 국제자금세탁방지기구(FATF)는 가상 화폐가 테러 조직의 송금 등에 사용되지 않도록 공동으로 규제를 만들려고 하고 있다.

한국산 스테이블코인 루나·테라의 가격이 지난(2022) 5월 초부터 일주일 새 약 99% 떨어지면서 가상자산 시장에 큰 충격을 안겼다. 65조원에 달하던 시가총액이 순식간에 날아갔다. 전례 없는 사태에 투자자들은 망연자실했다. 이때 피해를 본 국내 투자자들만 20만명에 이르는 것으로 추산된다. 가상자산 시장에 대한 법적 인프라가 제대로 준비되지 못한 탓에 혼란은 가중됐다. 명확한 기준이 없어 명확한 책임소재를 가려내는 데도 어려움을 겪는다. 지지부진했던 가상자산 투자 관련 기준을 정립하자는 목소리가 높아지는 배경이다.

업비트·빗썸·코인원·코빗·고팍스 등 국내 5대 가상자산 거래소는 지난 6월 22일 '디지털자산 거래소 공동협의체(DAXA)'를 출범시키고 상호협력을 위한 업무협약(MOU)을 체결했다. DAXA는 업무협약서에 ▲디지털 자산 거래지원 개시부터 종료까지 투자자 보호를 위한 강화된 규율 방안 마련 ▲투자자에게 충분한 정보제공 및 투자 위험성에 대한 인식 제고 등의 내용을 담았다. 투자자 보호를 위해 상장·폐지에 대한 공통된 가이드라인을 만들겠다는 의미이다. DAXA는 오는 10월까지 해당 안을 마련해 발표할 예정이다.[63]

하지만, 실현 가능성에 대해선 의문이 든다. 당시 발표는 사실상 거래소들의 자율 규제다. 규제 대상이 스스로 엄격한 잣대로 자신들을 검열할 수 있을지 장담하기 어렵다.

특히 5대 거래소마다 이해관계가 다르다는 점이 가장 큰 걸림돌로 여겨진다. 또 다른 가상자산 전문가는 업비트는 시장에서 독점적 지위를 누리는 업체이지만 고팍스는 영세한 곳이라면서 개발인력과 자본 규모도 다른 상황에서 유의미한 합의를 이끌어내기 어려울 것이라고 예상했다.

금융위원회가 가상자산, 블록체인 등 디지털자산 산업 성장을 위해 '가상화폐 업권법' 이른바 코인법 제정을 본격적으로 추진하기로 했다. 2022년 8월 8일 금융위에 따르면 김주현 금융위원장은 '위기 선제대응 및 위기 넘어 금융 산업과 우리경제의 재도약 뒷받침'을 주제로 진행된 대통령 금융위원회 업무보고에서 이 같은 내용을 보고했다.

디지털자산에 대한 기본법 제정을 비롯해 증권형 토큰과 비증권형 토큰 관련한 법령 정비 등을 골자로 하고 있다. 금융위는 증권형 가상자산에 대해서는 자본시장법의 규율체계로, 비증권형 가상자산은 디지털자산기본법을 통해 규율하겠다는 방침이다.

또 금융위는 국제동향을 반영해 글로벌 암호화폐 규제와 관련한 타당성과 정당성을 확보한다는 계획이다. 가상자산이 초국적성을 가지는 만큼 이르면 오는 10월 발표될 미국의 가상자산 규제안 초안도 참고할 예정이다.

가상자산의 증권성 여부를 어느 정도까지 볼 것인지는 미국을 비롯해 유럽, 일본 등의 해석에 따라 국내에 미칠 영향이 클 것으로 보인다. 증권형 코인 기준에 따라 국내 가상자산 거래소에 상장된 코인들의 거래 가능 여부가 달라지기 때문이다.

금융위는 입법 이전에 업계의 자정 노력을 유도하고 특금법과 검·경수사 등을 통해 가상자산 사업자에 대한 감독과 소비자 보호 추진할 예정이다. 특히, 자전거래 등 가상자산 관련 불공정행위, 사기·환치기 등 불법거래에 대해서는 법무부와 검·경의 철저한 수사·단속 요청할 방침이다.

앞서 금융위 산하 금융정보분석원(FIU)은 자금세탁 방지를 위한 시장 모니터링, 가상자산 사업자에 대한 검사·감독 등을 진행하고 자전거래 등 불공정행위, 환치기 등 불법거래에 대한 수사도 진행해 왔다.

하지만 업계에서는 암호화폐와 관련한 기본법이 마련되지 않아 사업과 투자 방향성에 대한 갈피를 잡기 어렵다는 문제가 제기돼 왔다. 현재 가상자산과 관련해 국회 정무위원회에 계류 중인 법안은 모두 13개로 가상자산업법 제정안 7건, 전금법 개정안 4건, 특금법 개정안 2건이다.

계류 중인 법안들은 ▲가상자산거래업 인가제 ▲불공정거래행위 금지 ▲시세조정행위 금지

---

63) 규제 찬바람 부는 가상자산 거래소/머니에스

▲가상자산 공시의무 ▲내부통제기준 마련의무 ▲예치의무 ▲설명의무 등 주로 가상자산 사업자 진입규제와 부정거래 금지, 투자자 보호 등에 대한 내용을 골자로 하고 있다.

하지만 해당 법안 모두 정무위 법안심사소위에 계류 중인 상태로 2021년 이후 진전이 없는 상황이다. 금융당국은 디지털자산기본법과 관련해 국회에 계류된 13개 법안 외에 내부적으로 법률안을 마련해 국회에 제출하는 방안을 검토 중이다.

이날 업무보고에서 김 위원장은 "한쪽에선 가상자산에 대한 규제를 엄격히 해야 한다고 하고 다른 한쪽에서는 혁신을 위해 규제를 강하게 하면 안 된다는 의견도 많다"고 설명했다. 규제할 것은 규제하되 지나친 제한으로 인한 시장 성장을 제한해서는 안 된다는 것이다.

기본적인 모델은 EU의 미카(MiCA)법, 일본의 관련 법 등을 토대로 한국의 상황에 맞게 보완해 안을 만들고 있다며 내부적으로 여러 안을 검토 중인데 이견이 많아 어느 정도 단계가 되면 공론화를 거칠 것이라고 강조했다.

이어 금융위는 디지털자산에 관한 법 제정 뿐만 아니라 범정부 협의제를 중심으로 블록체인 기술발전과 산업 육성을 지속 추진할 것이라면서 투자자와 소비자 보호, 새로운 기술·산업 육성 간의 균형점을 찾기 위해 시장·업계·민간전문가와 긴밀히 소통하겠다고 설명했다.[64)]

마. 비트코인 거래소

2013년 국내에 처음으로 등장한 가상화폐 거래소는 신생업체가 엄청난 속도로 탄생하면서 2021년 100여개에 달하였다. 하지만, 2021년 9월25일부터 시행되고 있는 특금법(특정 금융거래 정보의 보고 및 이용에 대한 법률)에 따라 현재는 5개 거래소만 원화 거래가 가능하다.

가상자산암호화폐 거래소 등은 정부에 신고를 한 후 불법적인 거래를 사전에 차단하는 법안이 바로 특금법이다. 특금법 내용은 가상자산암호화폐 거래소 등은 금융위원회 산하 금융정보분석원(FIU)에 신고를 해야한다.

특금법에 따른 신고요건은 다음과 같다.
① ISMS(정보 보호 관리 시스템) 인증: 금전 거래인 만큼 정보 보호가 가장 주요하기 때문에 고객 개인 정보 보호 체계를 갖추었는지 평가한다.
② 실명 확인 입출금 계좌 발급: 거래를 위한 필수 사항으로 반드시 실명 확인이 되는 계좌가 개설되어야 하면, 거래소별로 특정 은행과 제휴를 하여 개설이 가능하다.
③ 사업자 대표가 금융관계법률 위반 요건에 해당하지 아니하여야 한다.

현재 국내 원화 거래가 가능한 가상자산암호화폐 거래소는 업비트, 빗썸, 코인원, 코빗, 고팍스 5개뿐이다.

---

64) 금융위, '가상화폐 업권법' 제정 본격 추진/코리아아이티타임즈

금융위원회 금융정보분석원(FIU)에 따르면 2021년 하반기 기준 국내 가상 자산시장 규모는 55조2000억원, 하루 평균 거래액은 11조3000억원인 것으로 집계됐다. 가상자산을 이용하는 국내 총 이용자 수는 1525만명이며 실제 거래에 참여하는 이용자 수는 558만명에 달했다. 이용자 연령은 3040대가 전체의 58%로 가장 많고 대다수(56%)는 100만원 이하 규모의 가상자산을 보유한 것으로 파악됐다. 이들은 1일 평균 4회 거래의 매도 또는 매수에 참여했으며 1회 거래금액은 약 75만원이다.

가상화폐거래소 브랜드평판 2022년 6월 빅데이터분석 결과 1위 업비트, 2위 빗썸, 3위 코인원 순으로 분석되었다. 한국기업평판연구소는 가상화폐거래소 브랜드 5개에 대해서 빅데이터 분석을 통한 브랜드 평판을 측정하였다. 브랜드에 대한 평판지수는 브랜드에 대한 소비자들의 활동 빅데이터를 참여가치, 소통가치, 소셜가치, 시장가치,재무가치로 나누게 된다. 가상화폐거래소 브랜드평판조사에서는 참여지수와 미디어지수, 소통지수, 커뮤니티지수로 분석하여 브랜드평판지수를 측정하였다.

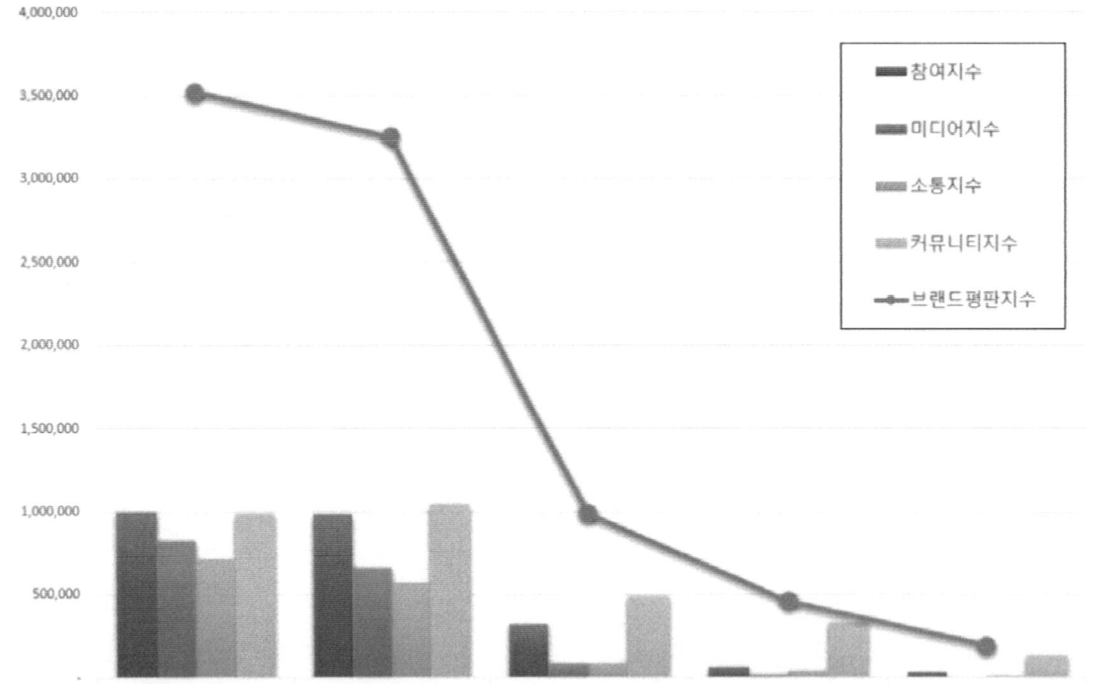

[그림 71] 가상화폐거래소 브랜드평판 2022년 6월 빅데이터 분석

2022년 06월 27일

순위	브랜드	참여지수	미디어지수	소통지수	커뮤니티지수	브랜드평판지수
1	업비트	1,000,400	823,185	712,359	984,289	**3,520,233**
2	빗썸	982,400	658,880	567,602	1,044,490	**3,253,372**
3	코인원	324,200	90,203	87,006	486,028	**987,437**
4	코빗	69,200	18,769	41,532	330,365	**459,866**
5	고팍스	36,760	8,198	11,848	134,646	**191,453**

[그림 72] 가상화폐거래소 브랜드평판 2022년 6월 빅데이터 분석

1위 업비트 가상화폐거래소 브랜드 참여지수 1,000,400 미디어지수 823,185 소통지수 712,359 커뮤니티지수 984,289가 되면서 브랜드평판지수 3,520,233으로 분석되었다. 지난 5월 브랜드평판지수 4,335,627과 비교하면 18.81% 하락했다.

2위 빗썸 가상화폐거래소 브랜드 참여지수 982,300 미디어지수 658,880 소통지수 567,602 커뮤니티지수 1,044,490이 되면서 브랜드평판지수 3,253,372으로 분석되었다. 지난 5월 브랜드평판지수 2,625,185과 비교하면 23.93% 상승했다.

3위 코인원 가상화폐거래소 브랜드 참여지수 324,200 미디어지수 90,2030 소통지수 87,006 커뮤니티지수 486,028이 되면서 브랜드평판지수 984,437으로 분석되었다. 지난 5월 브랜드평판지수 927,127과 비교하면 6.51% 상승했다.

4위 코빗 가상화폐거래소 브랜드 참여지수 69,200 미디어지수 18,769 소통지수 41,532 커뮤니티지수 330,365이 되면서 브랜드평판지수 459,866으로 분석되었다. 지난 5월 브랜드평판지수 579,585과 비교하면 20.66% 하락했다.

5위 고팍스 가상화폐거래소 브랜드 참여지수 36,760 미디어지수 8,198 소통지수 11,848 커뮤니티지수 134,646이 되면서 브랜드평판지수 191,453으로 분석되었다. 지난 5월 브랜드평판지수 232,183과 비교하면 17.54% 하락했다.[65]

65) [브랜드평판] 업비트, 가상화폐거래소 2022년 6월... 1위/비욘드포스트

2021년 08월 20일			2022년 05월 25일			2022년 06월 27일		
순위	브랜드	브랜드평판지수	순위	브랜드	브랜드평판지수	순위	브랜드	브랜드평판지수
1	업비트	4,433,052	1	업비트	4,335,627	1	업비트	3,520,233
2	빗썸	2,801,266	2	빗썸	2,625,185	2	빗썸	3,253,372
3	코인원	811,173	3	코인원	927,127	3	코인원	987,437
4	코빗	375,712	4	코빗	579,585	4	코빗	459,866
5	후오비코리아	209,270	5	고팍스	232,183	5	고팍스	191,453
6	포블게이트	205,114	6			6		
7	코인빗	191,055	7			7		
8	캐셔레스트	162,417	8			8		
9	고팍스	153,299	9			9		
10	프로비트	140,599	10			10		
11	지닥	37,787	11			11		
12	코어닥스	34,218	12			12		
13	보라비트	28,223	13			13		
14	플라이빗	24,075	14			14		
15	에이프로빗	23,242	15			15		
16	한빗코	13,428	16			16		
17	텐앤텐	7,051	17			17		
18	아이빗이엑스	4,972	18			18		
19	비둘기지갑	1,655	19			19		
20	코인엔코인	1,604	20			20		

[그림 73] 가상화폐거래소 브랜드편판 변화추이

1) 업비트

고려사항	보안성	거래량	취급 종목 개수	수수료
평가	중	상	상	하
비고	보안관련 가상자산이 외부로 유출된 사고	3조 995억 원	179개	0.05%

업비트는 2017년에 출범한 이후 현재 국내 점유율 80% 이상을 차지하고 있는 대표적인 가상자산 거래소다. 국내 거래소 중 24시간 거래량이 가장 많은 곳으로 꼽히며 월간 사용자 수 역시 국내 1위를 차지하고 있다. 풍부한 거래량과 편리한 사용자 인터페이스(UI)가 강점이다. 카카오가 지분 투자한 두나무에서 운영하고 있어 로그인과 입출금 시 카카오 서비스를 연동해 편리하다. 업비트에 돈을 입출금 하기 위해서는 케이뱅크 계좌가 필요하며 수수료는 0.05%다.

후발주자였던 업비트가 2018년까지 1위를 차지하던 빗썸을 제치고 성장할 수 있었던 배경에는 케이뱅크와의 서비스 제휴가 큰 영향을 미쳤다. 2020년 6월 23일 케이뱅크와의 제휴로 원화 입금이 가능해진 이후 이용자가 급격히 늘었다. 특히 온라인상에서 계좌를 개설할 수 있다는 점이 주목받은 것으로 보인다. 거래 수수료도 다른 거래소에 비해 싼 편이다.

업비트는 주식 거래 플랫폼인 증권플러스를 개발한 두나무가 운영하는 거래소인 만큼 사용자에게 증권사 수준의 거래 시스템을 제공하고 있다. 한눈에 파악할 수 있는 실시간 코인 동향이나 정보, 간편한 실시간 시세 확인 등 최적화된 사용자인터페이스(UI) 및 사용자경험(UX)을 선보여 차별화한 편의성을 갖추고 있다.

타 거래소 대비 빠른 반응 속도도 특징이다. 특히 앱 자체 속도가 빠르고 화면 전환이나 거래를 하는 데 큰 불편함이 없다는 장점이 있다. 향후 업비트는 지속적으로 이용자 친화적 인터페이스 구현과 투자 정보 확대에 초점을 맞춰 서비스 개편을 시행할 것으로 보인다.

투자자 보호와 보안 강화에도 주력을 다하고 있다. 2021년 12월 투자자보호센터 설립을 시작으로 투자 손실 또는 전자금융사기 피해를 본 투자자를 위한 심리·법률상담 등 '업비트 케어'를 서비스하고 있다.

거래 전반에 걸친 보안 강화를 위해 과학기술정보통신부가 의무 대상으로 지정한 4개 거래소 중 가장 먼저 ISMS 인증을 획득하기도 했다. 지난해 9월에는 과학기술정보통신부와 개인정보보호위원회가 공동으로 고시하는 국내 최고 수준의 보안 관리 체계 ISMS-P를 획득하고, 국제표준화기구(ISO) 인증 4종을 모두 보유해 글로벌 수준의 보안 시스템을 인증 받았다.

이외에도 국내 최초로 '업비트 디지털 자산 지수(UBCI)'를 제공해 시장 표준을 제시하고 거래 흐름을 한눈에 확인할 수 있도록 길잡이 역할에 나서고 있다.

업비트는 원화를 출금할 때 보안등급에 따라 일일 출금 액수가 정해져 있는데, 보안등급이 최고등급이어도 다른 거래소 대비 원화 출금 한도가 낮은 편이다. 빗썸, 코인원, 코빗은 최대 5억원 이상 출금이 가능한데, 업비트는 최대 2억원으로 한도가 정해져 있다.

또 업비트에서 입출금이 급증하는 경우 독점적으로 계좌 제휴를 맺은 케이뱅크가 서버를 감당하지 못하면 원화 입출금이 불가능하다. 케이뱅크는 지난해에만 5번 이상 장애가 발생했다. 이에 일각에선 업비트가 실명계좌 제휴 은행을 확장하는 방안을 검토하고 있다는 이야기가 나오고 있다.[66)]

2) 빗썸

고려사항	보안성	거래량	취급 종목 개수	수수료
평가	중	중	상	상
비고	가상자산 도난 및 외부 유출 사고	1조 4,240억 원	210개	0.25%

빗썸은 2014년 '엑스코인'이라는 이름으로 서비스를 시작했으며 2015년 현재 사명으로 변경됐다. 거래소 중 가장 많은 종류의 코인 거래가 가능하다. 정보보호 관계 법령을 철저히 준수

66) [가상자산 거래소 탐방] 시장 점유율 압도적 1위 업비트 성공 비결/인사이트코리아

하고 지속적인 외부 보안 컨설팅을 통해 금융회사와 비슷한 수준의 보안 시스템을 가지고 있다. NH농협 계좌와 연동되며 수수료는 0.25%이다.

빗썸이 미국 경제지 포브스가 선정한 거래소 순위에서 13위를 차지했다. 국내 거래소 중에서는 1위다. 업비트는 24위, 코인원과 코빗도 44위, 46위를 기록했다. 빗썸은 3개월 평균 방문자 수를 나타내는 '인지도', 신뢰할 수 있는 공개 정보에 대한 평가인 '보안성', 투자자 자금 견적에 대한 평가인 '고객 자금' 등 부문에서 높은 점수를 받았다.

지난 2017년부터 꾸준히 발생한 해킹과 서버 접속 장애는 빗썸의 이용자들이 점차 떠나가며 업비트와 격차가 벌어지는 원인이 됐다. 빗썸 서버 다운으로 인한 대표적인 피해 사례는 지난 2017년 비트코인캐시 사태다. 지난 2017년 11월 비트코인캐시 가격이 정점을 기록했을 당시 거래창이 마비됐다. 이후 가격이 급락했고 서버 다운으로 제때 매도하지 못한 투자자들이 상당한 피해를 입었다.

당시 600여명의 피해자들은 BTC코리아닷컴(현 빗썸코리아)를 상대로 손해배상 청구소송을 냈지만, 법원은 거래소의 고의와 과실이 없어 배상책임이 없다고 판결했다.
이 외에도 빗썸은 해킹으로 인해 거래소 소유분의 가상자산 350억원 탈취 사건(2018년)이 있었다. 내부자 소행으로 의심되는 이오스(EOS) 도난 사건(2019년)도 겪었다. 이후 빗썸은 가상자산을 실물 지갑인 콜드월렛에 옮겼다. 또한 ISMS 인증 획득, 보안캠페인 강화 등 조치를 취했고 점차 해킹 사건은 줄어들었다.

하지만 꾸준히 서버를 증설하고 속도 개선 작업을 진행하며 대규모 인력을 채용하여 포브스 선정 국내 1위 거래소에 선정되었다.[67]

3) 코인원

고려사항	보안성	거래량	취급 종목 개수	수수료
평가	상	하	상	상
비고	보안사고 X	1,698억 원	197개	0.20%

코인원은 2014년 설립된 가상자산 거래소다. 설립 이후 8년동안 보안 무사고를 기록하고 있는 가장 안정적인 거래소 중 하나로 UI가 가장 뛰어나서 이용이 편리하다고 한다. NH농협 계좌와 연동되며 수수료는 0.20%이다.

코인원은 국내에서 거래량 3위 거래소이며, 해커 출신의 대표가 설립한 회사로 보안성이 높

67) 잦은 해킹·서버마비, 내년엔 달라질까/팍스넷뉴스

다는 평가를 받고 있다. 그러나 거래량이 활발하지 못하여 사고 팔기가 힘들다는 문제점이 있고, 또한 매수/매도 시 시장가 거래가 없어 빠른시간내 거래가 이루어지기 힘들다는 단점도 보유하고 있다.

4) 코빗

고려사항	보안성	거래량	취급 종목 개수	수수료
평가	상	중	상	중
비고	보안사고 X	92억 원	113개	0.20%

코빗은 2013년 '한국 비트코인 거래소'라는 명칭으로 설립된 한국 최초의 가상자산 거래소다. 소프트뱅크, 팀 드레이퍼, 그레이스케일 자산운용사의 모회사 DGG그룹, 판테라 등의 펀드로 부터 투자를 받아서 만들어졌다. 2017년 넥슨의 모회사 NXC에 인수됐다. 거래소 중 가장 적은 수의 코인 거래를 지원한다. 거래 가능한 코인의 종류가 적다 보니 거래량도 적다. 메타버스 기반의 플랫폼 코빗타운도 운영한다. 신한은행 계좌와 연동되며 수수료는 0.15%이다.

코빗은 SK planet과 제휴하여 만든 가상 화폐 거래소이다. 보안성과 서버 안정성이 높은 편이지만, 비트코인 거래량이 코인원이나 빗썸에 대해 상대적으로 적다.

코빗에 가장 큰 장점은 신규 코인 상장이 가장 활발하게 이루어지고 있다는 것이다. 해외거래소에서 이슈화되거나 거래가 활발한 종목은 코빗에서 가장 먼저 상장을 하는 모습을 보이고 있다. 또한 코인시장 이슈 정보 컨택츠를 업로드하여 투자 시 많은 투자자들에게 도움이 되고 있다.

최근에는 메이커 인센티브제도를 도입하여 수수료 없이 거래가 가능하도록 시스템 제도화 되어 많은 고객유입이 예상되나, 후발주자이기 때문에 거래량이 활발하지 못하다는 단점이 있으며 종목차트가 다른 거래소에 비해 개선이 필요하다는 지적도 나오고 있다.

5) 고팍스

고려사항	보안성	거래량	취급 종목 개수	수수료
평가	중	하	하	중
비고	보안 사고 X	24억 원	30개	0.20%

고팍스는 신한은행의 투자 유치를 받은 '스트리미'에서 개설한 거래소다. DCG, 판테라 캐피탈, KB인베스트먼트 ZVC 등 국내외의 투자사들도 투자했다. 보수적 운영기조로 5대 원화 거래소 중 거래 가능한 코인 수가 가장 적다. 특금법 시행령 시행 이후 최초로 원화마켓을 오픈한 거래소며 보안사고 이력이 없다. 전북은행 계좌와 연동 된다. 고파이라는 예치서비스도 운영 중이다.[68)]

5대 거래소 중 유일하게 레버리지 토큰거래가 가능한 거래소로, 국내 다른 거래소와 차별화된 가장 큰 장점이라고 할 수 있다. 하지만 거래량이 활발하지 못하다는 단점을 가지고 있다.

지금까지 가상화폐 거래소를 비교, 분석하였다. 가상화폐 시장은 국가나 기관의 통제에서 벗어나 개인 간의 거래만을 기반으로 한다. 따라서 시장 변동성이 높고 거래소 보안의 중요도도 매우 높다. 가상화폐 시장에서 안정적인 수익은 투자자의 선택에 달려있다. 따라서 가상화폐 투자의 실패를 막기 위해서는 거래소별 특성을 잘 파악하고 자신에게 맞는 거래소를 선택해야 한다.

2022년 4월 금융감독원 전자공시시스템(DART)에 따르면 국내 1위 가상자산 거래소 업비트를 운영하는 두나무는 지난해 매출 3조 7천46억원, 영업이익 3조 2천714억원, 순이익 2조 2천411억원을 거뒀다. 이는 전년 대비 각각 1996%, 3677%, 4598% 성장한 수치다.

2위 빗썸은 2021년 매출 1조 99억원, 영업이익 7천821억원, 당기순이익 6천483억원을 기록해 각각 지난해 같은 기간보다 362%, 424.1%, 408.3% 증가했다.

3위 코인원은 매출 1천735억원, 영업이익 1천190억원, 순이익 709억원으로 각각 전년 대비 424%, 666%, 959% 성장했다.

4위 코빗은 매출 226억원, 순이익 198억원을 기록해 각각 696%, 241% 증가했다. 다만, 영업손실 27억원을 기록해 전년 영업손실(86억원)의 적자 규모를 줄였다.

올해에도 이들 거래소의 성장은 계속될 전망이다. 원화로 암호화폐를 사고파는 게 가능한 거래소는 이들 4개 외에 고팍스(스트리미) 등 일부 허용됐지만, 여전히 시장에서 과점적인 위치를 보장받고 있기 때문이다.

이들 4대 거래소는 번 돈을 올해 메타버스와 대체불가능토큰(NFT) 등 신규 사업에 투자할 예정이다. 두나무는 5월 말 메타버스 플랫폼 '세컨블록'을 출시하고, 빗썸도 자회사 '빗썸메타'를 통해 연내 소셜형 메타버스 서비스를 출시한다. 코인원은 부동산 같은 고가의 현물에 NFT를 접목하는 사업을, 코빗은 메타버스·NFT 등에서 2대주주(SK스퀘어)와의 시너지 확대를 추진 중이다.[69)]

---

68) 국내 5대 가상자산 거래소, 어떻게 다를까/머니에스
69) 특금법 효과…4대 가상자산 거래소 폭풍성장/이데일리

바. 비트코인 가치 전망

1) 송금·결제 시스템

비트코인은 중개자 없이 가치(Value)를 전달할 수 있는 최초의 가치 네트워크(Value Network)라는 점에서 의미를 가지며, 기존 금융회사의 중개를 없앰으로써 거래시간과 거래비용을 획기적으로 낮출 수 있었다. 비트코인은 처음에는 주목 받지 못하였으나 이를 활용한 외화송금과 물품 구매 등이 가능해지고 주요국에서 결제수단으로 인정하게 됨에 따라 크게 관심을 받게 되었다.

그러나 2017년 들어 결제·송금 수단으로서의 비트코인은 한계에 직면했다. 사용이 확대되고 가격이 급등하면서 10분당 2,000이라는 처리용량으로는 전 세계인의 거래 참여 열기를 감당하지 못했으며, 2017년 5월에는 거래 체결에 하루 이상의 시간이 소요되기도 했다.

또한 거래 수수료는 가상통화인 비트코인으로 지급되는데 비트코인의 가격이 급등하면서 수수료가 건당 만원(0.002BTC)에 달하기도 하였다. 현실적으로는 커피 한잔을 사는데 수수료 만원을 부담하고 승인에 몇 시간을 기다릴 사람은 없을 것이다. 이 문제를 해결하기 위해 2017년 8월 채굴자와 개발자들은 Segwit (segregated witness) 방식으로 블록구조를 변경하기도 했다.[70]

2) 디지털 금

비트코인 시스템은 2009년 1월 개발 이후 10분마다 새로운 비트코인을 발행하고 있다. 가상통화인 비트코인은 총 발행량이 2,100만 BTC로 제한되어 있고 시간일 갈수록 신규발행량이 체감되어 흔히 광물인 금에 비유되곤 한다.

공급량은 제한되어 있는 반면 랜섬웨어 사태, 제 4차 산업혁명 관련성 등에 따른 관심 증가로 수요는 급증하고 있기 때문에 비트코인 가격은 2017년 4월에 금(loz)가격을 추월했으며 가격상승 기대감에 투기적 수요도 촉발되어 2017년 9월에는 3,900달러 수준으로 금가격의 3배 수준을 기록했다. 이후 2019년 1월에는 3,400달러에 거래되고 있다.

가상통화인 비트코인의 가격 전망에 대해서는 의견도 분분한 상황이다, 비트코인은 국가나 결제적 실체의 보증이 수반되지 않고 사용가치마저 낮아 현실 세계와의 직접적인 연결고리는 없다. 이러한 이유로 일각에서는 비트코인을 17세기 네덜란드의 튤립 버블에 비유하기도 한다. 다른 한편에서는 비트코인은 그 총량이 유한하다는 측면에서 장기적인 상승세를 보인 금의 가격 양상을 따를 것이라는 시각도 있다.

---

70) 세그윗은 이같은 문제를 해결하기 위해 거래 기록에서 서명(Witness)을 분리(Segregated)해 그 용량만큼 거래 내역을 더 포함할 수 있게 만드는 것이다. 이 과정을 거치면 현재 처리량보다 최대 4배 정도 더 많은 처리가 가능해진다.(추가 설명 1MB base + 기존의 witness(서명) 공간에서 발생하는 3MB정도의 확장 효과)

3) 정보 전달 플랫폼

플랫폼 기업인 미국의 FANG(Facebook, Amazon, Netflix, google), 중국의 BAT(Baidu, Alibaba, Tencent)는 사용자와 서비스 제공자를 연결하면서 엄청난 부가가치를 창출하고 있다. 최근 비트코인은 블록 구조를 변경하였는데 그 결과 이종 블록체인과 서로 연계하면서 동작할 수 있게 되었다. 이것은 수많은 사용자층을 확보한 비트코인이 플랫폼으로서의 발전 가능성을 가지게 되었으며, 다른 블록체인과 연계를 통해 보다 다양한 경로로 현실 세계와의 접점을 만들어 낼 수 있게 되었다는 것을 의미한다. 예를 들어 현실의 규제를 준수하고 제도권 내 통화별 환전소(Gateway)를 확보하고 있는 리플(Ripple)[71]같은 블록체인이 비트코인 생태계로 접목될 수 있기 때문이다.

4) 데이터 공유(Shared single data)와 4차 산업혁명

비트코인 이전에는 각 주체가 고유한 DB를 구축하고 필요에 따라 선별하여 데이터를 공유해왔다. 이러한 방식에서는 서로 다른 DB 형식을 맞추는 매핑(Mapping), 별도의 공개용 DB 및 서버 유지 등 복잡한 절차와 비용을 필요로 했다. 그런데, 비트코인에서 출발한 블록체인은 모든 참여자가 항상 동일한 데이터를 소유하기 때문에 애초에 공유 절차라는 것이 필요했다면, 블록체인에서는 이와는 반대로 개방되는 데이터 중에서 숨겨야 할 것을 선별해 내는 과정이 필요할 뿐이다.

위에서 살펴본 바와 같이 블록체인은 데이터 공유에 대한 발생의 전환, 패러다임의 변화를 일으키고 있으며 앞서 살핀 바와 같이 데이터 신뢰를 스스로 확보하는 방법을 가지고 있다는 점에서 데이터 혁명으로 대변되는 4차 산업혁명의 중요한 기술이라 할 수 있다.

사. 가상화폐 분류[72]

1) 지불형(Payment) 코인

시가총액 1위 암호화폐는 비트코인이다. 비트코인처럼 실생활에서 화폐처럼 지불수단으로 사용하기 위해 개발된 것이 바로 '지불형 코인'이다. 시가총액 상위 암호화폐 중에서는 비트코인에서 파생된 비트코인 캐시나 라이트코인도 마찬가지로 지불형 코인에 해당된다.

라이트코인은 지난 6월 국내 원화마켓 거래소에서 전부 상장 폐지됐다. 이는 해킹이나 알고리즘 붕괴처럼 프로젝트 자체의 문제로 인한 상장폐지는 아니다. ‘밈블윔블(Mimblewimble)’ 업데이트로 익명 거래를 허용하면서 다크코인(익명 전송 기술을 내재한 가상자산)으로 분류됐기 때문이다. 특정금융정보법(특금법)상 원화마켓 거래소는 다크코인을 취급할 수 없다.[73]

---

71) 발행될 수 있는 코인 양이 1000억 개로 한정돼 있으며 채굴 방식을 사용하지 않는 가상화폐
72) 코인 종류만 1만 개 넘는다고?…쉽게 보는 코인 분류법 [코인노트]/매일경제

일론 머스크 테슬라 CEO의 지지와 엄청난 가격 상승세로 화제를 모았던 '도지코인' 또한 지불형 코인이다. 애초에 특정 목적 달성을 위해 개발된 암호화폐가 아니다보니 개인 간에 주고 받을 수 있는 정도의 기능을 갖고 있다. 실제로 현재 도지코인의 가장 인기 있는 용도는 인터넷 커뮤니티 내 사례금(tipping) 정도인 것으로 알려져 있으며,커뮤니티 사용자끼리 마음에 드는 콘텐츠를 후원하는 등 용도에 사용한다는 건데 일종의 지불(또는 기부) 행위로 볼 수 있다.

2) 플랫폼(Platform) 코인

비트코인을 뒤쫓고 있는 암호화폐 시가총액 2위는 이더리움이다. 이더리움은 대표적인 '플랫폼 코인'으로 다양한 서비스를 제공하고 또 이 서비스들을 사용하기 위한 목적으로 고안된 암호화폐이다.

이더리움의 블록체인 네트워크는 '스마트 콘트랙트' 기능을 활용해 대출이나 예금·보험 등 복잡한 금융 계약을 포함한 대부분의 계약에 활용될 가능성을 갖고 있는 것은 물론이고, '게임'이나 '사회관계망서비스(SNS)' 같은 애플리케이션(앱)을 만들어내고 운영할 수도 있다.

마치 인터넷망에 특정 웹사이트나 앱을 올리듯이 이더리움 네트워크를 '플랫폼'으로 활용할 수 있다는 의미이다. 사실상 컴퓨터에서 구동할 수 있는 모든 프로그램이 블록체인 네트워크에서 구현 가능하다는 게 전문가들 설명이다. 이더리움은 블록체인 '플랫폼'의 이름이면서 해당 플랫폼을 굴러가게 하는 '자체 통화'의 이름인거다.

블록체인 네트워크 위에서 활용되는 앱들은 디앱(dApp·탈중앙화 앱)이라고 부르는데 이더리움이 이러한 디앱들을 개발하고 이용할 수 있도록 하는 '플랫폼 코인'의 원조격이라고 할 수 있다. 이후 에이다(카르다노)나 이오스 등 다양한 플랫폼 코인이 개발됐다.

3) 스테이블(Stable) 코인

시가총액 3위는 '테더(USDT)'이다. 테더는 다른 암호화폐와 달리 가치가 일정하게 유지되는 '스테이블 코인'이다. 암호화폐는 가격 변동성이 크고 안정적이지 않기 때문에 일상적으로 사용하기에 부적절하다는 지적을 받아왔다. 이러한 문제를 해결하기 위해 개발된 것이 스테이블 코인이다.

테더는 일정량 달러화를 담보로 발행한 화폐로, 달러와 1대1로 정확히 일치하는 가치를 유지한다. 1달러가 원화로 1100원이라면, 같은 시간 테더도 1100원이라는 거다. 이러한 특징 때문에 테더는 발행 주체가 실제로 암호화폐 발행량만큼의 달러를 담보로 갖고 있지 않다는 논란을 불러일으키기도 했다.

이런 논란 때문에 테더는 2014년 출시 이후 2021년에 처음으로 보유 준비자산 내역을 공개했다. 발행사가 공개한 내역에 따르면 2021년 3월 31일 기준으로 테더는 USDT 발행량의

73) 테라·루나, 도지코인, 라이트코인…문제적 코인, 백서 다시 들춰보니/비즈한국

76%에 해당하는 현금과 현금성 자산(기업 어음, 단기예금 등) 등을 보유하고 있는 것으로 나타났다.

비록 현금 비율은 3.87%에 불과했지만 꽤 높은 자산 담보 비율을 보유하고 있다. 이런 담보 덕분에 1개의 테더는 1달러의 가치를 유지할수 있다.

시가총액 4위인 유에스디코인(USDcoin)도 마찬가지로 '서클'이 미국 달러와 연계해 발행한 스테이블 코인이다. 이외에도 암호화폐를 담보로 하는 등 조금씩 다른 방식으로 가치를 일정하게 유지시키려는 스테이블 코인들이 고안되고 있지만, 아직은 법정화폐나 현금성 자산을 담보로 발행하는 방식이 일반적이다.

달러와 가치가 완전히 같은데 코인을 발행하는 이유는 기술적으로 유용하기 때문이다. 블록체인을 기반으로 만들어진 스테이블 코인을 활용하면 금융사 등을 거치지 않아 더 적은 수수료, 더 빠른 송금 등 기술적 이점을 누릴 수 있다.

4) 유틸리티(Utility) 토큰

시가총액 5위는 '바이낸스(Binance)코인'입니다. 바이낸스 코인은 홍콩의 암호화폐 거래소인 바이낸스에서 자체 통화로 사용하기 위해 만든 토큰으로 '유틸리티 토큰'이자 '거래소 토큰'이라고 할 수 있다.

'코인'과 '토큰'의 차이를 살펴보면, 코인은 다른 플랫폼에 종속되지 않고 자체 블록체인 네트워크를 갖고 있으면서 이를 바탕으로 독립적인 생태계를 구성하고 있는 암호화폐를 말한다. 앞서 살펴본 '플랫폼 코인'들이 이에 해당합니다. 여기에 더해 플랫폼 코인이 아니라도 비트코인처럼 다른 플랫폼에 종속되지 않은 독립적인 화폐 또한 코인이라고 부른다.

'토큰'은 독자적 플랫폼은 없고, 다른 플랫폼 코인 위에서 특정 용도로 사용하기 위해 개발된 암호화폐이다. 자체적인 블록체인 네트워크가 아니라 다른 플랫폼 위에서 작동하는 것으로, 바이낸스 코인은 이더리움 플랫폼을 기반으로 작동한다.

결국 '유틸리티 토큰'이란 자체 플랫폼이 아니라 특정 플랫폼 블록체인상의 스마트 콘트랙트 기능을 활용해 생성·관리되는 암호화폐로, 일반적으로 플랫폼 코인 위에서 작동하는 탈중앙화 앱 방식으로 개발된다.

플랫폼이 '운영체제(OS)' 내지는 '인터넷 망'이고, 유틸리티 토큰은 그 위에서 실행되는 개별 프로그램 또는 앱인 셈이다. 현재까지는 이더리움 네트워크를 활용해 발행된 토큰이 가장 많고, 그 종류도 수천 종에 달하는 것으로 알려져 있다.

그런데 '유틸리티형'이 더 넓은 의미로 사용되는 경우도 있다. 스위스 금융당국인 핀마(FINMA)는 암호화폐를 크게 3가지 유형으로 분류하면서 지불형, 유틸리티형, 증권형으로 정의했다. 블록체인 기반의 다양한 서비스를 위해 활용되는 암호화폐를 모두 유틸리티형으로 규정한 것이다. 이 경우에는 게임, 콘텐츠, 분산 클라우드 등 수많은 영역에서 사용되는 암호화폐를 모두 유틸리티형으로 부르게 된다. 이러한 기준을 적용한다면 이더리움이나 에이다 등 플랫폼 코인도 유틸리티형 암호화폐에 해당할 수 있다. 다만 이럴 땐 '토큰'이라고 부르지 않고 '코인' 또는 '암호화폐'라고 불러야 한다.

5) 증권형(Security) 토큰

증권형 토큰이란 전통시장의 주식, 채권, 부동산, 미술품 등 다양한 자산의 가치를 토큰과 연계한 암호화폐이다. 주식이나 채권과 연계된 증권형 토큰을 사면 실제 소유권이 생기는 것이고, 부동산을 쪼개서 연계한 증권형 토큰을 사면 해당 건물에 대한 지분을 인정받게 되는 것이다.

증권형 토큰은 실물자산을 효율적으로 분할해 소액 투자 시장을 개척할 수 있다는 점에서 수년 전부터 주목을 받아왔다. 주식이나 채권의 경우 블록체인 기술을 활용하면 배당이나 이자 지급 등이 더욱 효율적일 수 있다.

다만 증권화 토큰의 경우 실물 자산과 연계되기 때문에 미국 증권거래위원회(SEC) 등 금융당국의 규제를 받는다. 사실상 전통적 유가증권 등의 디지털 형태이다 보니 당장 규제하기에도 수월하다.

증권형 토큰을 구별하기가 쉬워보이지만 '코인 유형'을 분류하는 데 있어서 여러 의견 충돌이 발생하기도 한다. 시가총액 7위 암호화폐인 '리플(XRP)'의 경우 증권형이냐 유틸리티형이냐를 두고 논쟁을 벌여왔다. 리플은 전 세계의 화폐를 빠르고 저렴하게 송금할 수 있도록 실시간 통화 거래를 위해 개발한 암호화폐이다.

SEC(미국증권거래위원회)는 리플을 미등록 증권으로 보고 증권법 위반으로 소송을 제기했다. SEC가 리플을 증권으로 판단한 근거는 다양하지만, 핵심은 리플이 유틸리티 토큰으로서의 사용성보다 투자 대상으로서의 목적성이 더 크다는 것이다. 그래서 리플은 투자 계약 증권에 해당한다는 판단이며. 현재 소송은 진행 중이다.

2022년 8월 22일 크립토뉴스플래시에 따르면, 바이낸스 US의 전 최고경영자(CEO)인 브룩스는 판사가 리플의 2013년 증권법 위반 여부를 결정하더라도, 리플과 SEC는 합의에 도달할 것이라면서 미국 투자자들은 계속해서 XRP를 거래할 수 있을 전망이라고 말했다.[74]

반면 영국 재무부는 2021년 1월 리플이 거래에 주로 사용된다며 '거래형 토큰'으로 봤고, 일본 금융청은 '증권'이 아닌 '암호화폐'로만 분류하고 있다고 합니다).

이처럼 특정 코인은 한 범주에만 속하는 경우도 있지만 동시에 2~3가지 성격을 갖기도 한다. 특히 최근에 개발된 것일수록 다양한 기능과 특성을 겸하도록 만든 경우가 많다.

---

74) 前 OCC 청장대행 "리플-SEC 합의 도달 전망" 등/매일경제

6) 프라이버시(Privacy) 코인

프라이버시 코인이란 '익명성'이 핵심이 되는 암호화폐를 일컫는다. 범죄 등에 이용될 여지가 크다는 점 때문에 '다크 코인'이라고 불리기도 한다. 가장 대표적인 코인은 라이트코인, 모네로, 대시, 지캐시 등이 있다.

자금세탁을 포함한 각종 범죄와 관련이 있다는 의혹 때문에 자금세탁방지국제기구(FATF)와 여러 국가들이 프라이버시 코인을 암호화폐 거래소 등에서 퇴출시키려는 움직임을 보이기도 했다. 국내에서는 2022년 6월 라이트코인이 국내 원화마켓에서 상장폐지되었다.

7) 대체 불가능 토큰(NFT·Non-fungible token)

NFT는 '대체 불가능한 토큰'이라는 의미로, 위·변조가 어려운 블록체인 기술의 특성을 활용해 그림이나 영상, 게임, 음악, 예술 등 다양한 디지털 파일과 자산에 '꼬리표'를 붙이는 데 사용되는 암호화폐이다. 기존에 디지털 예술품 등은 복사와 유통이 자유롭다보니 가치를 인정받기가 쉽지 않았는데, NFT로 꼬리표를 붙이면 작품의 소유자와 거래 이력을 모두 알 수 있어 '진품'과 '복제품'을 구별할 수 있다는 게 NFT가 등장한 배경이다.

대체로 이더리움 네트워크를 활용해 토큰들이 발행되고 있으며, 거래 또한 이더리움으로 이뤄지는 경우가 많다. NFT는 거의 모든 것을 토큰화 할 수 있다는 특성 때문에 예술 분야를 포함해 게임이나 가상공간에서의 거래에 많이 활용되고 있다. 디지털 자산들의 '희소성'을 확보하게 해줄 것이라는 기대감 때문에 최근 들어서는 시장이 급격히 성장하고 있는데, 사실상 쉽게 복제와 유포가 가능한 디지털 예술품들이 NFT를 통해 수천억 원에 거래되는 등 투기적 성향이 짙어지고 있다는 지적 또한 나오고 있다.

8) 중앙은행디지털화폐(CBDC)

CBDC란 중앙은행을 뜻하는 'Central Bank'와 디지털 화폐(Digital Currency)를 합친 용어로, 실물 명목화폐를 대체하거나 보완하기 위해 각국 중앙은행이 발행한 디지털 화폐를 뜻한다. 여기서 디지털화폐는 내장된 칩 속에 돈의 액수가 기록돼 있어, 물품이나 서비스 구매 시 사용액만큼 차감되는 전자화폐를 가리킨다.[75)]

화폐 경제의 변화에 대응하기 위해 주요국들이 연구에 나서고 있으며, 2020년부터 전 세계로 확산된 코로나19 사태로 현금 사용이 줄고 온라인 결제가 급증하면서, 많은 국가들이 디지털 화폐 개발에 관심을 기울이는 추세다.

중국 중앙은행인 인민은행은 달러 중심의 국제 금융질서를 재편한다는 목적으로 2014년부터 디지털 화폐를 연구하기 시작해 가장 앞서나가고 있으며, 2020년부터 시범사업을 거쳐 중국 전역에 걸친 CBDC 상용화 사업을 시작했다. '일대일로(一帶一路)'차이나 경제블록 내에서의

75) [네이버 지식백과] 중앙은행 디지털화폐

몇몇 시범사업을 거쳐 2022년 베이징 동계올림픽에서도 디지털위안화 서비스를 시작했다. 디지털 위안화 발행 초기만 해도 "중국 내 사용이 목표일 뿐 달러의 대체재가 될 생각은 없다"고 누차 밝혔지만, 실제 중국의 디지털 위안화 국제화 노력은 상당히 다각적으로 진행되고 있다.

디지털 화폐는 결제 편의성 때문에 인접 국가의 CBDC는 주변 국가의 화폐 공간을 침범할 가능성이 상당히 크다. 종이로 된 위안화는 은행에서 원화로 환전해야 사용할 수 있지만, 디지털 형태라면 전자 결제를 통해 환전 없이 바로 쓸 수 있기 때문에 원화의 통화 영향력이 위협받는다. 이런 금융적 위험은 전 세계 모든 국가가 당면한 현실이다. 디지털 유로 발행을 추진하면서도 유럽 각국이 자국 통화의 디지털화를 서두르고 있다.[76)]

9) 디파이(DeFi) 코인

탈중앙화를 뜻하는 'decentralize'와 금융을 의미하는 'finance'의 합성어로, 탈중앙화된 금융 시스템을 일컫는다. 즉, 오픈소스 소프트웨어와 분산된 네트워크를 통해 정부나 기업 등 중앙기관의 통제를 받지 않는 금융 생태계를 말한다. 디파이는 금융 시스템에서 중개자 역할을 하는 은행, 증권사, 카드사 등이 필요하지 않아 은행 계좌나 신용카드가 없어도 인터넷 연결만 가능하면 블록체인 기술로 예금은 물론이고 결제, 보험, 투자 등의 다양한 금융 서비스를 이용할 수 있다.

이는 기존 금융 시스템을 블록체인 기반의 서비스나 암호화폐로 대체하려는 움직임으로 자산 토큰화(tokenization), 스테이블 코인(stable coin, 비변동성 암호화폐), 탈중앙화 거래소(DEX, 중개인이 없이 자산을 P2P 방식으로 관리하는 분산화된 자산 거래소) 등이 대표적인 디파이 서비스 모델로 꼽힌다.

디파이는 투자자에게 투명성을 제공해 건전한 금융 시스템을 만들고, 금융 서비스 진입 장벽을 낮추는 역할을 할 수 있다. 또 중개인을 제거해 거래 비용을 절감할 수 있으며, 금융 상품 간의 상호 작용으로 각종 금융 시스템이 구축될 가능성이 높다. 반면 보안사고 등이 발생했을 때 책임을 질 주체가 없어 문제가 된다.[77)]

---

76) [경제특집] 달러 패권에 도전하는 암호화폐의 미래는?/월간중앙
77) [네이버 지식백과] 디파이

아. 비트코인 이외의 가상화폐[78)]

비트코인을 제외한 모든 가상화폐를 알트코인(Altcoin)이라 한다. 알트코인(Altcoin)은 '대안'(alternative)과 '화폐'(coin)의 합성어로, 비트코인을 개량한 암호화폐 전체를 의미한다. 비트코인은 프로그램 소스 코드를 공개하는 오픈소스이기 때문에, 이를 참고해 새로운 암호화폐를 누구라도 개발할 수 있다. 전 세계에 알트코인의 종류는 2만 개가 넘으며, 대부분은 블록체인 기술로 작동한다.

2018년은 가상화폐에 있어서 '검은 2018년'으로 불린다. 이는 2017년 사상 최고가를 경신하던 가상화폐가 곤두박질쳤기 때문이다. 가상화폐 거래소 빗썸의 시세에 따르면 2018년 주요 가상화폐 가격은 70~90% 까지 급락했다. 비트코인의 경우 77%가량이 떨어졌고 1,000만원대에 달하던 비트코인도 무너져 내리기 시작했다. 이후 2021년 11월 82,700,000원이였던 비트코인은 61.84% 폭락하였다.

(2022년8월30일 업비트기준)

순위	가격	시가총액	특징
비트코인	28,015,000	5,264,041 억원	블록체인을 기반으로 한 세계 최초의 가상화폐
이더리움	2,172,000	2,605,338 억원	분산시스템 구축 활용 범위 확대
리플	456	222,323 억원	실시간 정산시스템과 환전·송금 네트워크 마련
에이다	621	206,424 억원	최초의 3세대 블록체인
솔라나	44,860	154,223 억원	초고속 고성능 블록체인 기술 기반

[표 61] 가상화폐 톱5 비교

1) 이더리움(Ethereum, ETH)

먼저 2위에 해당하는 시총 260.5조억 원의 이더리움은 '암호화폐 2.0'[79)]이란 개념을 만들어낸 비탈릭 부테린이 개발했으며, 부테린은 2014년에 이더리움이라는 회사를 세우고 '이더(Ether)'라는 가상화폐를 발행해 선판매하는 가상화폐 공개(ICO)[80)]로 200억 원 가량의 자금을

78) [IT강의실] 알트코인(Altcoin)이란 무엇인가?/IT동아
79) 암호화폐 2.0 개념은 비트코인 시스템을 결제 수단 뿐 아니라 전자 메신저 등 다양한 분야에 적용해 활용범위를 넓히고자 한 것이다.
80) ICO(Initial Coin Offerings)는 '가상화폐공개'를 뜻하는 말이다. 기업 설립 후 가상화폐를 활용해 기업에 필요한 자금을 조달하는 형태다. 비트코인 등이 주목받으면서 새로운 자금 조달 방식으로 주목

모았다.

이더리움의 거래방식은 비트코인과 마찬가지로 블록체인을 통해 제공되지만 '스마트계약'이라는 조건을 붙여 만들었다. 비트코인의 폐쇄적인 블록체인 구조를 유기적인 형태로 개선하여 가상화폐 기능 외에도 스마트 계약, 서비스 등 다양한 플랫폼으로 확장이 가능하며 거래시간도 10초로 단축하였다. 이용자 계약을 전자화해 기록한 뒤 위변조가 불가능한 블록체인에 저장해두는 방식이다.
실제 블록체인을 현실에서 사용할 수 있는 가능성을 대폭 높여 준 플랫폼으로 향후 사물인터넷에 주요하게 사용되고 응용될 수 있는 기술로 평가받고 있다. 이더리움은 플랫폼 내에서 블록체인을 이용한 APP들을 만들어 낼 수 있으며 향후 해당 앱들은 이더리움 플랫폼에 "이더"라는 화폐를 수수료처럼 지급한다.

해당 플랫폼 내에서 많은 개발자들이 블록체인을 이용한 여러 가지 APP들을 만들고 있으며 현재 골렘(사용자의 컴퓨터 연산능력을 타인에게 돈을 받고 공급해주는 형태의 APP), 어거(어떠한 결과에 따른 배팅 및 배당을 받는 형태의 예측시장 app)외에 다수의 APP들이 차근차근 개발단계를 거치고 있다. 현재 이더리움 시스템은 4단계의 계발 단계 중 3단계인 메트로폴리스를 눈앞에 두고 있다. JP모건, 마이크로소프트(MS) 등 대기업들이 현재 이더리움 시스템을 연구하고 있다.

2) 리플(Ripple, XRP)

리플은 2009년에 개발 초기 은행 간 이체서비스를 중점을 두고 개발되었다. 저렴한 결제 서비스를 제공하며 즉시 정산 체결 시스템으로 위험도가 낮고 전송속도가 빨라 상용화가 가장 빠를 것으로 예상되기도 했다. 타 화폐들이 탈중앙화를 지향하고 있는데 반해 리플은 리플랩스라는 중앙기관이 존재하고 있다.

초기 1000억 개를 발행한 후 리플랩스에서 550억 개 남짓이 거래되고 있으며 현재 시장에는 350억 개 남짓이 거래되고 있다. 이는 블록체인이 가장 먼저 그리고 가장 효율적으로 적용될 금융시스템 영역에서 리플이 중간 매개체 포지션을 가져가겠다는 의도이다.

리플의 전송속도는 5초 남짓으로 비자카드의 처리와 동일한 수준의 속도를 보유하고 있으며 초당 5만건 정도의 거래를 처리할 수 있다고 한다. 시작된 지 시간이 지난 만큼 마케팅도 적극적으로 하여 현재 일본의 SBI금융그룹, MUFG, 뱅크오브아메리카, 아부다비 국립은행, BBA 등 주요 은행들과 계약도 체결되어 있다. 은행에서는 환전과 송금에 들어가는 비용들을 80% 수준으로 절감할 수 있어 여러 곳에서 테스트가 진행중이다.

리플은 2017년 6월부터 태국 시암상업은행과 리플을 통한 실시간 송금 서비스를 시작했다. 태국 대표 민간은행인 시암상업은행은 지점 1169개, 환전소 109개, 현금자동입출금기(ATM) 9724개를 보유하고 있다. 국내 최대 핀테크 기업인 데일리금융그룹은 2017년 11월 SBI그룹으

받고 있는 개념이다. [네이버 지식백과]

로부터 시리지 B투자를 유치한 바 있다.

3) 에이다(Ada, ADA)

에이다(ADA)는 '카르다노 에이다(Cardano:ADA)'라고도 부른다. 카르다노는 모바일에 최적화된 암호화폐 플랫폼으로 에이다는 카르다노 플랫폼을 통해 발행된 코인이다. OHK에서 개발한 카르다노 플랫폼에서 사용하는 암호화폐로 최초 발행일은 2017년 10월 1일이다. 총 발행량은 450억 개이며 260억 개가 유통되고 있다. 대표자는 전 이더리움 경영진이었던 찰스 호스킨슨(Charles Hoskinson)이다.

에이다는 최초의 3세대 블록체인으로, 비트코인의 화폐 기능과 이더리움의 계약 기능에 양자 해킹 방지 기능을 더한, 금융 애플리케이션을 위한 스마트 컨트랙트 플랫폼이다.

카르다노는 제대로 된 신원인증 시스템이 없어 금융 시스템이 낙후된 개발도상국 등에 존재하는 30억 명 이상의 사람들을 타게팅하고 있다.81)

4) 솔라나(Solana, SOL)

솔라나는 현존하는 블록체인 가운데 가장 빠른 블록체인으로 꼽히며, 처리량이 많은 온-체인(on-chain) 애플리케이션 개발에서 이더리움과 경쟁하고 있다.

웹3 용어에서 솔라나는 '레이어 1 체인(Layer 1 Chain)'으로, 이는 다른(레이어 2) 네트워크가 구축할 수 있는 블록체인 네트워크의 기본 구조를 제공한다는 의미다. 다른 레이어 1 네트워크의 예로는 비트코인과 이더리움이 있다.

솔라나는 스마트 계약을 실행하고, 분산형 애플리케이션(dApp)을 연결하기 위한 토큰 솔(Sol) 그리고 분산형 시스템을 모두 제공한다는 점에서 이더리움 블록체인과 유사하다. 자세히 살펴보면, 솔라나의 블록체인 아키텍처는 몇 가지 새로운 아이디어를 도입하는 동시에 이더리움의 경쟁자이기도 하다.

솔라나의 통화는 현 시가총액 기준 5위를 기록하고 있다. 이 기사를 쓰고 있는 2022년 크립토 윈터(가상화폐 시장 침체기) 속에서도 (솔라나의) 시가총액은 미화 150억 달러에 달한다. 솔라나는 온-체인 애플리케이션을 개발하는 데 가장 많이 사용되는 블록체인 중 하나이기도 하다.82)

---

81) 에이다(암호화폐)/나무위키
82) 블록체인 신흥 강자, '솔라나'란 무엇인가?/CIO뉴스센터

5) 비트코인 캐시

비트코인 캐시는 비트코인에서 분리되어 새로 생겨난 가상화페로 2017년 8월 1일 비트코인에서 분리 생성되었다. 다음 표는 비트코인과 비트코인 캐시, 비트코인 골드의 차이점을 정리한 도표이다.

comparison	비트코인 BTC	비트코인 골드 BTG	비트코인 캐시 BCH
supply	21 Million	21 Million	21 Million
PoW algorithm	SHA256	Equihash	SHA256
Mining Hardware	ASIC	GPU	ASIC
Block Interval	10minutes	10minutes	10 S-2H
Block size(actrual)	1M(2-4M)	1M(2-4M)	8M(8M)
Difficulty adjustment	2weeks	Every block	2weeks + EDA
segwit	√	√	
Replay protection		√	
Unique address format		√	

[표 62] 비트코인과 비트코인 캐시, 비트코인 골드 비교

총 발행량에서는 3가지 모두 2100만개로 동일하다. 비트코인과 비트코인 캐시는 동일한 작업입증(Proop of work)알고리즘이라고도 하는 채굴 알고리즘과 ASIC라는 특수한 채굴장비를 사용하는 반면, 비트코인 골드는 일반 컴퓨터의 GPU를 활용하여 누구나 채굴이 가능하도록 Equihash라는 채굴 알고리즘을 개발하여 적용하고 있다.

블록체인 블록크기와 블록 생성주기에서 비트코인과 비트코인 골드가 1메가비트 블락이 10분마다 생성되도록 되어 있고, 비트코인 캐시는 새로운 거래기록이 8메가비트가 되는 순간 새로운 블록이 생성되도록 되어있다. 따라서 비트코인 캐시는 거래가 활발할 때는 블록이 빨리 만들어지고 거래가 한산할 때는 블록이 느리게 만들어진다.

난이도조정란 채굴자들 사이의 경쟁과 거래데이터 크기에 따라 블록생성 암호를 해독하는데 걸리는 시간이 길어지기도 하고 짧아지기도 한다. 채굴자들 사이의 경쟁이 심화되고 거래데이터 용량이 증가하면 블록 생성 시간이 10분을 초과하게 되고, 반대로 경쟁이 줄고 거래데이터 용량이 감소하면 10분보다 짧은 시간에 새로운 블록이 생성되게 된다.

그래서 비트코인과 비트코인 골드는 매 10분마다 새로운 블록이 생성되도록 난이도를 조정하고 있다. 비트코인은 2주마다 난이도를 조정하고 비트코인 골드는 블록이 생성될 때마다 난이도를 조정하고 있다. 비트코인 캐시는 블록 생성 주기에 연연하지 않고 거래데이터가 8메가

비트가 될 때 새로운 블록이 생성되도록 프로그래밍 되어 있어 채굴자들의 수익성을 일정하게 유지하는데 목적을 두고 난이도조정을 2주마다 하고 비상시에는 비상난이도조정(emergency difficulty adjustment)를 병행하고 있다.

그 외 분리증인(segregated witness)과 재실행 방지, 유일주소 포맷 등에서 3가지 비트코인들 사이에 미묘한 차이가 있다. 위 표를 보면 3가지 비트코인들 모두 기본적으로 동일한 블록체인 플랫폼을 사용하는 가상화폐지만 블록크기나 생성주기, 채굴 알고리즘과 채굴장비 면에서 약간의 차이가 있다.

6. 시장현황

6. 시장현황

가. 블록체인 시장 현황

가) 금융권

(1) 은행[83)]

(가) 신한은행

신한은행은 증명 서류를 블록체인에 올려 영업점간 공유하는 블록체인 자격 검증시스템을 구축하였다. 신한은행은 2019년 5월 의사 대상 대출상품인 '신한 닥터론'에 우선 적용했다. 기존에는 대출 신청한 의사가 대한병원의사협의회 정회원임을 확인 받는 과정이 2~3일 걸렸으나 이젠 거의 실시간으로 확인이 가능하다. 또한 장외파생상품 거래 플랫폼을 만들어 2018년 11월 이자율 스와프 거래에 블록체인 스마트 계약 기술을 도입했다. 이를 통해 은행과 금융기관이 계약을 체결할 때 필요한 체결 정보의 확인 과정을 자동화했다. 한편 은행에서 골드바를 사면 종이 보증서를 함께 준다. 신한은행은 2016년 8월 이 보증서 정보를 블록체인에도 저장해, 종이 보증서를 잃어버려도 골드바를 인증해줄 수 있는 서비스를 시작했다.

신한은행은 신한금융그룹의 여러 모바일 애플리케이션 중 한곳에 로그인하면 그룹 내 나머지 앱에서도 자동 로그인되는 서비스인 '올패스'를 출시하였고, 향후 16개 은행이 참여하는 블록체인 인증서비스 '뱅크사인'과 결합할 계획이라고 밝혔다. 또한 2019년 6월 블록체인 개발사 블로코에 20억 원을 투자하고 신한금융그룹이 운영하는 핀테크 육성프로그램인 '신한퓨처스랩'에 블록체인 기업을 선정하는 등 블록체인 스타트업 지원에 대한 관심이 있는 것으로 보인다. 2018년 8월 KT와 블록체인 신규 사업 추진을 위한 업무 협약을 체결하였고, 양사는 신규사업에 KT가 개발한 'KT 네트워크 블록체인'을 활용한다고 밝혔다. 리플의 해외송금 플랫폼 '엑스커런트(xCurrent)'를 활용한 해외송금, 그리고 무역금융의 기술 검증과 관련된 파일럿 테스트를 마쳤다. 그러나 비용과 수익성 문제 등으로 상용화하지 못한 채 사실상 중단된 상태다. 무엇보다 공을 들이고 있는 분야는 디지털 자산 보관 서비스이다. 아직 정식으로 금융위원회의 허가 내지 법적 근거의 부재로 인해 하지는 못하고 있지만 준비 중인 것으로 보인다. 고객의 디지털 자산(암호화폐, 의료정보, 신용정보 등)을 보관해주는 이더리움 기반의 모바일 금고 서비스로, 2018년 5월 파일럿 테스트까지는 마쳤으나, 지금은 디지털 자산이 암호화폐밖에 없어서 상용화하지 않았다.

신한은행은 2021년 11월 30일 국내 금융권 최초로 스테이블 코인 기반 해외송금 기술을 개발하고 개념증명(PoC)을 완료하며 해외송금 효율화에 나섰다. 신한은행은 자사 스테이블 코인 기반 해외송금 서비스가 기존 해외송금 서비스에 비해 저렴한 거래 비용과 신속성, 투명성, 확장성을 모두 확보했다고 설명했다. 송금 대상 은행에 직접 자금을 이체하는 방식이라 중개 수수료가 없고, 네트워크 사용료만 건당 100원 이하로 발생한다. 또한 송금 소요 시간은 35초 수준으로 실시간에 가깝다.

---

83) 블록체인 기반 혁신금융 생태계 연구보고서/과학기술정보통신부

신한은행은 운영위원회로 참여 중인 해외 주요 가상자산 프로젝트 '헤데라 해시그래프'와 함께 2021년 8월부터 해외 송금 기술 개발을 진행했다. 최근 실험을 통해 PoC까지 모두 완료했지만, 실제 서비스는 충분한 법률 및 규제 검토 이후 신중하게 진행할 계획이다.

(나) 우리은행

우리은행은 가장 먼저 암호화폐에 접근한 은행으로, 블록체인이 널리 알려지기 전인 2015년 11월 코인플러그와 문서인증 등 블록체인 기반 금융연계 서비스 개발 업무 협약을 맺었다. 블록체인을 활용한 해외송금과 디지털화폐 발행도 계획했으나 아직 상용화한 서비스는 없는 것으로 확인된다. 현재 디지털전략부 내 신사업추진팀이 블록체인을 포함한 신사업을 연구, 개발 중이다.

우리은행은 2017년 8월 한창 비트코인 가격이 상승할 즈음 데일리인텔리전스, 더루프(현 아이콘루프)와 업무 협약을 맺었다. 2017년 말까지 블록체인 기반 디지털 화폐(위비코인) 발행, 사용과 충전에 대한 테스트를 진행한 후, 해당 기술을 적용한 금융 서비스를 확장한다고 밝히기도 했다.

2018년 1월 우리은행은 LG CNS와 업무 협약을 맺었고, 얼마 후 서울 마곡동 LG사이언스파크 내 상점 등에서 위비코인(선불충적 방식의 스테이블코인)을 시범운영할 계획을 세웠다. 하지만 추진 과정 중에 정산 은행이 KB국민은행으로 변경됐고, 위비코인은 아직 나오지 않았다. 우리은행과 신한은행은 2017년 12월 일본 SBI금융그룹과 리플랩스의 합작법인인 'SBI 리플아시아'와 제휴를 맺었다. 리플 플랫폼인 엑스커런트를 통한 해외송금 기술 검증도 마쳤다. 하지만 비용, 사업성 등의 이유로 지지부진한 상황이다. 현재 은행들이 사용하는 스위프트 망엔 전 세계 200여 개국 1만1000개 금융기관이 참여하지만, 리플넷에 가입된 기업 및 기관은 2019년 11월 기준 300개를 겨우 넘었다.

우리은행은 2022년 1월 6일 향후 CBDC와 NFT 등 가상 자산의 유통을 위한 기술적 토대를 마련하고자 '블록체인 플랫폼'을 구축했다고 밝혔다. 해당 플랫폼을 통해 가상자산의 결제, 인증, 자산 관리 등을 신뢰성과 투명성을 확보한 네트워크 환경에서 제공하겠다는 것. 우리은행은 이를 위해 지난달 '블록체인 플랫폼' 업무를 전담하는 '혁신기술사업부'를 신설하기도 했다.

구체적으로는 블록체인 플랫폼을 통해 자체 스테이블 코인인 '우리은행 디지털화폐(WBDC·WooriBank Digital Currency)'와 가상자산의 소유권을 증명할 수 있는 NFT 등을 발행할 예정이다. 또한 발행한 가상자산을 송금과 결제에 이용할 수 있도록 '멀티자산지갑' 등을 활용할 계획이다.

우리은행 관계자는 이번 플랫폼 구축으로 하반기 CBDC 유통 확대 실험에도 적극적으로 대응할 것이라고 말했다. 이어 이를 계기로 디지털 신기술을 통한 혁신 서비스를 제공할 수 있는 토대를 마련했다며 전담조직을 통해서도 관련 신사업 개발을 가속할 것이라고 부연했다.

(다) KB국민은행

국민은행이 우선적으로 시도했던 분야는 지역화폐(마곡화폐) 분야이다. 이용자가 마곡페이로 결제하면 국민은행이 결제금액을 현금으로 사후 정산하는 방식이다. 국민은행은 2019년 1월 LG그룹과 블록체인, AI 등 신기술 공동 추진을 위한 업무 협약을 맺었다. 양사는 '블록체인 기반 서비스 인프라 설계'를 첫 번째 과제로 선정했다. 단, '수요에 따라 가격이 변동하는 암호화폐' 사용은 제외하기로 했다. 현재 마곡페이는 LG 사이언스파크 주변 상점에서 시범 운영 중이며, 점차 LG 전 계열사로 확대할 계획이라고 밝혔다. 향후엔 일반에도 공개할 예정이다.
또한 LG CNS와 국민은행은 분양권, 회원권 등을 디지털 토큰화해 온라인에서 당사자 간 직접 거래 또는 유통을 하는 디지털 자산 거래 플랫폼 '딜라이트(DELIGHT)'도 준비하고 있다. 국민은행도 신한은행처럼 디지털 자산 수탁 서비스를 준비하고 있다. 국민은행은 블록체인 스타트업 아톰릭스랩과 디지털 자산관리 서비스를 개발할 예정이라고 밝혔고, 2020년 11월 KB 국민은행은 해치랩스, 해시드와 공동으로 한국디지털에셋(Korea Digital Asset)을 설립하고 수탁, 장외거래(OTC) 등의 서비스를 준비하고 있다고 밝혔다

국민은행은 2021년 12월 17일 카카오의 블록체인인 클레이튼(Klaytn)을 기반으로 한 '멀티에셋 디지털 지갑(Multiasset Digital Wallet)'의 시험 개발을 금융권 최초로 완료했다. 해당 지갑은 중앙은행 디지털화폐(CBDC)와 가상자산, 지역 화폐, 대체불가토큰(NFT) 등 다양한 가상 자산의 충전, 송금, 결제 등을 지원하도록 구현됐다. 국민은행은 이를 기반으로 올해 예정된 한국은행 CBDC 모의실험 연계 테스트에 적극적으로 참여할 예정이다. 향후 해당 지갑에 디지털 신분증, 스마트키, 전자 서류 기능 등을 추가해 점차 고도화한다는 계획이다.

국민은행 관계자는 디지털 지갑은 간편결제와 간편송금 외에도 멤버십, 모바일 쿠폰, 전자문서, 자격증 및 디지털 신분증 등을 지원하는 올인원 플랫폼으로 진화 중이라고 평가했다. 또한, 가상자산과 NFT가 대중화되고 각 나라에서 CBDC를 추진함에 따라 이를 안전하게 보관하고 확장할 수 있는 디지털 지갑이 주목받고 있다. 디지털 지갑을 통한 생활 서비스 제공과 가상 자산의 안전한 보관 등은 락인 효과(충성고객을 잡아두는 효과)가 매우 강한 서비스다. 이를 안정적으로 제공하는 것이 금융 플랫폼의 성패를 가르게 될 것이라고 내다봤다.

(라) NH농협은행

농협은행은 2019년 1월 디지털R&D센터를 신설하여 그 아래에 인공지능(AI), 블록체인, 클라우드, 사물인터넷(IoT)을 담당하는 디지털기술파트를 만들었고, 이는 신기술을 은행에 어떻게 접목할 수 있는지 알아보는 초기 단계의 역할을 한다. 농협은행은 2019년 4월 'P2P금융증서' 블록체인 서비스를 출시하여 이전까지 P2P 금융사가 이메일이나 팩스로 투자자에게 원리금 수취권 증서(P2P투자 종료 시 투자자가 받을 원금과 이자가 적혀있는 문서)를 전달했으나, 이 문서를 블록체인에 저장해 P2P 금융사와 공유할 수 있게 되었다. 또한 투자자는 NH스마트고지서라는 농협은행의 모바일 앱(푸시서비스)을 통해 증서를 조회할 수 있다. 현재는 농협은행 API를 이용하는 P2P금융사 중 팝펀딩과 모우다, 미드레이트가 이 서비스를 사용하고 있다.

농협은행은 2021년 9월 국민은행·신한은행에 이어 가상자산 수탁사업에 뛰어들었다. 국내 블록체인 기술사 '헥슬란트'가 합작법인 형태로 설립한 '카르도'에 전략적 지분 투자를 단행한 것이다. 카르도의 가상자산 수탁 서비스명은 볼트커스터디로 현재 비트코인(BTC)과 이더리움(ETH), 클레이(KLAY) 등을 수탁할 수 있다.

업계에 따르면 카르도의 전체 자본금은 약 20억 원으로 농협은행은 그 가운데 15% 미만인 약 3억 원을 투자한 것으로 전해졌다. 은행법상 은행이 가상자산 사업을 직접적으로 진행할 수 없기 때문에 합작법인을 통해 수탁 사업에 우회적으로 진출한 것으로 풀이된다.

또한 최근에는 농협 직원 2명이 카르도로 이직한 사실이 확인됐다. 농협은행 관계자는 최근 서비스 기획 팀 직원 2명이 카르도로 이직했다고 설명했다. 다만 카르도가 2021년 12월 23일 특정금융정보법상 정의된 금융위원회 금융정보분석원(FIU)의 가상자산사업자(VASP) 심사 문턱을 넘지 못하면서 사업 전개에 대한 우려의 목소리도 나오고 있다. 국민은행과 신행은행이 각각 출자한 가상자산 수탁사인 KODA와 KDAC이 VASP 심사를 모두 통과해 신고 수리가 완료된 것과는 대조적이다.

국내 가상자산 수탁사 관계자는 이에 대해 "정보보호 관리체계(ISMS)를 적시에 받았고, AML 인력만 충원한다면 큰 문제는 아닐 수도 있다"고 설명했다. 카르도 관계자는 "심사 보완 작업 중으로, 이달 내 재심사를 완료할 계획"이라고 설명했다.[84)]

글로벌 정보기술(IT) 기업과 은행들이 연합해 '블록체인망 플랫폼'을 선점하기 위해 치열한 경쟁을 펼치고 있다. 이들이 목표로 하는 시장은 국제송금이다. 내용은 해외 은행들끼리 서로 시스템을 블록체인으로 연동해 실시간으로 자금이체 등 송금이 가능하게 만드는 것이 핵심이다.

[그림 75] 비자 B2B 커넥트

2017년 12월 신한은행은 글로벌 결제 전문 IT기업 비자(VISA)와 손잡고 해외 기업송금 서비스 '비자 B2B커넥트'시범사업에 참여한다고 밝혔다. 비자 B2B커넥트는 비자의 글로벌 네트워

84) '인터넷 은행' 뜨자 위기감…은행들, '가상자산'으로 반전 노린다/한경코리아마켓

크와 블록체인 기술을 기반으로 미국 벤처기업인 체인과 공동 개발한 국제송금 서비스로 현재 시범사업 프로젝트가 진행되고 있다.
기존 스위프트(SWIFT)망을 이용한 해외송금은 관련서류 검토와 승인 등 제반 절차에 최소 2~3일이 소요된다. 이와 달리 비자 B2B커넥트는 실시간 국제 송금 서비스가 가능하다. 중계 은행 개입이 없어 실시간 자금 추적이 가능하고 사기피해를 예방할 수 있다.

이번 사업에는 미국 커머스뱅크, 필리핀 유니온뱅크, 싱가포르 UOB뱅크가 공동으로 참여한다. 국내 은행 중에서는 신한만 참여한다. KB국민은행·우리은행·KEB하나은행도 컨소시엄에 참여하는 방식으로 블록체인 송금 프로젝트를 진행하고 있다. 글로벌 IT기업과 은행들이 모여 만든 블록체인 컨소시엄 'R3'에 진영을 꾸렸다. 국내외 은행 총 22곳이 참여하는 이 프로젝트는 프랑스어로 화폐를 의미하는 '아전트'(가칭)이며, 2018년 상반기까지 국제 자금이체 파일럿 개발 완료를 목표로 한다. 아전트 프로젝트는 국민은행·우리은행·신한은행이 연구개발(R&D)에 참여하며, 하나은행은 자문 자격으로 참여한다. 신한은행은 양 프로젝트에 모두 참여한다.

프로젝트	내용	주도 업체	참여사
아전트	실시간 국제 송금	R3 컨소시엄	美 US뱅크, 英바클레이스, 우리·국민·신한은행 등 22곳
비자 B2B 커넥트	실시간 국제 송금	비자	美 커머스뱅크, 필리핀 유니온 뱅크, 신한 은행 등 4곳

[표 63] 금융권 블록체인 플랫폼 전쟁

최근 신한은행에서는 신용한도를 통한 가상화폐 발급부터 일시불·할부 등의 신용결제 , 가맹점과의 정산까지 이어지는 신용카드 거래의 전반적인 프로세스를 블록체인으로 구현할 수 있게 설계한 '여신 가상화폐 생성 장치 및 여신 가상화폐 관리 장치'를 일본 특허청을 통해 일본 내부에서 특허 등록 결정을 받은 바 있다.
이번 특허에 등록된 프로그램을 활용할 경우에는 특허를 신용카드 결제를 위해 가맹점과 카드사 사이 VAN사 등 중계기관을 둔 지금의 형태에서 벗어나 소비자와 가맹점이 직접 연결된 간편한 결제 방식의 설계가 이루어진다. 모바일 결제에 사용할 경우 사용자가 사용하는 신한페이판 어플과 가맹점주용 앱을 블록체인 기반으로 실시간으로 연결해 VAN사나 PG사 없이 직접 결제가 가능한 앱투앱(App tp App) 방식의 결제에 사용할 수 있다.

(2) 신용카드사

구분	추진 현황	도입시점
현대카드	블록체인 기술을 활용해 로그인 절차를 간소화한 통합로그인 서비스 실시	2017년 11월
삼성카드	블록체인 기술을 기반으로 제휴사 로그인 자동연결 서비스인 간편 로그인 서비스 실시	2017년 5월
롯데카드	블록체인 기반 지문인증 서비스를 롯데카드 카드결제와 스마트롯데 애플리케이션 로그인 서비스에 적용	2016년 11월
KB국민카드	간편 인증 서비스에 블록체인 기반 비밀번호 개인인증을 상용화해 공인인증서 없이 비밀번호 6자리 입력만으로 인증가능	2016년 12월

[표 64] 국내 주요 신용카드사 블록체인 도입 추진현황

국내 신용카드 업계는 2016년부터 블록체인 기반의 '통합 로그인' 서비스를 제공해왔다. 이로 인해 보안성 강화는 물론 비용 절감 효과도 있으며, 사용자에게는 편리함과 안전함을 제공하게 되었다.

신용카드사		사업 현황
국내	비씨카드	크립토닷컴·비자와 디지털결제 업무협약. '두나무 BC카드'출시예정
	현대카드	블록체인·NFT관련 기획·개발 분야 인력 모집
해외	비자(VISA)	지난해 4분기 '암호화폐 카드'사용액 25억 달러 기록
	마스터카드(MA)	지난 1월 코인베이스와 NFT 결제 계약 체결

[표 65] 국내외 카드사 암호화폐·블록체인 사업 현황

신용카드사들이 결제 기능을 무기로 암호화폐와 NFT(대체불가토큰) 시장에 뛰어들고 있다. 글로벌 카드사들은 일찌감치 코인 거래소와 협업해 암호화폐 기반 카드를 출시하고 NFT 결제 기능을 도입했다. 국내에서는 비씨카드가 국내외 가상자산 거래소와 잇따라 업무협약(MOU)을 맺으며 시장 선점에 나섰다.

비씨카드는 2022년 3월b 글로벌 가상자산 거래소 크립토닷컴, 신용카드사 비자(VISA)와 싱가포르의 크립토닷컴 본사에서 MOU를 체결했다. 3사는 공동 연구 및 협력을 확대해 향후 암호화폐 기반의 '크립토닷컴 상업자표시신용카드(PLCC)'를 출시할 예정이다. 해당 카드는 크립토닷컴 이용자들에게 코인 매매·플랫폼 이용 관련 혜택 등을 부여할 것으로 보인다. 정확한 출시 시기는 아직 정해지지 않았다.

비씨카드 관계자는 비씨카드와 비자의 프로세싱 및 디지털 역량을 결합하고, 크립토닷컴과 적극 협업해 고객에게 혁신적인 디지털 금융 경험을 제공하겠다고 말했다. 비씨카드는 블록체인 사업 분야에서 잰걸음을 보이고 있다. 2022년 2월에는 국내 가상자산 거래 플랫폼 두나무와 MOU를 맺고 메타버스 카드를 선보이겠다고 밝혔다. 현실에서 카드로 결제한 상품을 가상세계에 NFT로 구현해 양자를 연결하겠다는 구상이다.

해외 주요 카드사들은 결제 기능을 블록체인 산업으로 발 빠르게 확대하고 있다. 비씨카드와 손을 잡은 비자는 암호화폐를 결제에 선도적으로 도입했다. 비자는 2018년부터 크립토닷컴 발행 코인인 '크립토닷컴체인'에 기반한 직불카드를 발행해왔다. 현재 크립토닷컴 외에도 65개사와 제휴를 맺고 암호화폐 사업을 진행 중이다. 최근 비자는 2021년 4분기에 자사의 암호화폐 카드로 총 25억 달러(약 3조원)가 결제됐다고 밝혔다.
비자의 라이벌 마스터카드(MA)는 2022년 1월 코인베이스와 NFT 결제 계약을 체결했다. 코인베이스의 NFT 플랫폼에서 마스터카드로 NFT 상품을 매입할 수 있게 됐다. 지난해 10월에는 비트코인 선물거래소 백트와 제휴를 맺고 암호화폐 결제가 가능한 직불·신용카드를 발급하기 시작했다.

여신금융연구소는 '2022년 글로벌 지급결제 주요 트렌드 및 전망' 보고서에서 블록체인 기반 신규 결제 수단이 올해부터 본격적으로 늘어날 것으로 예측했다. NFT와 스테이블코인, 디지털화폐(CBDC) 등이 기존 결제 수단과 공존하며 시장 내에서 활용될 가능성이 높아지고 있다며 지급결제 트렌드를 주도하기 위한 카드사 등 금융회사와 핀테크 간 역동적인 상호작용이 일어날 것이라고 말했다. [85]

(3) 증권

금융투자협회와 25개 증권사 등 금융투자회사, 5개 블록체인 기술회사가 모여 금융권내 최초로 블록체인 컨소시엄을 구성하여 '체인 아이디(CHAIN ID)'를 만들었다. 체인 아이디는 온라인 주식거래와 자금이체 등을 위한 인증서비스로 한 번의 인증절차로 다른 금융기관에서도 바로 금융거래가 가능하고 개인식별번호(PIN), 패스워드(PW) 및 바이오 인증 등 사용자가 정하는 방식으로 인증이 가능하다는 점을 내세워 주목을 받았다.

하지만 금융투자협회가 세계 최초라는 타이틀을 내세우며 야심차게 추진한 블록체인 기반 인증서가 5년만에 무산됐다.

금융투자협회를 주축으로 구성된 컨소시엄은 2016년 4월부터 8개월간 블록체인 인증서비스에 대한 기술가능성과 사업성 검증을 완료하고 이를 기반으로 같은해 12월 공식컨소시엄을 구성한 뒤 2017년 10월 시범서비스를 오픈했다.

컨소시엄은 체인 아이디를 전 금융투자업권으로 확대하고 은행, 보험, 카드 등 국내 타 금융권과도 연계해나갈 계획이었다. 2018년 5월에는 삼성전자와 삼성패스 연계운영을 위한 업무

85) 카드 긁으면 코인으로 결제… 블록체인 영역 넓히는 카드사/국민일보

협약(MOU)을 체결하기도 했다.

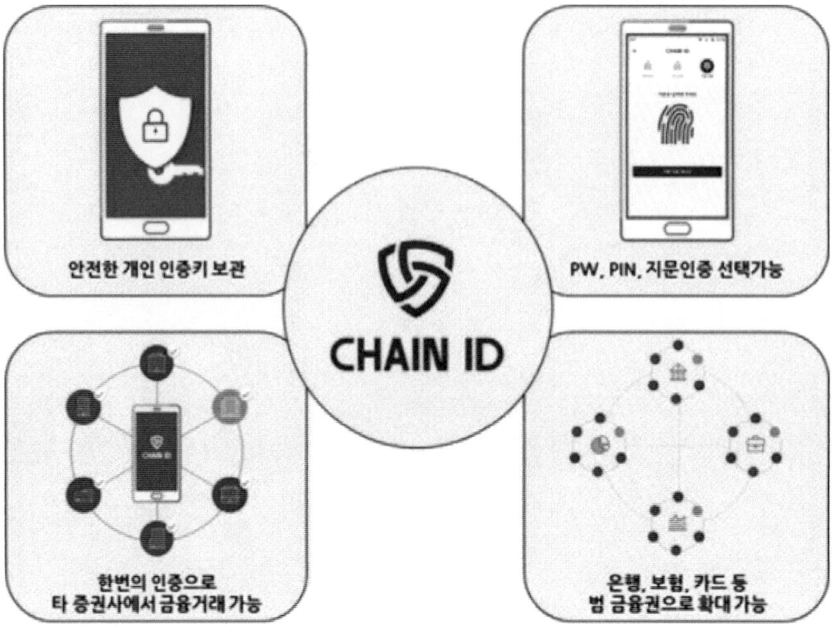

[그림 76] 금융투자업권 블록체인 기반 공동인증서비스 '체인아이디'

금융투자협회는 2019년 1월 '체인 아이디'의 범용성 문제를 보완하기 위해 '마이아이디'로 혁신금융서비스 지정에 도전했지만 사전신청에서 탈락했다. 금융투자협회가 주관해 블록체인 공동인증 사업을 추진하고 이끌어가기에 무리가 있다는 판단이 작용한 것으로 알려졌다.

실제로 증권사들의 참여도 저조했던 것으로 알려졌다. 당초 서비스 참여 의사를 밝힌 증권사 중 상당수가 시범서비스에 참여하지 않은 것으로 전해진다. 컨소시엄에 참여했던 한 증권사 관계자는 "로그인 인증 서비스 컨소시엄에는 참여했는데 같이 참여한 회사 중에서 시범서비스에 참여해 실행에 옮긴 곳도 있고 실효성을 고려해 관망하고 있던 증권사들도 많았다"고 설명했다.86)

키움증권은 2022년 5월 31일 블록체인 전문기업인 블록체인글로벌과 가상자산 관련 공동사업을 위한 업무협약을 체결했다. 블록체인글로벌은 국내외 가상자산거거래소 시스템 구축과 블록체인 기반 부동산 디지털 유동화 플랫폼, 가상자산 개인지갑 등 다양한 분야에서 블록체인 기술을 활용한 솔루션을 제공하고 있다.

이번 업무협약에 따라 양사는 ▲금융과 블록체인을 결합한 협업과제 발굴 및 수행 ▲공동 사업협력을 위한 신규 BM 발굴 등 키움증권의 폭넓은 투자자 네트워크와 블록체인글로벌의 개발 노하우를 활용하여 가상자산 시장 내 지배력 강화를 추진할 계획이다.87)

SK증권은 DGB대구은행과 디지털자산 수탁 회사인 '인피닛블록'에 대한 지분투자를 마쳤다.

86) [단독] 금투협, 물건너간 세계 최초의 꿈… 업계 블록체인 인증 무산/머니에스
87) 키움증권, 블록체인글로벌과 MOU 체결…가상자산시장 공략 본격화/위키리크스한국

증권사 중 디지털자산 수탁(커스터디) 기업에 전략적 지분을 투자한 건 SK증권이 최초다. 이번 투자로 SK증권은 인피닛블록과 '디지털자산 수탁 플랫폼' 기반의 '증권형토큰(STO)', '대체불가토큰(NFT)'의 발행·운영·관리 서비스 등 제반 플랫폼 사업을 협업하게 됐다.

인피닛블록은 '핀테크 혁신펀드'를 통한 초기단계 투자를 유치하고, 안정성과 편의성을 높인 블록체인 기반 핀테크 플랫폼을 개발하고 있다. 또 확장성 있는 블록체인 기술을 바탕으로 디지털자산 시장뿐만 아니라 전통 금융시장에서도 활용 가능한 디지털금융 인프라 플랫폼을 출시할 계획이다.

SK증권 사장은 증권형 토큰 등 디지털자산의 법제화에 발맞춰 관련 생태계를 조성하고 확장하는데 기여하고자 한다고 말했다.[88]

나) 비금융권

이처럼 최근 금융권에서는 블록체인 기술에 대한 관심이 증가하면서, 기술을 도입한 사례가 많아지고 있다. 금융권 이외에도 국내에서는 선도적 이미지 구축을 위해 PG사[89], 핀테크 스타트업 등에서 다양한 실험적 시도를 하고 있다.

그 중 하나가 가맹점과 카드사를 연결해주는 PG사가 블록체인 기술을 활용해 가상자산 결제업에 나서고 있는 것이다. 전통 카드 결제 시스템에 필수적인 카드사, 밴사, PG사의 복잡한 결제 구조를 단순화해 수수료를 낮추고 사업의 주도권을 가져가겠다는 의도다.

---

88) SK증권, 디지털자산 수탁업 뛰어든다…증권사 최초/한경코리아마켓

89) PG(Payment Gateway)社는 신용카드사와 가맹점 계약을 체결하는 것이 곤란한 중소 쇼핑몰을 대신해 카드사와 대표 가맹점 계약을 맺고 신용카드 결제 및 지불을 대행한 뒤 하부 쇼핑몰에서 수수료를 받는 업체다.

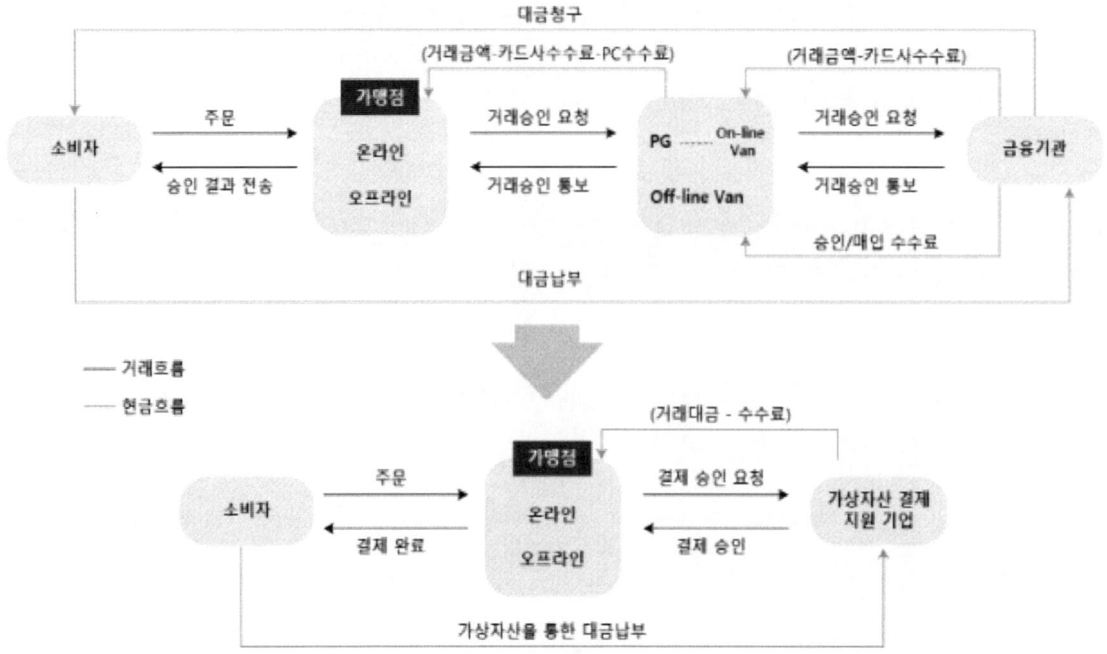

자료: 하이투자증권

[그림 77] 기존 지급 결제 과정과 가상자산 사용 시 변화되는 결제 과정

KG이니시스 주요 사업은 PG 서비스다. PG는 온라인 상점에서 상품을 판매할 경우 신용카드 등 다양한 결제 수단을 이용해 결제를 할 수 있도록 지원하는 서비스를 말한다.

PG사는 온라인 쇼핑몰에서 고객에게 신용카드나 현금 결제를 대신 받아 온라인 쇼핑몰에 수수료를 제외한 금액을 정산해준다. 고객이 온라인 쇼핑몰에서 결제를 하면 PG사, 결제대행업체 밴(Van)사, 카드사가 거래 과정에 참여한다. PG사는 카드사가 직접 계약하기 어려운 온라인 쇼핑몰을 대신해 결제업무를 대행한다. PG사는 중간 정산 과정에서 일부 수수료를 수익으로 가져간다.

국내 결제 시장을 보면 카드사가 절대적인 우위에 있다. 지난 5월 한국은행이 발행한 '2021년 지급수단 및 모바일금융서비스 이용행태 조사결과'에 따르면 지급수단 중 신용카드 이용금액이 49.5%에 이른다. 그다음으로는 현금(21.6%), 체크·직불카드가(18.1%) 순이다. 신용카드 이용률이 다른 지급수단에 비해 2배 이상 많을 정도로 절대적인 위치를 차지한다.

중간에 결제 대행을 하고 있는 PG사 입장에서 카드사는 절대 갑이다. 이 때문에 PG사와 카드사 간에는 언제나 갈등의 씨앗이 숨겨져 있다.
KG이니시스가 가상자산 결제를 시도하는 이유는 거래 과정에서 카드사가 제외되면 카드사에 지불하는 수수료를 줄이고 사업적으로도 주도권을 가져올 수 있기 때문이다.

PG사와 카드사간 갈등의 단적인 예가 2022년 초에 있었다. 2022년 초 카드사가 PG사들에게 0.05~0.1%P 수수료 인상을 통보하면서 분쟁이 발생한 것. PG협회에 따르면 신한카드, 삼성카드, KB국민카드, 현대카드, 롯데카드, 하나카드, 우리카드 등 주요 7개 카드사는 2022년 2월

PG사들에게 수수료 인상을 알리고 3월부터 인상된 수수료를 적용했다.

2022년 1월 카드사가 영세 중소 가맹점에 카드 수수료를 인하했고 여기서 생긴 손실분을 만회하려는 의도로 보인다.

한편, PG사 매출 구조를 보면 카드사에 지급하는 수수료가 빠르게 늘어나고 있음을 알 수 있다. 10일 금융감독원 전자공시시스템에 따르면 KG이니시스의 매출원가는 2019년 3854억원에서 2020년 4036억원, 2021년 4737억원으로 3년 연속 상승했다. 특히 2020년과 2021년의 매출원가 상승폭은 700억원 수준이다. 같은 기간 매출총이익은 1122억원에서 1244억원으로 100억원이 오른 것이 전부다. 매출원가 상승률에 비해 총이익 상승 폭이 낮았다.

온 라인 구매 거래 과정에서 절대적인 비중을 차지하는 카드사 개입을 줄이는 것이 KG이니시스의 순이익 확대에 중요한 부분이다.

KG이니시스 관계자는 "매출원가에 100% 카드 수수료만 반영되는 것은 아니다. 하지만 카드사의 수수료가 오르면 우리 입장에서는 원가가 높아지는 것이기 때문에 당연히 순이익 감소로 이어질 수밖에 없는 구조"라고 말했다. 카드사가 우월적인 지위를 이용해 PG사의 이익을 가로채기 하는 것과 다름 없다는 것이다.

KG이니시스는 오랜 기간 PG 서비스를 해와 탄탄한 가맹점 구조를 가지고 있다. 당장 가상자산 결제가 가능해지면 전자결제 시장에서 단번에 최대 강자가 될 수 있는 잠재력을 갖추고 있다. KG이니시스는 이미 다양한 분야에서 약 17만개 가맹점과 거래 중이다.

그러나 가상자산 결제 시장이 열리려면 해결해야 할 문제가 산적하다. 단적인 예로 페이프로토콜AG의 페이코인(PCI)을 들 수 있다. 페이프로토콜AG는 FIU(금융정보분석원)로부터 2022년 4월 가상자산사업자 라이선스를 획득했다. 그러나 모회사인 다날과 다날핀테크까지 가상자산사업자로 신고해야 한다는 통보를 받았다. FIU는 다날과 다날핀테크가 페이코인을 매매하는 구조로 판단했기 때문이다. 페이코인은 사용자→페이코인→다날→다날핀테크로 거래되는 구조다.

가상자산사업자로 신고되면 가상자산 사업자에게 의무를 부과하는 내용의 특정금융정보법(특금법)의 규제를 받아야 한다. 사실상 가상자산 사업을 하지 않는 계열회사까지 특금법 범위에 들어가는 셈이다. 비슷한 사업을 준비 중인 KG이니시스 또한 겪을 문제다.[90]

국내 블록체인 기술은 금융권을 중심으로 보안 인프라 투자비용 등의 비용 절감과 금융거래 효율성 향상을 위해 활발하게 진행 중에 있으며, 비금융권 기업들도 블록체인 기술개발에 적극적인 상황이다. 다음은 국내 기업의 블록체인 기술을 활용한 개발 및 사업화 현황이다.[91]

90) 카드사 횡포에서 벗어나고픈 꿈/팍스넷뉴스
91) 다양한 활용성으로 세계 경제 변화를 주도할 혁신기술 "블록체인"/NICE평가정보(주)

기업명	개발/사업화 현황
삼성SDS	◇ 현재 국내에서 가장 블록체인 관련 사업을 활발히 하는 기업으로 자체 블록체인 플랫폼 '넥스레저'를 자체 개발하고 2019년 8월 세계적인 시장조사업체 가트너(Gartner)로부터 글로벌 블록체인 주요기업으로 선정
LG CNS	◇ 올초 한국조폐공사의 지역화폐 결제 플랫폼 착(chak)을 구축했고 이는 공공영역에서 블록체인이 적용된 최초사례로 평가
그라운드X	◇ 클레이튼과 관련된 메인넷 사이프러스는 퍼블릭 블록체인으로, 합의 노드, 레인저 노드, 고객의 세 개의 노드 계층을 가지며, PBFT 알고리즘을 기반으로 한 합의 알고리즘을 가짐
두나무	◇ 두나무의 블록체인 기술 자회사 람다256이 공유형 블록체인 서비스 출시 ◇ 프라이빗 블록체인도 하나의 블록체인을 공유해서 쓸 수 있어 기업형 블록체인 서비스의 발전에 기여
블로코	◇ 롯데카드 블록체인 기반 생체인증 간편 로그인, 블록체인 기반 전자서명 간편로그인, 삼성카드 블록체인 기반 바우처 등을 허가형 기반의 코인스택을 이용해 개발
GMR 머티리얼즈	◇ 글로스퍼는 자체 기술력을 보유한 국내 1세대 블록체인 전문기업으로 퍼플릭 블록체인과 프라이빗 블록체인 등의 영역에서 시장을 선도하는 기업으로 다수의 블록체인 상용화 이력이 있으며, 정부 · 지자체 · 민간 등 다양한 분야 진출
무비블록	◇ 블록체인 기반 영화배급 플랫폼 무비블록이 영화 제작자가 자신의 작품을 공유할 수 있는 정식 서비스 2019년 출시
라인플러스	◇ 인터넷 활동에 대한 보상을 제공하는 인센티브형 서비스를 중심으로 블록체인을 설계
코스모체인	◇ 뷰티라는 카테고리 안에서 유저 간, 그리고 유저와 기업 간에 투명하고 공정한 가치 전달이 가능한 에코시스템의 구축

*출처: 중소기업 전략기술로드맵(2021), NICE평가정보(주) 재구성

[그림 78] 블록체인 국내 주요업체 동향

나. 가상화폐 시장 현황

가상통화는 아직 정확한 정의가 불분명하여 정체가 명확하지 않다. 가상화폐 정의는 매우 중요한 문제인데 이는 정의에 따라 많은 규제가 달라지기 때문이다. 가령 가상통화가 통화로 인정되면 자금세탁방지법이나 외환거래법 등 통화와 관련된 각종 규제를 받게 된다. 통화로 인정받으려면 대중적으로 쓰일 수 있도록 수량이 충분해야 하고, 모든 재화와 서비스의 가치를 측정할 수 있어야 한다. 또한 가상화폐는 아직까지 지급수단으로 활용되기보다는 투기 목적으로 많이 거래되고 가격 변화가 매우 심해 언제까지 존속할 수 있을지 예측할 수 없다. 이처럼 지금까지 보지 못한 현상을 두고 어떤 시각으로 접근해야 할지 아직 사회적으로 의견이 분분한 상황이다.

1) 가상화폐 가격변동성

지난 2016년까지만 해도 별난 신종 금융상품 정도로만 여겨졌던 가상통화의 몸집이 급격하게 커지고 있다. 비트코인과 이더리움 등 주요 가상통화 가격이 급등하고, 새로운 가상통화가 물밀 듯 시장에 나오면서 2017년 초 182억 달러이던 가상통화 시가총액이 2021년 4월에는 사상 첫 2조달러(약 2257조원)을 돌파했다.

2022년 6월 전 세계 가상화폐 시가총액이 1년 5개월 만에 1조달러(약 1288조원) 밑으로 떨어졌다. 가상화폐 정보 사이트 코인마켓캡에 따르면 가상화폐 시가총액은 2022년 6월 9260억달러(약 1192조원) 수준을 유지하고 있다. 2021년 1월 이후 처음으로 1조달러선 아래로 내려왔다. 가상화폐 시가총액은 작년 11월 2조9680억달러(3823조원)로 정점을 찍었으나, 7개월 만에 2조달러 이상 증발했다.

글로벌 코인시황 중계사이트인 코인마켓캡에서 비트코인은 2022년 6월 14일 오전 6시 37분 기준으로 2만3209달러를 기록했다. 전일 같은 시간보다 무려 15.42%나 급락한 수준이다. 일주일 전과 비교하면 26.37%가 빠졌다.
이더리움과 리플 역시 대공황 상태가 이어지고 있다. 이더리움은 1239달러로 16.28% 하락했다. 일주일 전보단 33.61%가 줄어들었다. 리플은 0.3197달러로 어제보다 10.55% 감소했다.[92]

가상화폐의 가격상승률은 무서울 정도로 빨랐다. 2017년 8월 20일 18세 비트코인 백만장자 에릭 핀먼은 앞으로 비트코인 가격이 1만 달러까지 갈 것이라 예언했었는데 당시 비트코인 가격은 4300달러 수준이었으나, 이런 예언이 있은 지 불과 4개월이 채 지나지 않아 비트코인 가격이 19,770달러를 넘어 서며 이를 뒷받침 하는 것 같았다.

92) [아주경제 코이너스 브리핑] 가상화폐, '대폭락장' 지속/아주경제

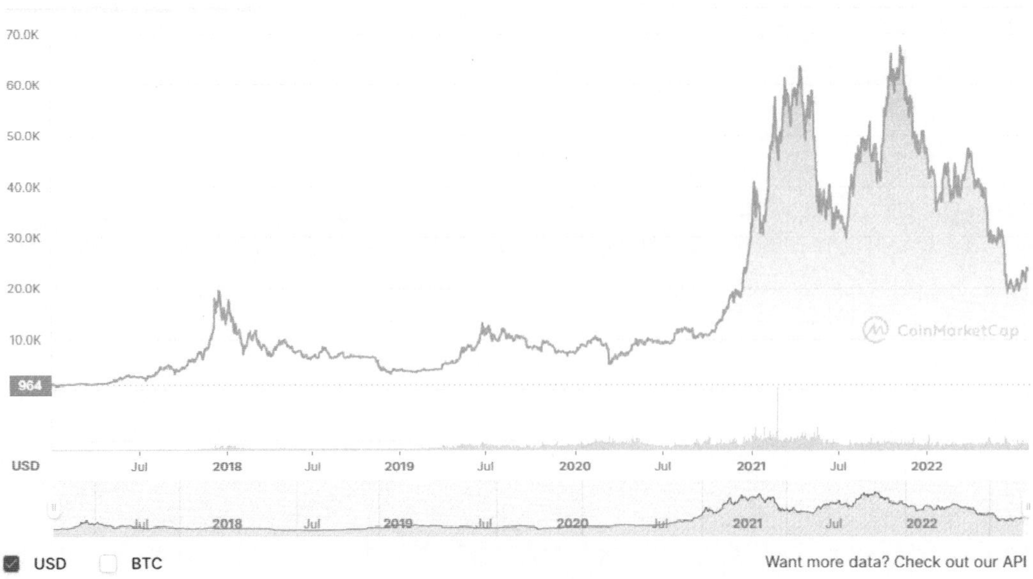

[그림 79] 비트코인 가격 추이

가상화폐 명	가격(달러)		상승률(%)
	2017.12.17	2018.12.17	
비트코인	19677.3	3496.8	-82.2
이더리움	724.3	85.1	-88.2
리플	0.752715	0.300359	-60.1
NEM	0.747824	0.063154	-91.6
모네로	354.19	42.65	-88.0
NEO	56.4	5.81	-89.7
이더리움클래식	35.11	3.82	-84.8

[표 66] 2017년 12월~2018년 12월 가상화폐 가격상승률

하지만 2018년에 들어서며 비트코인의 가격은 20%수준으로 급락했고, 이를 두고 일부 금융 전문가들은 향후 비트코인의 가치가 '0'에 수렴할 것이라고 호언장담하고 있다. 특히 대표적 비트코인 부정론자로 꼽히는 누리엘 루비니 뉴욕대 교수는 비트코인이 가치가 전혀 없다고 평가하고 있다. 시장이 루비니 교수의 발언에 주목하는 이유는 2008년 금융 위기를 예측했던 소수의 경제학자 중 하나이기 때문이다.

그러나 모든 전문가가 이러한 견해를 주장하고 있지는 않다. 그 한 예로는 중국의 상황을 들 수 있다. 대표적인 가상화폐 규제 국가인 중국에서도 향후 비트코인 투자 의사를 밝히는 사람이 10명 중 4명으로 밝혀서 시장의 미래를 낙관하는 투자자가 많다는 것을 단편적으로 보여주고 있다. 이러한 시장 상황을 반영하여 로니 모아스(Ronnie Moas) 스탠포인트 리서치 창립자는 2019년 말 비트코인 가격이 2만8000달러에 도달할 것이라고 예측했고, 미국 벤처 투자가이자 비트코인 낙관론자인 팀 드레이퍼(Tim Draper)는 2022년 25만 달러에 이를 것으로 전망했다.

주요 10개 코인들의 2020년 12월부터 1년간 가상화폐 가격 상승률을 살펴보면 알트코인들의 급성장이 두드러진다. 다음 표를 보면 솔라나 11,506.06%, 도지코인 6,153.73%, 에이다 893.59%, 이더리움 681%, 이더리움클래식 676.18%, 폴카닷 622.4%, 비트코인 204.37%, 비트코인캐시 98.19%, 리플 61.67%, 이오스 33% 순으로 상승하였다.

가상화폐 명	가격(달러)		상승률(%)
	2020.12.01	2021.12.01	
비트코인	18,803.00	57,229.83	204.37
이더리움	587.32	4,586.99	681.0
리플	0.6129	0.9909	61.67
에이다	0.156	1.55	893.59
솔라나	1.98	229.80	11,506.06
폴카닷	5.09	36.77	622.4
도지코인	0.00335	0.2095	6,153.73
비트코인캐시	288.14	571.06	98.19
이더리움클래식	6.17	47.89	676.18
이오스	3.00	3.99	33

[표 67] 2020년 12월~2021년 12월 가상화폐 가격상승률

가상화폐 명	가격(달러)		상승률(%)
	2022.07.25	2022.07.31	
비트코인	21,310.99	23,923.32	12.26
이더리움	1,440.79	1,678.12	16.47
리플	0.3362	0.3792	12.79
에이다	0.4752	0.5161	8.61
솔라나	36.65	42.35	15.55
폴카닷	6.76	8.62	27.51
도지코인	0.06193	0.06807	9.91
비트코인캐시	119.33	139.99	17.31
이더리움클래식	23.39	36.45	55.84
이오스	1.11	1.33	19.82

[표 68] 2022년 7월 가상화폐 7일간 가격상승률

2) 가상화폐 세금

가상통화를 정식 통화로 인정한다면 이를 거래하는 과정에서 발생한 차익에 세금을 부과할 근거가 없다. 이에 일본은 가상통화의 화폐성을 인정하면서 가상통화 거래에 따른 소비세를 폐지하고 비과세로 전환한 바 있으며, 가상통화를 민간통화로 분류한 영국도 부가세를 없앴다.

반면 가상통화를 상품이나 재화 또는 자산으로 분류하는 나라들은 그 거래 과정에서 발생한 이익에 대해 부가세나 양도소득세 등을 부과한다. 미국 국세청은 가상통화를 자산으로 규정해 자본 이득에 대해 세금을 부과하고, 중국은 비트코인을 상품의 일종으로 분류해 개인소득세를 매긴다.

한국은 가상화폐(가상자산) 세금 과세에 대한 제도를 2020년 12월에 도입했다. 가상화폐(가상자산)을 양도 또는 대여함으로 발생하는 소득에 대해 기타소득으로 과세를 하게 되는 방식으로 적용되어 소득세법에 추가된 가상자산은 '소득세법 일부개정 법률안'을 통해 발의 되어 2022년부터 시행될 예정이었다.

기획재정부는 2022년 7월 세제발전심의위원회를 열고 '2022년 세제개편안'을 의결했다. 개편안에 따르면 가상자산 소득에 대한 과세 시점은 기존 2023년 1월 1일에서 2년 미뤄진 2025년 1월 1일로 변경된다.

당초 가상자산 과세는 2022년부터 시행될 예정이었다. 하지만 가상자산 거래소 등 관련 사업자들이 세금 인프라를 마련하지 못했다는 지적이 나오면서 1년 연기된 바 있다. 이번에 2년 더 유예되면서 기존 시행 시점이었던 2022년 1월 1일에서 3년 미뤄지게 됐다. 이번 개편안은 가상자산 시장 여건과 투자자 보호 제도 정비 등을 고려한 결정이다. 투자자 보호 장치가 마련된 이후 세금을 부과하겠다는 국정과제 내용을 달성했다는 설명이다.

소득 구분과 과세 방법은 그대로 유지된다. 가상자산 양도 또는 대여로 발생하는 소득은 기타소득으로 분류되며 기타소득의 세율은 20%다. 비과세 구간은 250만원으로 250만원을 초과하는 소득에 대해선 20% 세율로 분리과세한다.[93)]

현재 전 세계적으로 공통된 가상화폐 관련 법이나 가이드라인은 없다. 대신 미국, 일본, 싱가포르 등은 각 나라별로 그 나라에 맞는 제도를 만들어 '사기' 등으로 인한 투자자 피해를 최소화 하는데 주력하고 있다.

구분	법적성질	소득 분류	과세방식	세율	비과세 기준	금융상품 양도 소득과 차이	자본손익 통산 가부	결손금 이월공제
대한민국	무형자산	기타소득	분리과세	20%	250만원	20%, 25% 분류과세	×	×
미국	자산	단기자본이득[1)] 장기자본이득	종합과세 분류과세	10%~37% 15%, 20%	–[2)] 41,675달러[3)]	×	○[4)]	○
영국	무형자산	자본이득	분류과세	10%, 20%	12,300파운드	×	○	○
독일	금융상품	기타소득	종합과세	0%~45%	1년 초과 보유, 600유로 미만	25% 분리과세	×	○
호주	자산	자본이득[5)]	종합과세	0%~45%	△[6)]	×	○	○
일본	지급결제수단, 금융상품	잡소득	종합과세	5%~45%	–[7)]	15% 신고분리과세	×	×

※ 주: 1) 양도한 자산의 보유기간 1년을 기준으로 단기자본이득과 장기자본이득을 구분함
2) 가상자산소득을 종합과세하는 경우 다른 소득과 합산하며 개인별 공제액도 상이하므로 비과세 기준을 일괄적으로 명시하기 어려움
3) 개인 및 부부별도는 41,675달러, 부부합산은 83,350달러, 세대주는 55,800달러 이하인 경우 비과세함
4) 순자본손실을 연간 3,000달러(부부별도 신고의 경우 1,500달러) 한도로 경상소득에서도 공제할 수 있음
5) 1년 이상 보유한 자산의 자본이득은 50%를 공제하고 나머지 소득에 대하여만 자본이득세를 과세함
6) 1만 호주달러 이하로 취득한 가상자산이 사적용도 자산에 해당하는 경우 그 양도소득에 대하여 비과세함
7) 2,000만엔 이하의 급여소득이 있는 거주자로서 해당 금액이 원천징수되거나 연말조정을 하는 경우에는 암호자산 거래로 발생한 잡소득 등의 금액이 20만엔 이하이면 원칙적으로 소득세 확정신고의무가 면제됨(일본 「소득세법(所得税法)」 제121조)
※ 자료: 각국의 법령 등을 참고하여 저자 작성

[그림 80] 주요국의 가상자산 소득과세 제도 비교

해외의 경우를 살펴보면 미국, 일본, 독일, 호주 등의 주요 국가들도 과세를 하고 있다. 미국의 경우 암호화폐를 취득한지 1년 미만일 경우 통상소득으로 분류해 종합과세하며, 소득 수준에 따라 적게는 10%에서 많게는 37%의 세율을 책정한다. 반면 취득한지 1년이 넘어가는 암호화폐에서 얻은 자본은 자본소득으로 분류되어 15~20%의 세율로 분류과세 한다.

93) 가상자산 투자 소득 과세 2년 유예… 2025년부터 적용/머니에스

일본은 암호화폐를 통해 얻은 소득을 잡소득으로 분류하며 종합과세 방식으로 5~45%의 세율을 적용한다. 이 때 잡소득이란 우리나라의 기타소득과 비슷한 개념이다. 영국은 암호화폐를 민간통화로 분류하고 있으며 이에 따라 자본소득에 대한 과세방식을 따른다. 암호화폐 거래차익에 분류과세 방식으로 15%의 세율을 적용한다.[94]

가장 발빠른 행보를 보이고 있는 나라는 미국이다. 미국은 2018년부터 증권거래위원회(SEC)가 연방법으로 가상화폐 발행을 규제하고 있으며, 가상화폐 유통은 주 정부가 관리 감독하고 있다. 뉴욕주의 경우 세계 최초로 관련 법(비트라이선스)을 만들어 거래소 이용자를 보호하고 공시를 의무화시켜 불법 코인을 선별해 나가고 있다.

아시아 주요국들도 가상화폐를 단계적으로 제도화하고 있다. 가상화폐 거래소 해킹 사건 등을 겪은 일본은 지난 2019년 이용자, 즉 투자자 보호를 강조한 관련 법을 개정했다. 내용을 살펴보면 가상화폐 성격에 대한 설명 규정이 추가되고 거래소가 자산을 안전하게 보관해야 할 의무 등이 포함됐다,

싱가포르도 당국의 허가를 받아야만 가상자산 사업이 가능하도록 법을 새롭게 만들었다. "금융자산이 아닌 가상화폐를 제도화할 순 없지만, 세금은 매기겠다"는 우리 정부와는 반대되는 모습이다. 가상화폐를 무조건 화폐, 금융자산이 아니라고만 주장할 것이 아니라, 다양한 제도적 장치를 마련 중인 선진국 사례를 참고할 필요가 있다.[95]

3) 가상화폐 시장 점유율

2022년 초 세계적 투자 전문 매체인 마켓워치 조사에 따르면 암호 화폐 시장에서의 대장주인 비트코인의 시장 지배력이 39.4%로 2018년 이후 최저로 떨어졌다. 시장 지배력이란 전체 암호 화폐의 시가총액 대비 특정 암호 화폐의 시가총액이 차지하는 비율이다. 한때 70%까지 상승했던 비트코인의 시가총액이 이더리움·대체불가토큰(NFT)·분산코인금융(Defi) 등 다양한 형태의 대체 코인 등장에 따라 감소하고 있으며, 향후 시장 지배력의 하향 추세는 더욱 가파를 것으로 예상된다.

최근 1년간 비트코인 가격 변동은 3만달러에서 6만달러까지 박스권을 형성하며 등락을 반복하는 교착상태를 나타내고 있다. 반면에 NFT나 Defi 코인 등과 같은 알트코인 가격의 변화는 급격하고 역동적이다. 정치·사회·경제·산업적 불안정성에 따른 코인 포트폴리오 변화는 더욱 커질 것으로 예상된다.

고가 비트코인 구매가 원천적으로 어려운 MZ세대 등 금융 약자들의 저렴한 알트코인에 쏠린 관심 고조는 비트코인 시장 지배력을 더욱 약화시키고 있다. 또 1만5000달러 가격대에 비해 최근 4만달러 시대에 들어선 비트코인의 투자수익률(ROI) 하락은 투자자들의 알트코인에 대한

---

94) 가상화폐 과세제도 논란과 향후의 바람직한 정책방향/ifsPOST
95) 가상화폐 딜레마 빠진 정부…선진국은 '단계적 제도화'/MTN뉴스

이동 투자를 유발한다.

가격 변동 비율이 낮은 비트코인에 비해 가격 변동 폭이 큰 알트코인에 대한 투기적 심리는 향후 코인 시장을 알트코인 중심으로 급속 재편할 것으로 예측된다. 특히 알트코인 거래 1위 국가인 우리나라의 코인 시장은 이 점을 특히 유념해 봐야 한다. 비트코인의 시장 지배력은 타국에 비해 더욱 급격한 감소가 예상된다.

비트코인과 알트코인 간 경쟁이 치열해짐에 따라 그동안 압도적이었던 비트코인의 시장 지배력은 약화할 것으로 전망된다. 반면에 다양한 생태계를 기반으로 한 특정 목적의 건강한 알트코인 지배력은 폭발적으로 상승할 것이다.

그렇다면 어떤 알트코인이 시장을 지배할까. 현재 많은 전문가가 NFT와 Defi 코인을 비트코인 주요 대체코인으로 주목하고 있다. NFT는 디지털 자산에 대한 소유권을 나타내는 블록체인 증표다. 일반적으로 비트코인 네트워크와 같은 블록체인 플랫폼에서 채굴된 코인 가격은 균일하며, 상호 대체가 가능하다.

반면에 ERC721 등과 같은 이더리움 프로토콜에 의해 발행되는 NFT는 채굴(발행)되는 코인의 가치가 각기 달라 상호 간 대체나 등가 교환이 불가한 알트코인이다. NFT는 현재 디지털 아트와 게임아이템 등과 같은 온라인 only 콘텐츠에 대한 소유권 확보나 매매에 활발히 사용되고 있다.

현재 생태계 전반에 대한 전방위적 활용이라기보다 특정 목적의 제한된 범위 내 사용으로 출발하고 있지만 향후 그 적용 범위는 급속히 확장될 것으로 예상된다. 다만 이더리움 기반 작동으로 코인 거래 시간 지연과 고가의 수수료 징수 등 기술적 문제는 시급히 해결돼야 한다. 또 인터넷에 저장된 디지털 자산의 경우 서버 해킹이나 악의적 폐쇄에 의한 경우 이를 보상받을 길이 없어서 NFT 발행자에 대한 맹목적 신뢰에 의존하는 단점이 있다.

NFT는 Defi와 연동돼 알트코인 시장을 지속 확대할 수 있다. Defi는 스마트 콘트랙트(프로그램 운행 규칙이나 룰)를 통해 금융기관과 같은 제3자의 개입 없이 사용자 간 코인을 통한 예금, 대출, 자산운용 등과 같은 P2P 금융 서비스를 자율적으로 수행한다.

예를 들면 대포나 기관총 같은 온라인 게임용 아이템을 구입하기 위해 NFT 등 다양한 알트코인을 대여하거나 차입하는 경우다. 물론 Defi는 비트코인 등과 같은 메인코인이나 전통금융과 병행 수행될 수 있으나 뛰어난 편의성·보안성 등으로 NFT 등과 같은 알트코인의 사용이 확대될 것으로 예상된다.

최근 정부, 공공기관, 산업계의 활발한 블록체인 도입은 신규 생태계 조성과 더불어 다양한 알트코인을 창출하고 있다.

코인 활용은 공공서비스는 물론 제조·유통·교육·의료 등 산업계 전반에 걸쳐 생산성 혁신과 소비자 만족도 향상 등 혁신을 주도할 수 있으며, 동시에 코인 경제라는 새로운 경제 패러다임 구현에 공헌한다. 알트코인은 생태계 운용의 핵심 동력이 되고 있으며, 소비자들의 생태계 참여 동기 부여와 경제적 이익 공유를 통해 향후 시장 지배력은 지속 확대될 것으로 예상된다.[96]

4) 해외 주요국 가상화폐 정책 및 시장 동향

가상화폐에 대한 각국의 대처는 엇갈리고 있다. 하지만, 여전히 블록체인에 대한 관심은 식지 않고 있는데, 작년 5월 세계적인 금융그룹 HSBC와 ING가 세계 최초로 단일 블록체인 시스템을 이용, 농업 부문에서 세계 최대 기업 가운데 하나인 카길(Cargill)의 신용장 거래를 처리했다. 이외에도 미국 일부 주와 영국, 베트남 등은 가상화폐를 결제수단으로 인정했고 에스토니아는 국가차원의 발행을 검토하고 있다. 국제 통화기금(IMF)과 일본은행은 직접 관리하는 가상화폐 개발에 나섰으며, 중국과 미국은 가상화폐 거래 관련 라이센스 제도를 제안했다. 중국은 또한 가상화폐를 통한 자금 조달을 전면 금지하는 등 강력한 규제에 나서고 있다.

우리나라의 가상화폐 시장은 이미 세계적 수준이다. 특히 빗썸은 전 세계 기준 2위를 차지하고 있으며 코인원, 코빗, 코인네스트 등 한국 가상화폐 거래소가 100위 안에 들어있다. 하지만 이와 동시에 가상화폐 투기와 범죄도 폭발적으로 증가 있는 상황이다. 가상화폐를 악용한 각종 불법행위를 차단하고, 디지털 화폐의 안전한 거래를 위해 세계 각국은 독자적인 규제를 마련하여 운용중에 있다. 규제에 따라 가상화폐의 시장이 어떻게 형성될지에 대한 방향성이 생기기 때문에 본 장에서는 해외 주요 국가별 가상화폐 정책 및 시장 동향을 비트코인 중심으로 살펴보고자 한다.

가) 미국

미국은 합법적인 규제를 통해 제도권 안으로 가상화폐의 통제를 이어나가는 정책을 펴고 있다. 가장 대표적인 것이 바로 가상화폐 거래소 등록제도의 강화인데, 이를 통해 투자자에 대한 보호를 이뤄낼 수 있고, 선물거래위원회에서 가상화폐를 상품으로 등록하면서 그 관리 감독의 수준을 기존 주식시장의 요구사항 정도로 높게 설정한다.

이처럼 미국은 가상화폐를 화폐 및 지급수단이 아닌 일반상품(commodity)으로 규정하고 있으며, 미국 상품선물거래위원회(CFTC)는 가상화폐 관련 파생금융상품 규제방침을 마련하기도 하였다. 가상화폐 가격을 바탕으로 한 옵션 및 선물 상품 출시는 CFTC와 관련된 규제[97]적용 대상임을 명시하고 인허가 없이 출시한 비트코인 옵션상품의 거래를 중단시킬 수 있다.

2014년 IRS(미국 국세청) 지침에 따르면, 가상화폐는 연방세법 체계에서 '자산'(Property)으로 취급된다. 따라서 자산 매각으로 발생하는 양도차익에 대해 과세하고 단순히 보유만 하고 있을 경우 이익 발생 전까지 과세는 유보된다. 물론 손실을 본 경우에는 과세 대상에서 제외된다.

96) [블록체인 칼럼]비트코인과 알트코인 시장지배력/전자신문
97) Commodity Exchange Act, CFTC Regulations

미국은 세계 최초로 가상화폐 선물 거래를 허용했다. 원유·농산물과 같은 상품으로 거래할 수 있는 길을 터준 것이다. ICO는 허용하되 기업을 뉴욕 증시에 상장하는 기업공개(IPO)에 준하는 엄격한 잣대를 들이대고 있다. 미국 증권거래위원회는 모든 ICO는 증권거래법을 통해 규제하겠다는 입장이다.

현재 가상화폐 양도차익에 적용하는 연방 세율은 금융자산(주식, 채권 등) 매매로 발생한 수익에 적용하는 자본이득 세율(Capital Gain Tax)과 동일하다. 따라서, 단기이익의 경우 10~37%, 장기이익의 경우 0~20%의 세율이 소득 구간에 따라 차별 적용된다. 조세 당국은 가상화폐 매수 후 매도까지 기간이 1년 미만일 경우에 단기이익으로, 그 이상일 경우 장기이익으로 구분한다.

세금 징수요건은 크게 자본이득(Capital Gain) 발생의 경우와 소득(Income) 발생의 경우로 나눌 수 있다. 가상화폐 매매, 제품 및 서비스 지불 또는 가상화폐 간 교환(Swap) 등 모든 자산 거래로 발생한 양도차익은 자본이득으로 간주하는 한편, 가상화폐 채굴(mining) 활동은 소득세 항목으로 과세된다.

구분	세율	싱글	부부공동
단기	10	0~9,950	0~19,900
	12	9,951~40,525	19,901~81,050
	22	40,526~86,375	81,051~172,750
	24	86,376~164,925	172,751~329,850
	32	164,926~209,425	329,851~418,850
	35	209,426~523,600	418,851~628,300
	37	523,601 이상	628,301 이상
장기	0	0~40,400	0~80,800
	15	40,401~445,850	80801~501600
	20	445,851 이상	501,601 이상

자료: IRS, taxbit.com

[그림 81] 2021년 소득 구간별 자본이득세율 (단위:%, 달러)

어떤 유형이든 과세 요건이 발생할 경우 가상화폐 투자가는 이를 조세 당국에 신고해야 한다. 하지만, 정확한 신고 기준과 방법을 인지하지 못한 많은 가상화폐 투자가들이 의도치 않게 조세회피를 하는 상황이 벌어진다.

IRS는 2019년부터 연방소득세 신고 양식(Form 1040) 부속서(Schedule 1)에 가상화폐 거래 여부를 묻고 이로 발생한 이익을 기타소득으로 신고하도록 했다. 하지만, 납세자의 인식 부족으로 소득신고가 제대로 이루어지지 않는 등 제도의 실효성에 의문이 제기됐다. 따라서, 2020년에는 소득신고서 약식 첫 페이지에 가상화폐 거래 여부를 기입하도록 명시화함으로써 납세자들의 신고의무를 환기했다.

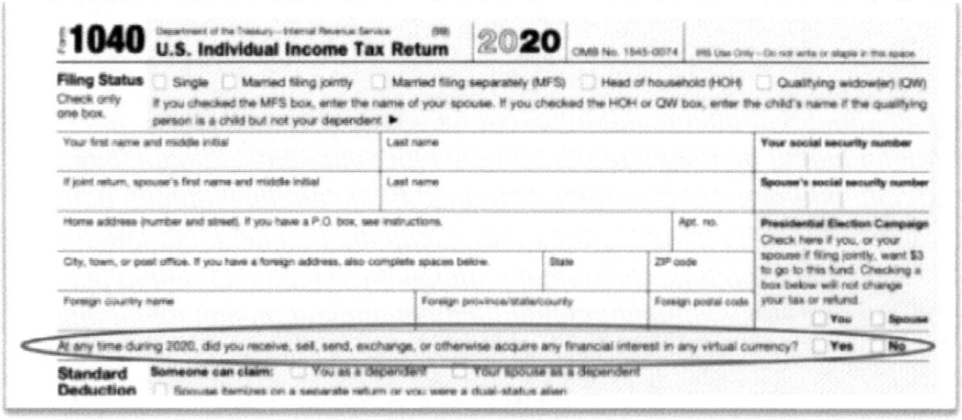
Form 1040 Department of the Treasury—Internal Revenue Service (99)
U.S. Individual Income Tax Return 2020 OMB No. 1545-0074 IRS Use Only—Do not write or staple in this space.

Filing Status
Check only one box.
Single / Married filing jointly / Married filing separately (MFS) / Head of household (HOH) / Qualifying widow(er) (QW)
If you checked the MFS box, enter the name of your spouse. If you checked the HOH or QW box, enter the child's name if the qualifying person is a child but not your dependent ▶

Your first name and middle initial | Last name | Your social security number
If joint return, spouse's first name and middle initial | Last name | Spouse's social security number
Home address (number and street). If you have a P.O. box, see instructions. | Apt. no.
City, town, or post office. If you have a foreign address, also complete spaces below. | State | ZIP code
Foreign country name | Foreign province/state/county | Foreign postal code
Presidential Election Campaign
Check here if you, or your spouse if filing jointly, want $3 to go to this fund. Checking a box below will not change your tax or refund. You / Spouse

At any time during 2020, did you receive, sell, send, exchange, or otherwise acquire any financial interest in any virtual currency? Yes / No

Standard Deduction
Someone can claim: You as a dependent / Your spouse as a dependent
Spouse itemizes on a separate return or you were a dual-status alien

자료: 미국 연방 국세청(IRA)

[그림 82] 연방소득세 신고 양식(Form 1040)에 포함된 가상화폐 거래 문항

미국 현지 회계사무소 소속 A 회계사는 “이러한 과세 지체현상의 가장 큰 원인은 가파르게 성장하는 가상화폐 시장을 현재의 법과 제도가 제대로 따라가지 못하기 때문”이라며, 원활한 제도 정착을 위해서는 가상화폐 거래소(Exchange)의 역할을 법률로써 규정할 필요가 있다고 밝혔다.

현재 납세자들은 빈번한 가상화폐 거래에서 발생한 수익을 정확히 산정할 수 없어 세금 신고에 어려움을 겪고 있다. 즉, 주식거래의 경우에 주식 중계업자(broker)가 해당 연도의 거래내역과 수익을 납세자와 IRS에 제공(Form 1099-B)해 세금 신고의 편의성와 투명성을 높히고 있으나 현재 법 제도상 가상화폐 거래소는 그러한 신고 의무를 지지 않는다.

2016년 연방법원은 가상화폐 관련 과세 대상 식별을 목적으로 미국 최대 거래소인 코인베이스(Coinbase)로 하여금 2013~2015년 동안의 불특정 거래 정보를 IRS에 제출하도록 명령했다. 또한, 2021년 5월 법원명령에 따라 IRS는 가상화폐 거래소 2곳(Kraken, Circle)에서 이뤄진 2만 달러 이상 모든 거래정보(2016~2020년)를 제출 받기도 했다. 한편, IRS는 2019년 약 1만 명의 가상화폐 투자가를 대상으로 서한을 발송하여 가상화폐 소득신고 미비의 위법 소지를 고지하고 자진 신고를 요구하는 등 적극적인 세금 징수에 나서기도 했다. IRS의 회계감사에 따라 가상화폐 관련 의도적인 소득신고 누락 등 위법적 조세회피가 인정되면 최대 25만 달러 벌금 또는 징역에 처해 질 수 있다.

그 외에도 현재 IRS는 가상화폐 관련 데이터 분석 등 첨단기술을 활용해 과세 대상 추적과 징수의 효율을 높이고 있다. 2021년 5월 IRS는 세금전문 빅데이터 기업 TaxBit와 용역계약을 맺고 대형 가상화폐 투자가 대상 회계감사 업무를 전담하도록 했다.

공정 과세를 기치로 내건 바이든 정부는 2021년 5월 재무부가 발표한 2022년 예산계획안 설명서에서 가상화폐 관련 세제 개정안을 공개했다. 골자는 개인(또는 기업)에 한 해 600달러 이상 가상화폐를 거래할 경우 해당 수익과 입출금 내역을 의무적으로 신고하고 1만 달러 이상

거래의 경우 가상화폐 중계업자가 거래계좌 내역을 신고하도록 하는 것을 포함한다. 한편, 바이든 정부는 장기 자본이득에 부과하는 최고세율을 현재 20%에서 39.6%까지 인상하는 계획을 검토 중이며, 이와 연동해 가상화폐 세율도 인상될 수 있다.

정부의 정책 의지에 부응해 의회는 가상화폐 과세 개정 입법을 서두르고 있다. 지난 달 상원을 통과한 초당적 인프라 투자법안에는 개인(또는 기업)이 1만 달러 이상 가상화폐 거래 시 IRS에 거래 내역을 신고하고 가상화폐 중계업자는 주식 중계업자과 동일한 방식으로 연간 수익을 산정해 납세자와 IRS에 제공하도록 규정됐다. IRS는 이번 법안이 통과될 경우 매년 280억 달러의 추가 세수를 기대할 수 있다고 분석했다.

블록체인협회(Blockchain Association) 등 가상화폐 업계는 법안 내용에 담긴 과도한 규제가 기술혁신과 건전한 산업 생태계를 위협할 수 있다고 즉각 반발했다. 업계는 추후 하원 법안 검토 과정에서 가상화폐 관련 규제조항 축소 완화에 주력하겠다고 밝혔다.

일부 언론도 이번 가상화폐 세제 개정안의 실효성에 문제를 제기 중이다. 첫째, 과도한 규제가 가상화폐의 음성적 거래를 부추기고 선물거래 또는 해외 거래소를 통해 자본 유출을 촉진할 수 있다. 둘째, 다수의 탈중앙화 거래소(decentralized exchange)의 경우 투자가의 개인정보를 수집하지 않아 IRS 신고의무 이행에 어려움을 겪을 수 있다. 마지막으로 거래소를 거치지 않고 개별 투자가가 스스로 관리(Self-custody)하는 '하드웨어 지갑'(hardware wallet)에 대한 거래 추적이 불가능하다는 주장이다.[98]

암호화폐는 특히 디지털 세상에서 태어난 요즘의 젊은이들로부터 가장 많은 관심을 끌고 있다. 글로벌 리서치 기업 Pew Research Center의 2021년 11월 설문 조사 보고서에 따르면 설문 대상인 18세에서 29세 그룹 중 31%가 암호화폐를 사용한 적이 있었던 반면, 50세부터 64세의 그룹에서는 이 비율이 8%에 불과했다. 글로벌 컨설팅 및 금융 서비스 기업 Deloitte에서도 '암호화폐의 도입과 사용은 나이가 적은 소비자층에서 가장 활발한 것'으로 분석한 바 있다. 이에 따라 특히 젊은이들을 타깃 소비자로 삼는 많은 기업이 이들의 니즈에 대응하기 위해 암호화폐를 비롯한 디지털 전환 요소들에 눈길을 기울이는 양상이다.

98) 미국의 가상화폐 과세 현황과 추진 방향/코트라

[그림 83] 성별 및 연령대별 미국 성인의 암호화폐 사용 경험 (단위:%)

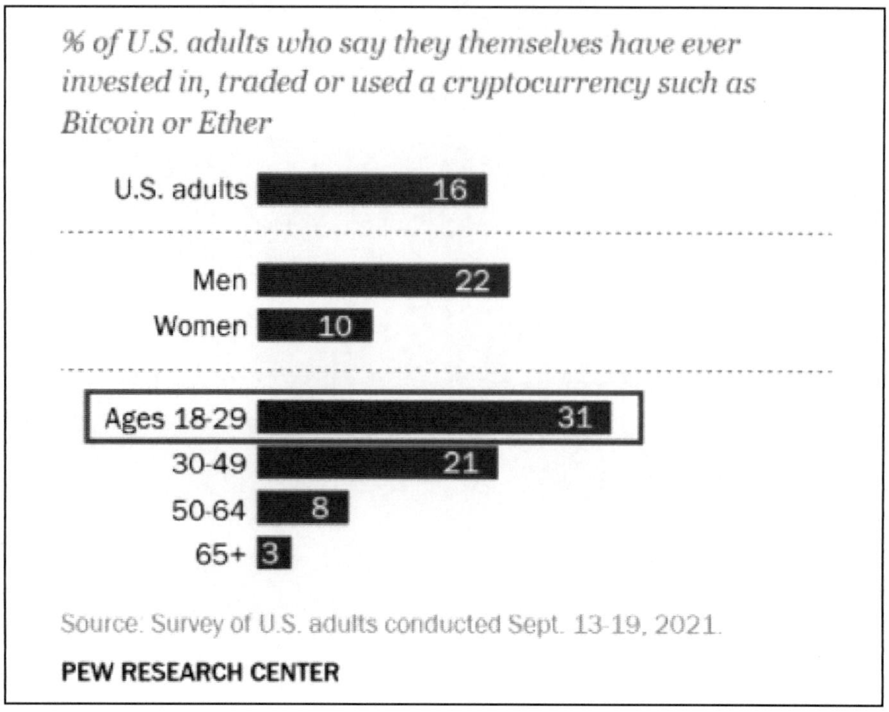

[자료:Pew Research Center 자료가공
(https://www.pewresearch.org/fact-tank/2021/11/11/16-of-americans-say-they-have-ever-invested-in-traded-or-used-cryptocurrency/)]

지난 2021년 11월 역대 최고치를 경신한 이후, 암호화폐 시장은 2022년 중순부터 또 다른 역대급 하락의 시련을 겪고 있다. 그러나 이러한 변동성에도 불구하고 많은 소매업계 기업들이 꾸준히 암호화폐 활용 시장에 뛰어드는 모습이 목격된다. 구찌(Gucci), 발렌시아가(Balenciaga), 태그호이어(Tag Heuer)와 같은 명품 브랜드에서부터 알로(Alo), 팩선(Pacsun), 스타벅스(Starbucks) 등의 다양한 라이프스타일 브랜드까지 암호화폐를 결제 수단으로 도입하면서, 이제는 이렇듯 익숙한 브랜드 제품들을 디지털 화폐로 결제하고 쇼핑할 수 있게 된 것이다.

사용할 수 있는 암호화폐의 종류나 사용 가능 범위 등은 각 기업과 브랜드마다 차이가 있지만, 암호화폐를 비롯한 신기술에 매우 친숙한 젊은 소비자층을 타깃으로 하는 영 캐주얼 패션 브랜드 '팩선(Pacsun)'의 행보가 인상적이다.

팩선은 디지털 선진 기술에 능통하며 미국의 핵심 소비자층으로 자리 잡은 'Z세대'를 타깃 소비자로 정의한다. 팩선의 공동 CEO Michael Relich는 공지를 통해 "지금까지 팩선은 그들의 라이프스타일을 이해하고 보다 가까운 그들의 생활 영역으로 접근하기 위해 SNS와 이커머스 채널을 통해 많은 노력을 기울여 왔다"고 밝힌 바 있다. 그 과정에서 Z세대 소비자들의 암호화폐에 대한 니즈가 점차 늘어나는 것을 목격했기 때문에 팩선이 암호화폐를 결제방식 중 하나로 받아들이는 것은 너무나 당연했다고 그는 덧붙였다. 팩선은 2021년 10월, 암호화폐 결제 플랫폼 기업 '비트페이(Bitpay)'와 파트너십을 맺고 무려 11가지의 암호화폐를 상품 결제

수단으로 추가했다. 이 11개의 암호화폐에는 비트코인(BTC), 비트코인 캐시(BCH), 이더리움(ETH), 랩드비트코인(WBTC), 도지코인(DOGE), 라이트코인(LTC) 및 미국 달러 연동 스테이블코인(Stablecoin) 5종이 포함된다. 해당 기업은 암호화폐 결제방식 이외에도 메타버스 게임 플랫폼 '로블록스(Roblox)'에 가상 매장을 열고 NFT 시장에도 적극적으로 뛰어드는 등 Z세대 소비자를 공략할 디지털 전환에 박차를 가하고 있다.

물론 지금까지 암호화폐는 주식 투자와 유사하게 대부분 투자 거래 목적으로 사용되어온 만큼, 결제 수단으로의 암호화폐 사용 비율은 아직 매우 낮다. 올해 5월 미국 연준(Fed)의 보고서에 따르면 결제 수단으로의 암호화폐 사용 비중은 투자 목적으로의 사용 비중보다 훨씬 더 낮은 것으로 분석된다. 이에 팩선과 타깃 소비자층이 겹치는 영 패션 브랜드 '아메리칸 이글(American Eagle)'은 소비자 분석 결과, 아직 암호화폐 결제 도입은 시기상조라 판단한다고 밝히며 팩선과는 사뭇 다른 행보를 보이기도 했다. 이처럼 아직은 미미한 실제 이용률과 지속되는 시장의 변동성 등은 암호화폐 결제 시장이 앞으로 해결해 나가야 할 숙제인 듯하다.

미국 현지 소매업계 기업의 마케팅 분야 종사자인 P씨는 KOTRA 로스앤젤레스 무역관과의 인터뷰에서 "사실 쇼핑할 때 암호화폐로 결제하고자 하는 소비자는 현재 그리 많지 않을 것"이라고 전했다. 미국 연준이 2021년 실시한 설문조사에서도 지난 1년간 암호화폐를 결제 수단으로 사용한 비율은 미국 성인의 단 2%에 불과한 것으로 나타났다. 그러나 현재 웹 3.0을 기반으로 한 디지털 세계 및 관련 기술 요소들은 가히 무서운 속도로 발전 중이며, 블록체인이나 암호화폐 역시 실생활에 적용되는 사례가 점차 늘고 있다. "소매업계를 포함한 다양한 결제 시장은 결국 '디지털화'에 초점을 맞춰 발전할 것"이라고 P씨는 덧붙였다. 미래에 등장할 새로운 세대에서 암호화폐 사용에 대한 니즈가 더 증가할 확률도 높아 보인다. 아직 이른 감이 없지는 않지만, 관련 업계의 기업들은 이러한 트렌드에 귀를 기울일 필요가 있다. 위와 같이 빠르게 대두되는 암호화폐 결제 수단에 대한 이해도를 높이고 다양한 디지털 전환 전략을 수립하는 동시에, 자신의 타깃 소비자에 대한 철저한 분석을 통해 이러한 결제 수단의 마련을 고려해 볼 수 있겠다.[99]

나) 영국

영국 정부는 2022년 4월 가상화폐 규제안을 발표했다. 영국은 글로벌 가상자산 기술의 허브로 거듭나기 위해 스테이블 코인 합법화와 NFT 발행 등 가상자산 친화적인 규제안을 구축하고, 가상자산 산업의 발전 촉진을 우한 포괄적인 금융 시장 인프라 샌드박스 구축에 나선다는 계획이다.

영국 재무부는 법정 통화와 연동되는 스테이블 코인을 '유효한 결제 수단'으로 수용하기 위해 현재의 전자 화폐 규칙의 적용 범위를 확대하고 스테이블 코인도 적용 대상에 포함시킬 예정이다. 이데 따라 자금 세탁을 방지하기 위해 코인 발급자는 영국의 금융규제기관인 금융감독원(FCA; Financial Conduct Authority)에 의무적으로 등록해야 한다.

---

99) 비트코인으로 쇼핑을? '암호화폐 결제방식' 늘리는 美 소매업계/코트라

스테이블 코인은 파운드나 미국 달러와 같은 법정 통화의 가치에 연동되어 있는 가상화폐로 테더, USDC 등은 암호화폐와 명목 화폐를 교환하는 '운송 통화(Vehicle currency)'의 역할을 하고 있다. 영국 정부는 가치의 폭등과 급락을 반복하는 비트코인과 달리 스테이블 코인을 공식적인 결제 수단으로 사용할 수 있는 것으로 해석하고 있는 것이다.

다양한 암호화폐 자산이 금융 서비스 부문에 미치는 영향에 대한 협의에 따라 영국 정부는 " 적절한 규제로 스테이블 코인이 보다 효율적인 결제 수단을 제공하고 소비자 선택권을 넓힐 수 있을 것"이라는 결론을 내린 것으로 해석된다.

영국 재무부에 따르면 스테이블 코인 관련 규제는 영국의 중앙은행인 영란은행(Bank of England)가 관할하게 되며, 법정 통화로 전환을 보장할 수 있는 체계적인 스테이블 코인 규제를 수립하는 데에 주력할 예정이다.

영국 정부는 스테이블 코인 규제안 수립 및 NFT 발행 외에도 가상자산 산업의 촉진을 위한 포괄적인 금융시장 인프라의 규제 샌드박스 구축에 나서기로 했다. 해당 규제 샌드박스는 블록체인 인프라 서비스 확대 지원, 업계와 소통 강화 및 조세 제도 개편을 주축으로 하고 있다.

영국 정부는 이를 통해 블록체인 인프라 기업들이 분산원장기술(DLT; Distributed Ledger Technology)을 테스트할 수 있게 함으로써 시장을 뒷받침하는 인프라 서비스를 실험하고 혁신할 수 있도록 지원, 분산원장기술을 국가 채무 상품에 적용하는 것의 가능성과 잠재적 이점을 조사하기 위한 연구 프로그램을 시작할 예정이다.

업계와의 소통 강화를 위해 재무부는 오는 5월 금융감독원(FCA)이 주도하는 '암호화 스프린트(CrptoSprint)' 모임을 개최하여 미래의 가상자산 시스템 개발과 관련된 업계의 직접적인 견해를 구한다는 방침이다. 또한, 재무부 장관은 가상자산 진흥 그룹(Cryptoasset Engagement Group)을 설립하고 업계와 긴밀한 협력을 통해 정부의 가상자산 부문이 현재 직면해 있는 문제에 대한 조언을 구할 예정이다.

조세 제도 정비 부문에서는 특히 디파이(DeFi) 대출을 과세 대상으로 삼을 것인지와 같은, 세금이라는 관점에서 접근하려면 어떻게 다루어야 하는 지의 문제와 자산운용 면세 범위에 가상자산을 포함시킬 지의 여부를 집중적으로 논의 할 계획이다.

영국 정부의 가상자산 산업 촉진을 위한 규제 샌드박스의 주요 내용은 다음과 같다.

Table 1. 영국 정부의 가상 자산 산업 촉진을 위한 규제 샌드박스	
국가	CBDC 개발 현황
블록체인 인프라 혁신 지원	• 블록체인 인프라 기업들이 분산원장기술(DLT)을 테스트할 수 있게 함으로써 시장을 뒷받침하는 인프라 서비스를 실험하고 혁신할 수 있도록 지원 • 분산원장기술을 국가 채무 상품에 적용하는 것의 가능성과 잠재적 이점을 조사하기 위한 연구 프로그램을 시작
업계와의 소통 강화	• 금융감독원(FCA)이 주도하는 '암호화 스프린트(CryptoSprint)' 모임을 개최하여 미래의 가상 자산 시스템 개발과 관련된 업계의 직접적인 견해를 구한다는 방침 • 가상자산 진흥 그룹(Cryptoasset Engagement Group)을 설립하고 업계와 긴밀한 협력을 통해 정부의 가상 자산 부문이 현재 직면한 문제에 대한 조언을 구할 예정
조세 제도 정비	• 디파이(DeFi) 대출 상품의 세금 관점에서의 접근 문제 논의 • 자산운용 면세 범위에 가상 자산을 포함시킬 지의 여부 논의

자료: STRABASE(2022.04)

[그림 84] 영국 정부의 가상자산 산업 촉진을 위한 규제 샌드박스

영국 정부의 이번 규제안 발표는 빠르게 성장하고 잇는 스테이블 코인을 제도권 금융 규제의 범주에 포함시키고, 가상자산 규제를 유연하게 운영함으로써 새로운 경제적 도약의 기회를 찾는 동시에 가상자산 분야의 글로벌 허브로 입지를 미리 다지겠다는 전략으로 풀이된다.

스테이블 코인은 최근 시장의 관심이 집중되며 급성장하고 있다. 시가총액 기준 1위인 테더의 유통량은 현재 800억 달러 수준인데, 이는 2년 전의 40억 달러 대비 20배나 증가한 것이다. 그러나 시장 수요의 급증 속도를 따라오지 못하는 규제의 공백으로 인해 세계 각국의 자금 세탁 등 불법 활동에 오용될 우려도 함께 커졌다. 특히, 우크라이나를 침공한 러시아에 대한 수준 높은 경제 제재로 인해 러시아가 제재 회피 수단으로 가상화폐를 활용하는 데 여기에 스테이블 코인이 포함될 수 있다는 우려가 컸었다.

영국이 비트코인 등 주류 가상화폐가 아닌 스테이블 코인 규제안 정립에 먼저 나선 것은 보다 안정적인 가상화폐부터 법적인 지원을 확대함으로써 영국의 가상화폐 도입률을 빠르게 끌어올리려는 의도도 있다.

영국은 정부의 적극적인 노력에도 불구하고 가상화폐 도입률이 낮은 편이다. 가상화폐 거래소 Gemini의 조사 결과에 따르면, 영국 응답자의 2,300명 중 18%만 암호화폐를 보유한 적이 있다고 응답했는데 이는 미국과 인도 등 주요국보다 낮은 수치이다.

이미 영국은 지난해 가상화폐 확산으로 2021년 가상화폐 구입자의 비율이 45%를 넘었지만, 관심 증가 추이로 볼 때 이미 영국의 가상화폐 도입 붐은 외부의 자극 없이는 더이상 올라가기 어려운 정체 구간에 달해있을 수 있다는 분석 결과도 있다. Gemini에 따르면, 아직 암호화폐를 구매하지 않은 응답자의 8%만이 올해 암호화폐를 구입할 예정인 것으로 응답했다.

이에 영국 정부는 가치의 안전성이 다른 가상화폐보다 큰 스테이블 코인의 장점을 부각하며 일반 결제 수단으로서의 도입 확대에 적극 나설 것으로 예상된다. 전문가들은 스테이블 코인이 위험이 전혀 없는 것은 아니라는 점에 주의해야 한다고 조언한다. 만약 법정 화폐와 연동

된 스테이블 코인만 규제 대상이 된다면, 일부 기업들이 더 변동성이 크고 불안정한 암호화폐의 발행을 부추기는 등 시장의 변동성을 더욱 자극하는 왜곡된 결과를 유발할 수 있기 때문이다.

가상자산에 대한 규제 대응에 많은 국가들이 고심하고 있는 가운데, 영국의 스테이블 코인 중심 규제안이 영국 및 글로벌 가상자산 시장에 어떠한 파급 효과를 불러올 지 주목되는 시점이다.100)

영국은 암호자산(cryptoassets)을 과세하는 규정을 달리 입법하지 아니하고 2018년 12월 개인의 암호자산 취득, 보유 및 양도에 관한 조세 처리를 정한 국세청 정책보고서를 발간하였고, 지속적으로 암호자산 관련 지침을 업데이트하고 있다. 영국은 암호자산을 디지털 자산으로서 무형자산으로 보아 개인이 암호자산을 양도한 경우 자본이득세(capital gain tax)를 과세한다. 만약 개인의 암호자산 거래가 금융거래(financial trade) 사업으로서 수행된 경우에는 그 거래로 발생한 소득은 사업소득으로 보아 20%~45%의 세율로 종합과세한다.

영국의 자본이득세는 주식, 파생상품, 채권 등을 처분하여 과세대상 자본이득(chargeablegain)이 발생한 경우 과세하는데, 자본이득세율은 개인의 종합소득금액을 고려하여 결정한다. 즉 종합소득 과세표준에 자본이득을 합한 금액이 종합소득의 기본세율 구간 내이면 10%, 기본세율 구간을 초과(고세율 구간 이상)하면 20%의 자본이득세율을 적용한다.59) 개인의 자본이득이연간면제금액(Annual Exempt Amount) 12,300파운드(2021~2022년 기준) 이하이면 자본이득세 과세를 면제한다. 당해 연도 자본이득을 초과하는 순자본손실은 금액과 기간의 제한 없이 이월공제가 가능하다.

(단위: 파운드)

세율	과세표준	비고
0%	자본이득 12,300 이하	연간면제금액(AEA) 적용
10%	종합소득 합산 37,700 이하	기본세율 구간
20%	종합소득 합산 37,701 이상	고세율 구간 이상

※ 주: 1. 영국의 2021~2022년 종합소득세율은 과세표준이 12,571~50,270파운드인 경우 20%의 기본세율(Basic rate), 50,271~150,000파운드인 경우 40%의 고세율(Higher rate), 150,001파운드 이상인 경우 45%의 추가세율(Additional rate)로 구분됨
2. 위 과세표준은 종합소득세율 구간에서 기본공제(Personal Allowance) 12,570파운드를 차감한 금액임
3. 영국의 소득세 과세기간은 직전 연도 4월 6일부터 당해 연도 4월 5일까지임

※ 자료: HMRC, Income Tax rates and Personal Allowances

[그림 85] 영국 2021년~2022년 개인 자본이득세율

즉 개인이 암호자산을 양도하여 발생한 자본이득은 다른 자본이득과 합산하여 계산한 과세대상 자본이득이 연간면제금액을 초과하는 경우 해당 개인의 종합소득세율 구간에 따라 자본이득세율 10% 또는 20%를 적용하여 자본이득세를 과세한다. 참고로 영국은 주식 취득시 0.5%

100) '스테이블 코인 합법화'에 초점 맞추는 영국의 가상화폐 규제 전략 분석/사)한국블록체인스타트업협회

의 인지세를 부과하는데, 영국 국세청에 따르면 현존하는 암호자산의 취득은 인지세 과세대상에 해당하지 않는다.

개인이 암호자산을 채굴하여 취득한 경우 취득시점의 암호자산 가치를 기타소득으로 보아 20%~45%의 세율로 종합과세하고, 만약 상거래(trade)로 채굴하여 취득한 암호자산은 그 가치에 상당하는 금액을 사업소득으로 보아 종합과세한다. 그러나 하드포크를 통해 암호자산을 취득한 경우에는 취득시점에 과세하지 아니하고 향후 이를 양도할 때 자본이득세를 과세하고, 에어드랍으로 취득한 경우도 마찬가지이다. 다만, 용역 제공 등의 대가 또는 상거래나 사업활동으로 취득한 경우에는 암호자산 취득시 과세한다.[101]

다) 독일

독일은 비트코인에 가장 친화적인 나라로 암호화폐 시장이 빠르게 성장하고 있는 대표적 국가이다. 독일은 암호자산(Kryptowerte)을 「금융법(Kreditwesengesetz)」상 결제단위(units of account)로서 금융상품(financial instruments)에 해당한다고 보고 있다. 따라서 독일 내에서는 암호화폐에 대한 과세가 이뤄지고 일반적인 거래에 사용하는 것도 가능하다.

독일은 개인이 암호자산을 양도하여 얻은 소득은 기타 경제재(anderen Wirtschaftsgütern)의 사적 양도거래(Private Veräußerungsgeschäfte)로 발생한 소득으로서 기타소득에 해당하며, 보유기간이1년 이하이면서 600유로 이상 소득이 발생한 경우에는 다른 소득과 합산하여 0%~45%의 세율로 종합과세한다. 즉 개인이 양도한 암호자산의 보유기간이 1년을 초과하거나 보유기간이 1년 이하라도 600유로 미만의 소득이 발생한 경우에는 비과세 대상이다. 다만, 개인이 상업적 활동으로 암호자산을 거래하여 발생한 소득은 사업소득으로 보아 종합과세한다.

사적 양도거래로 발생한 소득은 양도가액에서 취득가액과 필요경비를 공제하여 계산하고, 손실이 발생한 경우 기타소득에서만 이를 공제할 수 있고, 당해 연도 기타소득을 초과하는 손실은 직전 연도로 소급하거나 다음 연도로 이월하여 사적 양도거래로 발생한 소득에서만 공제할 수 있다.

통상적인 활동으로 암호자산을 채굴하여 얻은 소득은 기타소득에 해당하는데 그 소득이 256유로 이상인 경우에만 과세하며, 상업적인 활동으로 얻은 암호자산 관련 소득은 사업소득에 해당한다. 암호자산의 하드포크와 에어드랍과 관련한 과세방안은 현재까지 공식적으로 발표되지 않았다.

101) 주요국의 가상자산 소득과세 제도 현황과 시사점/국회입법조사처

(단위: 유로)

세율	과세표준	
	개인	부부합산
0%	9,984 이하	19,968
14% ~ 23.97%	9,985 ~ 14,926	19,969 ~ 29,852
23.97% ~ 42%	14,927 ~ 58,596	29,853 ~ 117,192
42%	58,597 ~ 277,825	117,193 ~ 555,650
45%	277,826 이상	555,651 이상

※ 주: 1. 과세표준이 개인 9,984유로, 부부합산 19,968유로 구간의 경우 기본공제(Grundfreibetrag) 적용으로 세율 0%임
2. 세율 14%~42% 구간은 점진적인 누진율이 적용되는데, 14%~23.97% 구간은 세율이 가파르게 상승하고, 23.97~42% 구간은 세율이 다소 완만하게 상승함. 세율 42% 및 45% 구간은 비례세율이 적용됨

※ 자료: 독일 「소득세법(Einkommensteruergesetz)」 제32a조

[그림 86] 독일 2022년 종합소득세율

한편 독일은 주식, 파생상품, 채권 등 자본자산의 양도소득, 이자소득, 배당소득을 자본자산소득(Einkünfte aus Kapitalvermögen)으로 보아 보유기간에 관계없이 원칙적으로 25%의 자본자산소득세를 완납적 원천징수(Abgeltungsteuer)로 분리과세한다. 다만, 개인에게 적용되는 종합소득세율이 자본자산소득세율보다 낮은 경우에는 종합과세를 선택하여 종합소득세율을 적용할 수 있다. 만약 개인이 회사 지분을 양도하기 전 5년 동안 직·간접적으로 1% 이상 보유하던 경우에는 그 지분 양도소득은 자본자산소득이 아닌 사업소득으로 보아 종합과세한다.

필요경비적 성격의 자본자산소득 공제로 개인은 801유로, 부부합산과세는 1,602유로를 일괄적으로 인정하며, 그 밖에 지출한 경비는 원칙적으로 인정하지 않는다. 자본손실은 자본이득에서만 공제할 수 있는데, 주식양도차손은 주식양도차익에서만 공제할 수 있는 반면 다른 금융자산 등에서 발생한 자본손실은 이자소득과 배당소득에서도 공제할 수 있다. 다만, 납세자가 자본자산소득에 대해 종합과세를 선택하는 경우에는 다른 소득에서 발생한 손실을 자본자산소득과 통산할 수 있다. 자본손실은 100만 유로(부부합산은 200만 유로)를 한도로 기간 제한 없이 이월공제가 가능하며, 직전 연도에 한하여 소급 공제할 수 있다.[102)]

독일 연방금융감독청(BaFin)이 암호화폐 기업의 허가 취득 절차에 관한 지침을 2022년 6월 1일(현지시간) 발표했다. 이번 지침은 암호화폐 기업이 당국의 허가를 얻기 위해 충족해야 할 구체적인 요건들을 제시하고 있다. 당국은 지침을 통해 암호화폐 취급 기업의 사업 운영, 시스템 관리, 자금세탁 준법 여부 등에 관한 감독 의지를 나타냈다.

증권감독청은 "기존 은행 및 기타 거래 부문의 허가 취득 절차와 비슷하다"면서 "관련 허가 취득을 원하는 기업들은 데이터를 안전하게 보관하고 자금세탁 규정을 준수해야 한다"고 강조했다.

지침에 따르면 기업은 최소 15만 유로(2억 원)의 자본금을 보유해야 하며, 대차대조표, 손익계산서, 조직 구조 등 세부적인 사업 운영 계획을 당국에 제출해야 한다. 경영 이론·실무 지식

102) 주요국의 가상자산 소득과세 제도 현황과 시사점/국회입법조사처

을 보유한 경영진과 경력 기술 관리자를 보유하여 운영 적격성도 증명해야 한다.

IT 시스템과 프로세스에 대한 정보를 공개하고 관련 위험 평가를 수행하여 리스크 관리 및 모니터링 역량도 입증해야 한다. 허가 발급 비용은 6336유로(한화 약 800만원)이다.

지난해 블록체인에서 발행된 암호화폐를 전자증권의 하위 유형으로 보는 전자증권법이 발효하면서, 독일은 종이 증권뿐 아니라 중앙예탁결제원 같은 승인기관 등기부에 전자적으로 등록된 증권과 퍼블릭·프라이빗 블록체인에서 발행된 증권을 일반 증권과 동일하게 간주하고 있다.

당국은 "전자증권법은 '암호화증권대장(Kryptowertpapierregister)'을 새로운 금융 서비스로 은행법에 통합시키고, 관련 업체에 대한 관리 감독을 요구한다"고 설명했다.

이에 따라 '암호화증권대장' 관리업체, 즉 암호화폐를 취급하는 금융기관 및 전문 기업의 당국 허가 취득이 의무화됐다. 다만, 지난해 12월 이전부터 운영 중인 기업은 6개월 간 임시 허가를 주고 운영을 지속할 수 있도록 허용했다. 정식 허가 신청 기한은 오는 10일까지다.

독일은 구체적인 가이드라인을 제시하여 산업이 안정적으로 규제 안에 들어올 수 있도록 지원하고 있다. 암호화폐 거래소 코인베이스는 독일 최초로 암호화폐 수탁 허가를 취득했다. 올해는 현지 최대 시중 은행 코메르츠은행(Commerzbank) 등이 동일한 허가를 신청한 것으로 알려졌다. 지난달 암호화폐에 소득세를 적용하기 위한 세부 지침도 발표했다.[103)]

라) 일본

일본은 2014년 당시 마운틴 곡스(Mt. Gox) 거래소에서만 전세계 비트코인 70%가 거래되는 등 코인거래의 세계 중심이었다. 그러나 이 거래소가 비트코인 85만개(약 5300억원)를 도난당해 결국 투자금을 반환하지 못하고 파산신청을 한 사건을 계기로, 일본 정부는 가상화폐시장 폐쇄냐, 제도화냐를 두고 기로에 섰었다. 이때 일본은 정부의 개입을 줄이고 투명성을 강화해서 투자자를 보호하고 코인시장도 진흥하자는 선택을 했다.

일본은 2016년 '자금결제법'을 개정해 가상화폐를 '가상통화'로 지칭하며 화폐로서의 기능, 재산적 가치를 인정하면서 거래소에 △금융당국에 등록의무 △이용자에 대한 설명의무 △이용자 재산의 분리보관의무를 부과하고 자본금 1000만엔(약 1억원) 기준과 화이트리스트 제도(금융청에서 인정하는 가상화폐만 거래 가능)를 도입해 투자자 보호를 위해 노력했다.

그럼에도 2018년에 일본 최대 거래소(코인체크)에서 580억엔(약 6000억원) 상당의 해킹사고가 발생하게 된다. 이에 일본 정부는 보안상태 일제점검, 업무개선명령 등 조치를 했으나 업무개선명령에 따라 점검을 완료한 자이프(Zaif) 거래소가 67억엔(약 700억원) 상당의 해킹을 당하자 일본 정부는 가상화폐시장에 대한 적극적인 개입을 선언했다.

---

103) 독일, 암호화폐 라이선스 지침 발표..."재무건전성·리스크 관리 역량 입증해야"/토큰포스트

일본 정부는 자금결제법의 '가상통화'를 '암호자산'으로 명칭을 변경하며 화폐기능을 부정하기 시작했고, 금융상품거래법에서 가상화폐를 금융상품으로 규정해 금융상품규제를 적용했다. 일본 투자자가 가장 선호했던 마진거래 시장에서 레버리지 한도를 4배에서 2배로 줄였다.

그 결과 일본 가상화폐 시장은 사실상 사망선고를 받았고, 가상화폐에 투자하는 일본인을 보기 힘들어졌다. 여기에는 최고 55%의 과세도 한몫을 했다. 일본 사례의 교훈은 '투자자보호'와 '시장의 진흥'이 동시에 이루어질 수 없다는 것이다.[104]

일본은 암호자산(暗号資産)을 재산적 가치가 있는 지급결제수단 및 금융상품으로 인정하고 있다. 개인이 암호자산을 양도하여 얻은 소득은 잡소득(雑所得)으로 보아 다른 소득과 합산하여 5%~45%의 세율로 종합소득세를 부과한다(참고로 소득할(所得割) 주민세 10% 및 부흥특별소득세 2.1%가 함께 과세된다). 만약 개인이 암호자산 거래를 사업상 수행하는 경우에는 암호자산 거래로 발생한 소득은 사업소득으로 보아 종합과세한다. 잡소득은 사업소득, 양도소득 등 다른 소득에 해당하지 아니하는 모든 소득으로서 포괄주의에 따라 과세하는 반면, 우리나라는 「소득세법」 제21조에 열거된 기타소득에 한하여 열거주의에 따라 과세한다는 점에서 차이가 있다.

개인이 암호자산을 채굴하여 취득한 경우에는 취득시점의 암호자산 시가에서 채굴을 위해 지출한 필요경비를 차감한 금액을 잡소득으로 보아 종합소득세를 과세한다. 물론 채굴을 사업상 수행하여 취득한 암호자산은 사업소득으로 본다. 암호자산의 하드포크로 새로운 암호자산을 취득한 경우 취득시에는 과세하지 아니하고 향후 이를 양도하면 양도로 발생한 소득(취득가액은 0으로 본다)을 잡소득으로 보아 과세하는데, 이는 하드포크 시점에 새로 취득한 암호자산의 거래 시세가 존재하지 않아 가치를 지닌 것으로 보지 않기 때문이다. 에어드랍으로 취득한 암호자산 역시 취득시 그 암호자산의 시가가 존재하면 취득한 때 과세하고, 시가가 존재하지 않으면 이를 양도할 때 과세하는 것으로 보인다.

암호자산의 양도로 발생한 손실은 다른 암호자산의 양도로 발생한 소득에서 공제할 수 있을 뿐 종합과세 대상인 다른 소득에서 공제할 수 없고, 당해 연도 초과손실의 이월공제는 허용하지 않는다.

104) 가상화폐 정책, 왜 일본은 실패했을까/더칼럼니스트

(단위: 엔)

세율	과세표준	누진공제
5%	1,950,000 이하	0
10%	1,950,001 ~ 3,300,000	97,500
20%	3,300,001 ~ 6,950,000	427,500
23%	6,950,001 ~ 9,000,000	636,000
33%	9,000,001 ~ 18,000,000	1,536,000
40%	18,000,001 ~ 40,000,000	2,796,000
45%	40,000,001 이상	4,796,000

※ 주: 1. 소득세액에 대하여 2.1%의 부흥특별소득세(復興特別所得税)가 추가로 과세됨(2013년~2037년 적용)
2. 기초공제는 합계소득금액이 2,400만엔 이하이면 48만엔, 2,400만엔 초과 2,450만엔 이하이면 32만엔, 2,450만엔 초과 2,500만엔 이하이면 16만엔이며, 2,500만엔 초과이면 기초공제대상에서 제외됨

※ 자료: 일본 「소득세법(所得税法)」 제89조제1항

[그림 87] 일본 2022년 종합소득세율

한편 일본은 주식, 채권, 펀드 등 자산의 양도로 발생한 소득을 양도소득으로 보아 15%의 세율로 양도소득세를 신고분리과세 한다(참고로 소득할(所得割) 주민세 5% 및 부흥특별소득세 2.1%를 함께 과세하여 총 20.315%가 적용된다). 주식 등(상장주식, 채권, 펀드) 양도로 발생한 손실은 주식 등 양도소득 및 주식 등과 관련된 배당소득에서 공제할 수 있고 초과손실을 3년 동안 이월공제할 수 있지만, 상장주식 등과 일반주식 등(비상장주식) 간의 손익통산은 원칙적으로 허용되지 않는다.105)

2022년 6월 3일 일본은 스테이블 코인의 위험성으로부터 투자자를 보호하는 법안을 통과시킨 최초의 주요 경제국이 되었다. 테라 스테이블 코인이 붕괴함에 따라 일본 의회는 스테이블 코인을 디지털 화폐로 인정해 법적 지위를 부여했다. 이밖에도 일본 금융청은 조만간 스테이블 코인 발행사를 위해 새로운 규제안을 도입할 것으로 알려졌다.

해당 법안에는 이렇게 공인된 스테이블 코인을 일본 내에서 통용 가능한 디지털 화폐로 간주하고, 사전에 인·허가를 받은 금융사 만 스테이블 코인을 취급할 수 있도록 하는 내용이 담겼다. 또한, 스테이블 코인 투자자가 가격 급락으로 손해를 봤을 경우 액면가로 투자금을 돌려받을 수 있는 권리를 보장하는 투자자 보호 조치도 법안에 포함됐다. 법안은 1년 후 발효된다.

일본은 암호화폐 규정을 강화하면서 이 분야 사업에 문호를 열었다. 대표적으로 일본 금융청과 재무성은 우크라이나와의 전쟁 초기 러시아에 가해진 세계적 수준의 제재를 피하려는 암호화폐 거래소에 중징계를 경고한 바 있다.

한편, 일본의 가장 큰 증권사인 노무라 홀딩스(Nomura Holdings)는 비트코인 파생상품 서비스를 현지에 제공한다. 글로벌 암호화폐 거래소 FTX 역시 최근 일본 시장을 확장하면서 잠

105) 주요국의 가상자산 소득과세 제도 현황과 시사점/국회입법조사처

재적 시장 규모를 1조 달러로 추산했다.

지난 3월, 일본에 본사를 둔 스미토모 미쓰이 신탁홀딩스(Sumitomo Mitsui Trust Holdings)는 일본 암호화폐 거래소 비트뱅크(Bitbank)와 파트너쉽을 맺고 고객을 위한 디지털 자산 서비스를 제공한다고 발표했다. 이제 비로소 은행도 암호화폐 경쟁에 뛰어들게 되었다. 지난해 로이터통신에 따르면 일본 기업 70여 곳으로 구성된 컨소시엄은 올해 엔화 기반 암호화폐를 출시할 계획인 것으로 알려졌다.[106]

마) 중국

중국 정부는 가상화폐 산업에 대해서 아예 퇴출시키는 방향으로 규제를 강화하고 있다. 중국 인민은행은 2017년 9월 가상화폐를 불법으로 규정했다. 이어서 경제 질서를 어지럽힌다는 이유로 암호화폐공개(ICO)를 전면 금지했고, 거래소도 폐지했다. 실제로 중국 텐진시 공안은 채굴 현장을 급습해 600여대의 비트코인 채굴기를 압수했다. 중국 정부의 강경 방침은 오히려 개인 간 암호화폐 거래의 사행화란 역효과를 초래했다.

중국은 비트코인의 개인 간 거래나 소유는 가능하나 금융회사의 공식 사용은 제한하고 있다. 2013년 12월 중앙은행인 중국인민은행(the People's Bank of China)은 금융회사의 비트코인 관련 업무취급을 금지하고 비트코인 등록, 거래 등의 업무를 인터넷을 통해 서비스를 제공할 경우 반드시 공업정보화부의 심사를 거치도록 하는 「비트코인 관련 리스크 방치조치」를 발표했으며, 2014년 3월 중국 인민은행은 중국의 은행 및 지급결제관련 회사가 비트코인 거래를 위한 계좌를 2014년 4월 15일까지 정지하도록 규제를 강화한 바 있다.

2021년 9월 중국은 모든 암호화폐 사업과 거래를 불법으로 규정하였다. 이번 규제 조치는 이전 조치에 비해 사업자에 대한 규제 구속력과 규제 범위가 한층 강회되었다.

은행 및 기타 금융기관은 법정화폐와 암호화폐 간 거래, 암호화폐 간 거래를 포함한 모든 암호화폐 관련 서비스를 제공하는 것이 금지된다. 해외와 국내 상관 없이 암호화폐 거래소에서 근무하는 개인을 포함해 암호화폐 거래에 연관된 중국 내 거주자 혹은 서비스 제공자는 기소 대상이 될 수 있다. 근무자에는 기술지원, 마케팅, 결제 관련 업무 종사자도 포함됐다.[107]

앞서 중국 정부는 2019년 10월 '중국 암호법'을 통과시키며 디지털위안화 등 암호기술에 대한 통제 근거를 마련한바 있다. 중국 암호법은 암호기술을 핵심, 일반, 상용암호로 각각 분류하고 실제 사용시 정부 및 인증기관의 통제를 받도록 한 것이다.

'디지털 위안' 개발에 총력을 기울인 중국 정부는 올해 초 베이징 올림픽 현장에서 공식 지불 수단으로 이용됐다. 중국 내 루청시, 창난시, 융자시, 항저우시 등 여섯 곳의 저장성 도시 세무당국은 지난 4월부터 '디지털 위안'을 통한 소득세와 재산세 및 사회보장 보험료 등도 납부 받고 있는 것으로 확인됐다.

106) 일본의 새로운 암호화폐 규제안, 도난당한 디지털 자산 압류할 수 있어/비인크립토
107) 중국, "모든 암호화폐 거래 불법" 규정…이전과 다른 점은?/코인데스크코리아

중국 정부는 민간이 주도하는 암호화폐가 자국의 금융 주권을 침식할 수 있다고 보고 중앙집중적 통제가 가능한 CBDC(중앙은행 발행 디지털 화폐)를 강화시켰다.

그 결과 중국 전문 핀테크 분석가인 리차드 투린(Richard Turrin)의 경우 지난 3월 해외 경제매체인 씨앤비씨(CNBC)를 통해 '디지털 위안'을 바탕으로 하는 중국의 금융 기술이 미국과 다른 국가와 비교했을 때 약 10년 앞서 있다고 분석했다.[108)]

중국의 강력한 암호화폐 채굴과 거래 금지 조치에도 2022년 1월 기준 전세계에서 비트코인 채굴 2위 국가로 밝혀졌다.

케임브리지 비트코인 전기소비지수(CBECI) 최신 업데이트에 따르면 중국은 현지 정부가 자국 내 모든 암호화폐 운영을 금지한 지 수개월 만인 2022년 1월 기준으로 비트코인 해시율 2위 국가로 나타났다.

데이터에 따르면 중국의 비트코인 채굴자는 2022년 초 전 세계 전체 BTC 채굴 해시율 분포의 21.1%를 기록해 올해 1월 기준 총 해시율의 37.8%를 생산한 미국에 이어 2위를 차지했다.

중국은 한때 세계 최대 비트코인 채굴 국가였으며, 2019년에는 현지 BTC 해시율 전력이 75% 이상을 차지했다. 이후 2021년 7월과 8월 중국내 암호화폐 채굴 광산 폐쇄가 잇따르면서 해시율은 0%로 급락했다. 중국은 2021년 9월 암호화폐 금지령에도 불구하고 해시율 점유율은 같은 달 22.3%로 급등했고 분석 기간 동안 18% 아래로 떨어지지 않았다.[109)]

바) 러시아

러시아 정부는 2020년 8월 디지털금융자산법(DFA)을 만들어 암호화폐의 법적 정의와 지위를 부여했지만, 법적인 지불수단으로 인정하는 문제를 놓고는 행정부와 중앙은행이 대립하고 있었다. 러시아 정부는 당초 불법행위에 악용될 수 있다며 암호화폐를 지불수단으로는 인정하지 않고 있다.

2022년 2월 러시아 재무부가 가상자산 규제를 위한 법안을 발의했다. 법안은 가상자산을 법정화폐가 아닌 투자수단으로 취급하고, 결제에는 사용할 수 없도록 한다는 내용을 담고 있다.

또 가상자산 거래소가 일정 기준을 충족해야 정부의 허가를 받을 수 있고, 해외 가상자산 거래소도 러시아에서 서비스하기 위해서는 허가를 받아야 한다. 특히 현금을 통한 가상자산 투자는 은행계좌를 통해 이뤄져야 하며, 고객확인(KYC) 절차를 갖춰야 한다고 강조하고 있다.

거래소들은 특히 가상자산 투자에 대한 위험성을 투자자에게 알려야 하고, 투자자들이 이를

---

108) [집중분석] 피할 수 없는 국제적 금융 흐름, '디지털 화폐'/경향게임스
109) 중국, 암호화폐 금지에도 비트코인 채굴 2위 국가로 급부상/글로벌이코노믹

인지하고 있는지 확인하기 위해 온라인 테스트를 거쳐야 한다고 명시했다. 테스트를 통과한 투자자들은 연간 60만루블까지 투자할 수 있으며, 통과하지 못한 사람들은 5만루블만 투자할 수 있도록 하고 있다. 가상자산 거래소는 자체적으로 보유한 가상자산과 투자자들이 보유하고 있는 가상자산을 별도의 계좌에 보관하고, 모든 투자자들의 가상자산 주소 기록을 가지고 있어야 한다는 내용을 담고 있다.[110)]

러시아가 가상화폐 시장으로부터 매년 최대 130억 달러(한화 약 15조5584억 원)의 세금을 징수할 수 있다는 보도가 나왔다. 러시아 매체인 더 벨(The Bell)이 소득세 6%를 기준으로 가상화폐 세금 징수액을 추산한 결과를 이같이 보도했다.

매체에 따르면 러시아 내 가상화폐 시장 규모는 2140억 달러(한화 약 257조 원)로, 글로벌 시장의 12%를 차지하는 수준으로 예상된다. 러시아 내 가상화폐 투자자 인구는 약 1000만 명으로 추산된다.

만약 러시아 당국에 자국 내 투자자들 대상으로 소득세에 따라 세금을 징수하면, 최소 1460억 루블(한화 약 2조3257억 원)에서 최대 1조 루블(한화 약 15조5584억 원)까지 거둬들일 것으로 예상된다.

예상 세금 징수액 범위가 넓게 계산된 것은 기본 소득세만 부과할 경우와 가상화폐 세금을 추가적으로 징수할 경우로 나눠 살펴봤기 때문이다.

최근 러시아 내에서는 암호화폐 제재를 두고 정부부처간 의견이 달라 충돌을 겪고 있다. 앞서 러시아 중앙은행은 러시아 내 가상화폐 채굴, 거래, 중개 등 모든 활동을 전면 금지할 예정이라고 밝혔다.[111)]

2022년 7월 러시아 중앙은행 금융 기술 부서 책임자 키릴 프로닌(Kirill Pronin)은 성명서를 통해 러시아 중앙은행은 채굴을 통한 수익이 러시아 외부에서 법정통화로 전환되는 경우 채굴의 합법화에 동의하겠다고 밝혔다. 이는 가상화폐 합법화 단계를 밟고 있음을 의미하며 아직 구체적인 법안은 마련되지 않았다.

러시아는 올해 초 채굴을 포함한 대부분의 관련 활동에 대해 전면 금지를 발표하는 등 강경한 태도를 취하던 때와는 완전히 다른 행보를 보이고 있다. 이러한 태도는 다른 관련 기관의 강경한 반대와 우크라이나와의 전쟁으로 인한 재정적 어려움을 해결해야 하는 상황에 직면하면서 선회하기 시작했다.

그러나 외국 무역에서 암호화폐 결제가 허용되는 반면 러시아 중앙은행은 암호화폐 사용이 국민의 행복과 금융시스템의 안전성에 심각한 위험을 초래하고 있다면서 암호화폐의 채굴·거래 등 전면 금지를 주장하고 있다.

---

110) [글로벌포스트] 러시아 재무부, 가상자산 규제 법안 발의/파이낸셜뉴스
111) "러시아, 가상화폐 세금 징수액 연간 15조원 예상"/코인판뉴스

러시아 정부가 최근 가상자산 거래에 대한 과세를 도입하기 위한 법안 초안을 국가두마(하원)에 제출했다. 2022년 4월 17일(현지시간) 비트코인닷컴이 인용한 해당 법안에 따르면 가상자산을 포괄하는 용어인 디지털금융자산(DFA)을 발행하거나 거래하는 플랫폼 서비스에 부가가치세(VAT)가 부과된다.

또한 증권 및 유틸리티토큰을 다루는 '디지털권리'도 과세 대상이다. 과세 기준은 토큰 판매가와 취득가 차이로 결정될 예정이다. 러시아 기업은 디지털권리 수익의 13%를, 외국 기업은 15%를 세금으로 내야 한다.

한편 러시아 정부는 가상자산 과세 법안과 함께 가상자산을 결제수단으로 인정하는 '가상자산 유통 및 채굴 규제법 초안'도 제출할 예정이다. 매체는 이에 대해 "두 개의 법안은 봄 안에 모두 채택될 것으로 전망된다"고 설명했다.[112)]

사) 호주[113)]

호주는 암호화폐(cryptocurrency)를 자본이득세 과세대상 자산(capital gain tax asset)으로 보아 개인이 암호화폐를 처분하여 발생한 소득에 대해 0%~45%의 세율로 자본이득세를 종합과세한다.

만약 개인이 1년 이상 보유한 암호화폐를 처분하여 소득이 발생한 경우에는 순자본이득의 50%를 공제한 나머지에 대하여만 과세한다(CGT discount). 즉 암호화폐를 다른 자본이득세 과세대상 자산인 주식, 채권, 파생상품 등과 동일하게 취급하고 있다. 만약 개인이 사업활동의 일환으로 암호화폐를 처분하여 발생한 소득에 대하여는 자본이득이 아닌 경상소득으로 보아 0%~45%의 세율로 종합과세한다.

개인적으로 사용하거나 소비하기 위한 물품을 구입하기 위해 암호화폐를 짧은 기간 동안 보유하거나 사용하는 경우에는 개인용 자산(personal use asset)에 해당할 수 있는데, 개인용 자산으로서 1만 호주달러 미만으로 취득한 암호화폐를 처분한 경우에는 과세대상이 아니다. 다만, 암호화폐를 투자, 이익창출 또는 사업활동 목적으로 보유하거나 사용하면 개인용 자산에 해당하지 않으므로 과세대상이다.

호주는 채굴을 사업으로 수행하였는지 여부에 따라 채굴된 암호화폐에 대한 과세방식을 달리 정하고 있는데, 즉 개인이 비사업적으로 채굴하여 취득한 암호화폐는 취득시점에 과세하지 아니 하고 이를 처분할 때 그 소득에 대하여 자본이득세를 과세하고, 사업활동으로 채굴하여 취득한 암호화폐는 취득시점의 시가에서 채굴을 위해 지출한 필요경비를 차감한 금액에 대하여 과세한다.

개인이 투자 목적으로 보유한 암호화폐의 하드포크로 새로운 암호화폐를 취득한 경우 취득시

112) 국제결제망 퇴출된 러시아 “암호화폐 결제수단 인정할 것”/조선비즈
113) 주요국의 가상자산 소득과세 제도 현황과 시사점/국회입법조사처

점에는 과세하지 아니하고 이를 처분할 때 그 소득(취득가액은 0으로 본다)에 대하여 자본이득세를 과세하고, 사업활동 목적으로 보유한 암호화폐가 하드포크된 경우에는 통상적인 사업활동에서 판매하거나 교환하기 위해 보유하는 재고자산(trading stock)으로 취급한다. 에어드랍으로 취득한 암호화폐는 취득시점의 현금가치를 경상소득으로 보아 종합과세한다.

암호화폐 처분으로 인한 순자본손실은 기간 제한 없이 이월하여 자본이득에서만 공제할 수 있고, 개인용 자산에 해당하는 암호화폐의 처분으로 발생한 손실은 공제대상이 아니다. 다만, 자본손실 외의 다른 손실을 자본이득에서 공제하는 것은 가능하다

(단위: 호주달러)

세율	과세표준	누진공제
0%	18,200 이하	-
19%	18,201 ~ 45,000	3,458
32.5%	45,001 ~ 120,000	9,533
37%	120,001 ~ 180,000	14,933
45%	180,001 이상	29,333

※ 주: 1. 저소득층 세액공제(Low income tax offset)로 0~700호주달러를 세액공제하는데, 즉 과세표준이 37,500호주달러 이하이면 700호주달러, 66,667호주달러까지 소득 증가액만큼 공제액을 차감하여 산정한 금액을 세액공제하고, 또한 중저소득층 세액공제(Low and middle income tax offset)로 420~1,500호주달러를 세액공제하는데, 즉 과세표준이 37,000호주달러 이하이면 675호주달러, 48,000호주달러까지 소득 증가액만큼 공제액을 가산하여 산정한 금액, 48,001~90,000호주달러인 경우 1,500호주달러, 90,001~126,000호주달러인 경우 소득 증가액만큼 공제액을 차감하여 산정한 금액을 세액공제하며, 저소득층 세액공제와 함께 적용됨(호주 「Income Tax Assessment Act 1997」, Subdivision 61-D)

2. 호주의 소득세 과세기간은 원칙적으로 당해 연도 7월 1일부터 다음 연도 6월 30일까지임

※ 자료: 호주 「Income Tax Rates Act 1986」, Schedule 7. General rates of tax

[그림 88] 호주 2021년~2022년 종합소득세율

아) 싱가포르

싱가포르는 대표적인 친(親)암호화폐 국가이다. 가상통화(virtual currency)는 화폐(money), 통화(currency) 또는 상품(goods)이 아니라 지적재산권과 같은 권리(right)를 가진 서비스로 인식하고, 상품이나 서비스(goods and services)를 구입하고 가상통화로 대금을 지급할 경우 바터거래(barter trade)로 간주한다.

싱가포르 정부는 혁신 기술이 미래 금융서비스를 변화시킬 것이라는 확신 아래 2015년부터 핀테크 생태계를 조성해왔다. 블록체인 기술을 중점 투자분야로 선정하고 싱가포르 통화당국(MAS)를 중심으로 혁신기술의 채택 및 발전에 필요한 디지털 인프라를 구축했다. 그 결과 단기간에 아시아 지역의 '가상자산 허브'로 성장하게 되었다.

특히, 싱가포르 내 가상화폐 시장 투자가치는 최근 급격한 성장세를 보였다. 통계 정보 제공 업체인 스태티스타(Statista)의 자료에서 지난 2020년의 싱가포르 내 가상화폐 시장 투자가치는 1억 975만 달러(한화 약 1,423억 원) 규모였다. 이후 일 년 만에 현지 시장 투자가치는 폭

발적인 증가세를 보이며 지난 2021년 14억 8천만 달러(한화 1조 9,186억 원)를 기록했다.

현지 가상화폐 지갑 서비스 업체인 트리플에이(Triple-A)는 지난해를 기준으로 싱가포르 내 9.4%의 인구가 가상화폐 시장에 참여하고 있다고 분석했다. 같은 자료에서 우리나라 투자 인구 비율은 3.9%로 집계됐다.

최근 싱가포르 정부는 가상자산을 포함한 금융산업의 전세계 영향력을 강화하기 위해 가상자산 산업을 적극 육성했던 그 동안 정책방향에서 선회해 규제를 도입, 투자자를 보호를 위해 규제 강화에 나섰다. 싱가포르에 본사를 두고 있던 가상자산 업체들로 인해 최근 수많은 피해가 발생하고 있는 것이 싱가포르의 정책 변화를 촉발한 것으로 보인다.

MAS는 그동안 싱가포르를 세계적인 디지털 자산 허브로 만들기 위해 관련 기업들에 대해 우호적인 입장을 유지해왔으나 이러한 환경을 잘못된 사업의 기회로 이용하려는 기업에 대한 엄격한 규제가 필요하다고 지적했다. 또한 그는 실제로 싱가포르에 기반을 둔 암호화폐 기업 상당수가 당국의 지침을 비키지 않거나 적절한 사업 승인을 받지 않는 등 관련 규제를 무시하고 있다고 강조했다.

싱가포르는 최근 급락하며 많은 피해자를 양산한 테라·루나 관련 개발사인 테라폼랩스와 루나파운데이션가드가 통화청에 등록된 기업이 아니라고 말했다. 테라는 허가를 받은 적이 없으며, 허가를 신청하거나 허가 면제를 요청한 적이 없다고 설명했다.

4조6000억원 규모의 채무 상태로 파산 절차를 밟고 있는 3AC에 대해서는 싱가포르의 결제서비스법에 따른 규제 기업이 아니라면서 자금 운용 체계에 따른 등록 기업으로 제한적으로 자금을 운용했었지만, 최근 채무불이행 문제가 불거지기 이전에 싱가포르 운영을 중단했다고 말했다.

이달 인출, 거래, 예치를 중단한 암호화폐 대출업체 볼드(Vauld)도 허가 신청서를 제출했지만 심사 보류 상태로, 테라와 마찬가지로 싱가포르 내 무허가 운영을 하고 있었다고 설명했다.[114)]

비인크립토는 2022년 7월 12일 글로벌 회계법인 KPMG의 자료를 인용, 싱가포르에 있는 가상자산 및 블록체인 기업에 대한 투자가 2021년 전년의 10배인 1억4800만달러(약 1930억원)를 기록했다고 보도했다. 이는 2021년 아시아·태평양 지역 가상자산 및 블록체인 기업 투자액의 절반에 해당하는 것이다.

또 다른 글로벌 회계법인 PwC에 따르면 전세계 가상자산 펀드의 6%가 싱가포르에 기반을 두고 있다. 미국과 영국에 이은 세계 3위 규모로 스위스, 홍콩과 비슷한 수준이다.

MAS는 지난 1월 일반 투자자의 가상자산 투자를 제한하는 지침을 발표했다. 가상자산 관련 마케팅과 가상자산 입출금기(ATM)를 금지한 것이다. 가상자산 거래가 일반 대중에게 적합하

114) 싱가포르 금융당국 "테라·3AC, 우리나라 기업 아냐...허가 준 적 없다"/토크포스트

지 않다는 이유에서다. 특히 싱가포르는 2020년에 가상자산 사업자에 대한 허가제를 도입했는데 지금까지 약 200곳이 신청했지만 현재까지 허가를 받은 곳은 14곳에 불과하다.

특히 세계 최대 가상자산 거래소인 바이낸스도 허가를 받지 못한 것은 물론 지난 해에는 현지에서 결제 서비스를 중단하라는 명령을 받았다. 바이낸스는 여전히 싱가포르에서 사업을 하고 있지만 결제 서비스는 하지 못하고 있다. 가상자산 거래소 후오비도 싱가포르에서 허가를 받지 못하면서 지난 해 말 현지에서 서비스를 중단한다고 발표했다. 싱가포르에 본사가 있던 바이비트는 최근 본사를 두바이로 이전했다. 가상자산 관련 기업들에게 싱가포르의 매력이 감소하고 있는 것이다.115)

2020년 4월 싱가포르 세무국은 디지털 토큰과 ICO의 거래소득세 처리를 다루는 <암호화폐 소득세 과세 가이드>를 발표했다. 이 가이드는 세 가지 유형의 디지털 토큰, 즉 지불형 토큰, 유틸리티 토큰과 보안 토큰에 중점을 두고 있으며, 비정상적인(예를 들어 에어드롭 또는 하드포크를 통한) 방식으로 토큰을 받는 것에 대한 세수 방식을 더욱 명확히 했다.

지침에 따르면, 결제 토큰이 법정통화가 아니라고 강조하면서도 결제 토큰을 통해 실시한 거래는 바터무역(barter trade), 즉 금전의 수수가 없는 물물교환으로 간주한다. 상품을 판매하고 결제 토큰을 수령한 기업은 판매 상품가를 기초로 한 ㅇ리반적인 납세 의무가 발생한다. 상품 구입 및 서비스 이용에 대한 대금을 결제 토큰으로 지불한 경우에도 일반적인 세액공제 혜택을 받을 수 있다.

지불형 토큰 수령인은 제공된 기본 상품 또는 제공된 서비스의 가치에 따라 과세된다. ICO의 경우 발행된 토큰의 권리와 기능에 따라 세금 수입이 부과된다. 동시에 증권형 토큰 발행 수익은 주식 발행 수익이나 자본 성격의 수익과 유사하기 때문에 세금을 납부할 필요가 없다. 그러나 토큰 소유자에게 지급되는 배당금이나 이자에는 일반 소득세 및 원천 징수 의무가 적용된다.116)

암호화폐 채굴 활동은 수익 창출 의도 유무에 따라 과세된다. 채굴자가 취미나 장기적인 투자로서 채굴 토큰을 보유할 수 있으며 이 경우 결제 토큰의 처분 손익은 과세 및 공제의 대상이 아니다. 반대로 채굴 수익을 내기 위해 반복적, 체계적으로 활동하는 경우에는 업무를 수행하는 것으로 간주되어 과세 대상이 될 수 있다.117)

자) 인도118)

인도에서 가상화폐 규제의 첫 단추가 된 것은 인도 중앙은행이 2018년 4월 6일에 발표한 회람으로, 본 회람은 은행이나 금융 기관이 가상화폐 거래나 가상화폐 거래자에게 서비스를 제공하는 것을 금지했다.

---

115) 아시아 '가상자산 허브' 싱가포르...규제로 입지 축소?/블록포스트
116) [분석] 주요 10개국 암호화폐 과세 가이드라인/중앙일보
117) 싱가포르 국세청, 암호화폐 과세 개정 지침 공개/토큰포스트
118) 아시아 국가별 가상화폐 규제 비교/Asia Business Law Journal

회람이 발표된 2018년 4월 전까지 인도에서는 가상화폐 시장이 규제 대상이 아니었으며, 이에 따라 가상화폐가 통화 정책의 실효성에 미칠 잠재적 영향과 소비자 보호 및 시장 건전성, 시스템 리스크에 관한 우려가 높았다. 중앙은행은 2013년, 2015년, 2017년 금융 안정성 보고서에서 지속적으로 가상화폐의 법적·시스템적 리스크에 대한 우려를 표해왔으며 국민들에게 가상화폐 관련 리스크에 대한 경고를 발표하기도 했다.

2013년과 2018년 사이 가상화폐의 가치는 막대하게 높아졌으며, 가상화폐공개(ICO) 또한 급격히 증가했다. 이로 인해 2017년 11월 2일 가상화폐 금지 및 규제의 장단점을 평가하기 위해 부처 간 대표들로 구성된 위원회가 새로이 설립되었다. 본 위원회는 '2018년 가상화폐 및 가상 자산(금지, 통제 및 규제) 법안'을 발의했으며, 민간 가상화폐의 규제를 권고했다. 위원회는 가상화폐를 금지하는 것이 과도한 조치이며, 대신 가상화폐 거래소를 규제하여 판매와 거래를 승인하는 제도를 제안했다.

본 법안은 인도 가상화폐 규제의 토대를 마련했습니다. 그러나 이후 가상화폐의 전면 금지가 발표되어 갑작스러운 노선의 변경이 있었다. 중앙은행은 2018년 4월 6일 은행, 금융 기관, 온라인 결제 시스템 제공자가 가상화폐를 거래하거나 가상화폐를 거래하는 이들에게 서비스를 제공하는 것을 즉시 금지하는 회람을 발표했다.

이에 따라 가상화폐 업계는 인도 인터넷 모바일 협회의 지원을 받아 대법원에 해당 회람에 대한 위헌 소송을 제기했다. 이에 따라 정부는 또 다른 부처 간 위원회를 설립했으나, 해당 위원회는 2019년 보고서에서 법률 제정을 통해 해당 회람을 더욱 강화하고, '2019년 가상화폐 금지와 공식 디지털 화폐의 규제 법안'을 통해 민간 가상화폐를 완전히 금지할 것을 촉구했다. 해당 법안은 또한 중앙은행과의 협의를 통해 정부가 디지털 루피화를 법화로 발행할 것을 제안했다.

2020년 3월 4일 대법원은 비록 정부가 직접 가상화폐를 금지하는 것은 아니지만, 해당 회람이 가상 화폐 거래소의 생명줄인 은행 서비스를 차단하여 가상화폐 거래소의 기능을 마비시키기 때문에 가상화폐의 전면 금지는 지나치게 과도한 조치라고 강조했다.
인도 의회는 2021년 1월 '가상 화폐 및 공식 디지털 화폐 규제 법안(The Crypto currency Regulation of official digital Currengy Bill)을 발표했다.

주요 규제안은 다음과 같다.
① 가상화폐 거래는 인도증권위원회(SEBI)가 규제하고 있는 거래소만 통해 진행되어야 한다.
② 가상화폐 거래 당사자는 합법적인 거래소에서 소유한 가상화폐를 신고하고 입출금 관련 법적 규제를 준수해야 한다
③ 해당 규제를 어길 경우, 개인은 최고 1년 6개월 실형 혹은 5천만 ~ 2억 루피의 벌금이 부과될 수 있다.
또한 가상화폐 광고 시에도 제약이 있으며 투자 위험성에 대한 경고 문구도 의무적으로 삽입되어야 한다. '화폐·증권·예금' 등 정규 화폐와 혼동을 줄 수 있는 표현은 금지되며, 단기 수익에 대한 언급도 금지된다.

인도 정부는 2022년 2월 인도중앙은행(RBI)이 발행하는 공식 디지털화폐를 도입하고 가상화폐 등 디지털 자산 소득가상화폐 거래 소득세 30% 및 거래세 1% 부과 방침을 발표했다. 여기서 소득세 30%의 근거는 인도 소득세법 분류에서 '복권·카지노·도박'등 사행성 사업에 부과되는 소득세 31.2%를 기반으로 책정된 것으로 보인다.

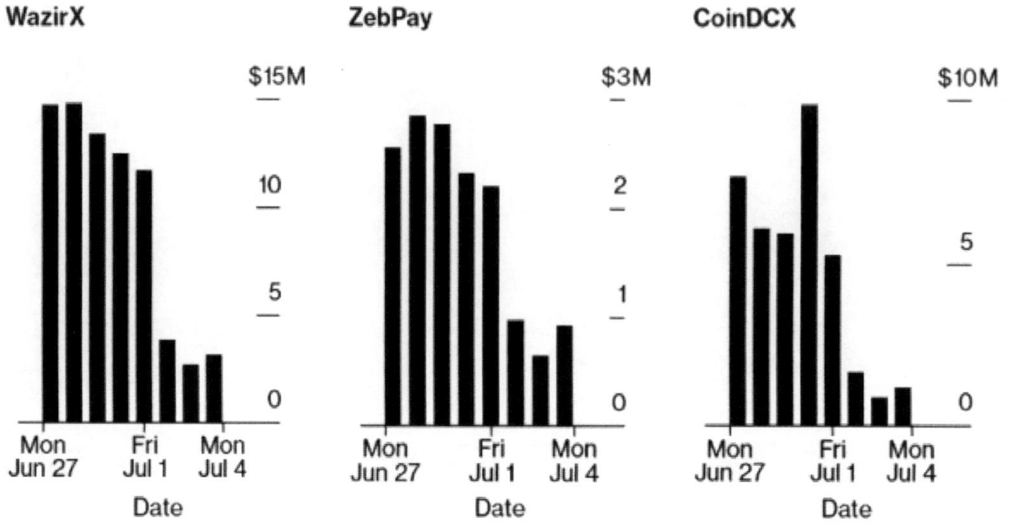

[그림 89] 인도 주요 가상자산 거래소 일일 거래액 추이(단위:100만달러)

인도 정부가 가상자산(가상화폐) 거래에 세금을 매기기 시작하면서 인도 시장에서 거래가 60% 넘게 급감했다. 2022년 7월 4일 블룸버그통신에 따르면 젭페이와 와지르X, 코인DCX 등 인도 3대 거래소는 이달 1일부터 시행된 '거래액 1% 세금공제'로 인해 일일 거래 규모가 60~87% 급감했다. 거래소 4위에 올라있는 지오터스 역시 거래가 70% 줄어든 것으로 집계됐다.[119)]

차) 태국

태국은 가상화폐와 디지털 자산을 구체적으로 명시하는 법을 발표한 아시아 최초의 국가이다. 태국 정부는 2018년 5월 가상화폐 거래 및 가상화폐를 통한 기업의 자금조달(가상화폐공개·ICO)을 규제하는 내용의 '디지털자산법안'을 발효했다.

본 법은 태국에서 코인 공개(ICO)를 하고자 하는 사업자가 반드시 태국 증권거래위원회(SEC)에 등록해야 하며, 증권위가 승인한 ICO 포털을 통해서만 ICO 행위가 이루어져야 한다고 규정하고 있다. ICO 포털은 디지털 토큰의 공개를 주관하는 전자 시스템으로서, 토큰과 발행사의 자격 실사, 관련 문서의 정확성과 온전성 보장, 투자가에 대한 검토를 보장할 것이다. 또한 디지털 자산을 유형별로 명확하게 정의하고, 거래소, 중개사, 딜러 등이 합법적으로 사업을 영

119) 인도, 가상자산 거래세 적용에 거래 60% 넘게 급감/이투데이

위하기 위해 필요한 자격 요건을 규정한다.

법안에는 가상화폐 사기 및 미등록 무단 거래 시 최대 5년 이내의 징역이나 50만바트(약 1680만원) 이하의 벌금을 받을 수 있다는 내용이 담겨 있다.

당국에 등록하지 않은 중개인이나 미등록 중개인을 통해 가상화폐를 거래한 이용자는 2년 이하 징역형을 받고 최대 50만바트 내에서 가상화폐 거래액의 최소 두 배에 달하는 벌금을 물어야 한다. 허위 신고는 징역 5년형을 받을 수 있다.

디지털 자산으로 무단 사업을 벌이는 사람들은 2년 이상 5년 이하 징역형을 받는다. 이들은 또한 사업을 시작한 날부터 일수를 모두 계산해 하루당 최대 1만바트(약 33만원) 이하의 벌금을 물어야 한다. 차명계좌의 차명 당사자는 1년 이하의 징역과 10만바트(약 340만원)의 벌금형에 처해질 수 있다.[120)]

2022년 3월 태국 정부는 당국 인가를 받은 거래소를 이용하면 7%에 달하는 부가세를 면세하겠다고 발표했다. 이뿐 아니라 가상화폐 매도를 통해 발생한 수익에 연간 손실분을 반영한 금액데 과세해 납세자 부담을 덜어줄 계획이다. 징수 자체에 목적을 두는 것이 아니라 시장 변동성에 따라 손실을 겪은 투자자 입장까지 고려하겠다는 것이다.

아울러 태국 암호화폐 산업을 육성하겠다는 의지도 나타냈다. 당국은 암호화폐 스타트업에 2년 이상 투자할 투자자에게 최대 10년까지 비과세 혜택을 제공할 계획이다.

태국 정부는 2022년 1월 가상화폐 시세차익에 대해 15%의 세율로 과세하겠다고 발표했지만 가상화폐 투자자뿐 아니라 일부 정치계 인사들도 문제를 제기하며 논란이 됐었다. 당시 껀 짜띠까와닛(Korn Chatikavanij) 전 재무장관은 "국세청은 가상화폐를 상품으로 보고 부가가치세를 징수하려고 하는데, 이 경우 가상화폐를 매도할 때와 법정화폐로 환전할 때 이중 과세가 발생할 수 있다"고 지적했다.

이에 태국 정부는 몇 주만에 이전 계획을 백지화하고 가벼운 과세를 통해 산업 발전을 지원하겠다는 입장을 내놨다. 개정 과세 정책에 따른 이번 면세 혜택은 2022년 4월부터 2023년 12월까지 시행될 예정이다.

아르콤 투르미타야파이시스(Arkhom Termpittayapaisith) 태국 재무장관은 "이번 과세 정책은 동남 아시아 2대 경제국인 태국에서 신생 디지털 자산 시장을 육성하기 위해 개발한 것"이라면서 "태국은 가상화폐 지원 정책을 개발하고 업계 의견을 반영하며 아시아의 최대 가상화폐 중심지 중 하나로 성장하고 있다"고 말했다.[121)]

---

120) 태국, 가상화폐 무단거래 5년 징역형…강력 디지털자산거래법 시행/아시아투데이
121) 태국 "규제 승인 거래소 이용하면 부가세 7% 면제"/토큰포스트

5) 국내 가상화폐 정책[122)]

작년 말 한때 세계 최대 가상화폐 거래소로 부상했던 업비트(회사명 두나무)는 이싱가포르에 새로운 거래소 '업비트 싱가포르'를 설립했다. 신규 거래소 설립은 해외 시장 개척을 위한 거점 마련이라기보다는 생존을 위한 탈출(脫出)에 가깝다. 올 초 정부가 규제에 나선 뒤 작년 말 하루 최대 12조원에 육박했던 거래액은 1000억~3000억원으로 급감해 거래 수수료가 주(主) 수익인 가상화폐 거래소에 거래액 감소는 직격탄이기 때문이다.

사실 정부가 가상화폐에 대한 명확한 규제안을 발표한 적은 없다. 2018년 초 박상기 법무부 장관이 "우리나라 가상화폐 거래는 사실상 투기, 도박과 같은 양상을 보인다"며 "거래소 폐쇄까지도 검토한다"고 말하는 등 정부 인사들의 구두 압박이 이어졌을 뿐이었다.

하지만 이후 은행권이 일사불란하게 움직였다. 예컨대 업비트에서 가상화폐 거래를 하려면 기업은행에 실명 계좌를 만든 뒤 업비트 가상 계좌와 연결해야 한다. 하지만 기업은행은 2018년 2월 이후 업비트 측에 신규 계좌 개설을 허용하지 않고 있다. 업비트는 다른 은행들에 제휴를 요청했지만 모두 거절당했다. 신규 고객 확보의 길이 막힌 것이다. 여기에 대형 가상화폐 거래소는 예외 없이 모두 검경의 수사를 받았다.

2018년 1월 코인원이 마진 거래 혐의로 경찰 조사를 받았고 2월에는 빗썸이 해킹 사건과 관련해 압수수색을 당했다. 5월에는 업비트가 전산 위조 혐의로 압수수색을 받았다. 심지어 중소벤처기업부는 이달 '벤처특별법 시행령'을 개정하면서 가상화폐 거래소를 도박장·술집과 함께 벤처 인증 대상에서 제외하기도 했다.

여기에 금융위원회가 가상화폐공개(ICO)를 금지하면서 국내 가상화폐의 유동성도 약해졌다. ICO(Initial Coin Offering)는 기업이 사업계획서를 공개하고 가상의 코인을 발행해 투자자에게 판매하는 방식으로 사업 자금을 확보하는 것이다. 최근 4년간 전 세계 ICO 자금 조달은 약 200억달러(22조7000억원)로, 이 가운데 한국 기업이 발행한 규모는 5억4430만달러다. 하지만 한국 기업의 ICO는 전부 해외에서 이뤄졌다. 이병태 카이스트 교수는 "부작용을 막는 적절한 규제는 필요하지만 지금 정부는 거래 자체를 봉쇄하는 규제를 하고 있다"며 "앞으로 4~5년간 육성을 잘하면 일자리 5만~6만개를 창출할 산업을 정부가 규제의 칼로 잘라버리고 있다"고 말했다.

한국은 정부 기관들이 각각 별개로 CBDC 관련 암호기술을 연구하고 있어 공통 기준을 마련하기 어렵고, 기존 법에서 정의하는 암호기술에 대한 의미가 모호해 CBDC 전개에 제도적인 한계가 있다.

CBDC 상용화와 관련해 국내 금융당국에서는 내부적인 논의를 활발히 진행하고 있으며, 향후 이뤄질 발행에 대비해 전자금융거래법에 CBDC 거래를 위한 법적근거를 마련하는 등 제도적 기반을 구축하기 위해 노력중이다. 그렇기에 현재 CBDC 연구를 주도적으로 진행하고 있는 한국은행에서 블록체인 기반 지역화폐 도입을 추진하는 과학기술정보통부와의 협업을 통해

122) 주요국의 가상자산 소득과세 제도 현황과 시사/국회입법조사처

암호기술의 관리 주체나 대상, 관리 정도를 공동 검토하여 CBDC 발행 및 운영 모델을 선제적으로 정립할 필요가 있다.

우리나라는 국제회계기준상 가상자산을 원칙적으로 무형자산으로 분류하고 있으며, 상표권등 무형자산에서 발생한 소득을 기타소득으로 보아 과세하고 있는 현행 소득세 과세체계 등을 고려하여 2023년부터 가상자산을 양도하거나 대여함으로써 발생하는 소득을 기타소득으로 분류하여 분리과세하는데, 가상자산 양도·대여의 대가에서 실제 취득가액과 부대비용을 공제한 금액에서 250만원을 뺀 금액에 20%의 세율을 곱한 금액을 결정세액으로 하여 과세하고, 가상자산 소득금액이 250만원 이하인 경우에는 과세하지 아니한다. 가상자산 간의 교환으로 발생하는 소득도 과세대상에 해당한다.

가상자산소득의 과세기간은 1년으로 가상자산을 여러 차례 양도·대여하여 손실과 이익이 발생한 경우에는 연간 손익을 통산하여 소득금액 및 세액을 계산하고 다음 연도 5월 1일부터 5월31일까지 가상자산소득에 대한 세금을 신고·납부해야 한다. 즉 우리나라 거주자는 2023년 가상자산 거래로 발생한 소득에 대해 2024년 5월에 소득세를 신고하고 납부해야 한다. 가상자산의 양도·대여로 발생한 연간 손실이 이익을 초과하여 결손금이 발생하더라도 이를 이월하여 가상자산소득에서 공제하는 것은 불가능하다.

비거주자의 경우 가상자산을 양도·대여하여 발생한 소득뿐만 아니라 가상자산사업자 등이 보관·관리하는 가상자산을 인출하는 경우도 국내원천 기타소득으로 보아 과세하는데, 가상자산소득을 비거주자에게 지급하는 가상자산사업자 등은 그 소득을 지급할 때 소득세를 원천징수하여 그 원천징수한 날이 속하는 달의 다음 달 10일까지 납부하여야 한다. 원천징수대상 금액은 가상자산소득의 필요경비가 확인되는 경우에는 가상자산의 양도·대여·인출로 인하여 지급하는 금액에 10%의 세율을 적용한 금액과 가상자산소득의 수입금액에서 필요경비를 공제한 금액에 20%의 세율을 적용한 금액 중 적은 금액이고, 필요경비가 확인되지 아니한 경우에는 양도·대여· 인출로 인하여 지급하는 금액에 10%의 세율을 적용한 금액이다.

구분	과세대상 가상자산소득	세율	과세방식
거주자	양도, 대여, 교환 등	20%	분리과세
비거주자	양도, 대여, 인출 등	Min[지급금액×10%, (수입금액-필요경비)×20%]	원천징수

※ 주: 1. 가상자산소득이 연 250만원 이하인 경우 과세하지 아니함(「소득세법」 제84조제3호)

2. 가상자산 과세제도의 실효성 확보를 위해 가상자산사업자 신고의 수리, 가상자산사업자의 가상자산 이전시 정보제공의무(트래블 룰), 과세자료 및 지급명세서 제출의무, 해외 가상자산계좌 신고의무를 각 규정하였음

※ 자료: 「소득세법」 관련 규정을 토대로 저자 작성

[그림 90] 우리나라 가상자산소득 과세제도

가상자산소득이 있는 자의 소득세 신고내용 및 가상자산사업자 등의 원천징수의무 이행 여부를 검증하고, 무신고·과소신고 또는 원천징수의무 불이행 시 소득세를 과세하기 위해서는 가상자산 사업자가 가상자산소득이 발생한 자에게 그 소득을 원화 등으로 지급한 내역, 가상자

산소득이 있는 거주자의 가상자산 취득가액, 가상자산을 보유한 자의 가상자산 거래내역 등을 확인할 수 있어야 한다. 이를 위해 우선 가상자산 거래를 영업으로 하는 자는 정보보호 관리체계(ISMS) 인증을 획득하고, 원화 등 금전과 가상자산의 교환이 가능한 원화마켓의 경우 실명확인이 가능한 입출금 계정을 통해 금융거래 등을 해야 가상자산사업자 신고를 수리할 수 있도록 정하였고, 신고를 하지 아니하거나 신고가 수리되지 아니한 상태에서 가상자산거래를 영업으로 한 자에 대해서는 5년 이하의 징역 또는 5천만원 이하의 벌금에 처하도록 규정하였다.

또한 가상사산 이선 시 가상자산사업자의 정보제공의무(트래블 룰) 규정을 2020. 3. 24. 신설하였고, 관련 업계의 정보제공시스템 구축작업을 거쳐 2022. 3. 25.부터 본격적으로 시행되었다. 즉 가상자산사업자가 다른 가상자산사업자에게 100만원 이상의 가상자산을 이전하는 경우 송·수신인의 성명과 가상자산주소를 제공하고, 금융정보분석원장 등이 요청하는 경우 송신인의 주민등록번호 등을 제공하도록 정하고 있으며, 관련 자료를 5년간 보존할 의무를 부과하고이를 이행하지 아니할 경우 3천만원 이하의 과태료를 부과하도록 규정하였다.

그리고 신고가 수리된 가상자산사업자는 2023년부터 소득세 부과에 필요한 자료인 가상자산거래명세서를 거래가 발생한 날이 속하는 분기의 종료일의 다음다음 달 말일까지, 가상자산거래집계표를 거래 발생 연도의 다음 연도 2월 말일까지 관할 세무서장에게 각각 제출하여야 한다. 또한 가상자산의 양도·대여·인출로 발생하는 소득을 비거주자에게 지급하는 가상자산사업자등은 지급명세서를 관할 세무서장에게 그 지급일이 속하는 연도의 다음 연도 2월 말일까지 제출하여야 한다.

더불어 2020. 12. 22. 해외 가상자산계좌를 해외금융계좌 신고대상에 포함하여 2022년부터 해외 가상자산계좌 신고의무를 부과하였는데, 국외에 소재하는 가상자산사업자 등과 가상자산 거래를 위하여 해외 가상자산사업자 등에 개설한 계좌를 보유한 거주자 중에서 해당 연도의 매월 말일 중 어느 하루의 계좌 잔액이 5억원을 초과하는 자는 해외 가상자산 계좌정보를 다음 연도 6월 1일부터 30일까지 관할 세무서장에게 신고하여야 한다. 해외 가상자산 계좌정보를 신고하지 아니한 경우 미신고 금액, 과소 신고한 경우 실제 신고한 금액과 신고하여야 할 금액과의 차액의 각 20% 이하에 상당하는 과태료를 부과한다.

금융위원회가 가상자산, 블록체인 등 디지털자산 산업 성장을 위해 ‘가상화폐 업권법’이른바 코인법 제정을 본격적으로 추진하기로 했다. 2022년 8월 8일 금융위에 따르면 김주현 금융위원장은 이날 오후 서울 용산 대통령실에서 '위기 선제대응 및 위기 넘어 금융산업과 우리경제의 재도약 뒷받침'을 주제로 진행된 대통령 금융위원회 업무보고에서 이같은 내용을 윤석열 대통령에게 보고했다.

디지털자산에 대한 기본법 제정을 비롯해 증권형 토큰과 비증권형 토큰 관련한 법령 정비 등을 골자로 하고 있다. 금융위는 증권형 가상자산에 대해서는 '자본시장법'의 규율체계로, 비증권형 가상자산은 디지털자산기본법을 통해 규율하겠다는 방침이다.

또 금융위는 국제동향을 반영해 글로벌 암호화폐 규제와 관련한 타당성과 정당성을 확보한다는 계획이다. 가상자산이 초국적성을 가지는 만큼 이르면 오는 10월 발표될 미국의 가상자산 규제안 초안도 참고할 예정이다.

가상자산의 증권성 여부를 어느 정도까지 볼 것인지는 미국을 비롯해 유럽, 일본 등의 해석에 따라 국내에 미칠 영향이 클 것으로 보인다. 증권형 코인 기준에 따라 국내 가상자산 거래소에 상장된 코인들의 거래 가능 여부가 달라지기 때문이다.

금융위는 입법 이전에 업계의 자정 노력을 유도하고 특금법과 검·경수사 등을 통해 가상자산 사업자에 대한 감독과 소비자 보호 추진할 예정이다. 특히, 자전거래 등 가상자산 관련 불공정행위, 사기·환치기 등 불법거래에 대해서는 법무부와 검·경의 철저한 수사·단속 요청할 방침이다.

앞서 금융위 산하 금융정보분석원(FIU)은 자금세탁 방지를 위한 시장 모니터링, 가상자산 사업자에 대한 검사·감독 등을 진행하고 자전거래 등 불공정행위, 환치기 등 불법거래에 대한 수사도 진행해 왔다.

하지만 업계에서는 암호화폐와 관련한 기본법이 마련되지 않아 사업과 투자 방향성에 대한 갈피를 잡기 어렵다는 문제가 제기돼 왔다. 현재 가상자산과 관련해 국회 정무위원회에 계류 중인 법안은 모두 13개로 가상자산업법 제정안 7건, 전금법 개정안 4건, 특금법 개정안 2건이다.

계류 중인 법안들은 △가상자산거래업 인가제 △불공정거래행위 금지 △시세조정행위 금지 △가상자산 공시의무 △내부통제기준 마련의무 △예치의무 △설명의무 등 주로 가상자산 사업자 진입규제와 부정거래 금지, 투자자 보호 등에 대한 내용을 골자로 하고 있다.

하지만 해당 법안 모두 정무위 법안심사소위에 계류 중인 상태로 지난해 이후 진전이 없는 상황이다. 금융당국은 디지털자산기본법과 관련해 국회에 계류된 13개 법안 외에 내부적으로 법률안을 마련해 국회에 제출하는 방안을 검토 중이다.

이날 업무보고에서 김 위원장은 "한쪽에선 가상자산에 대한 규제를 엄격히 해야 한다고 하고 다른 한쪽에서는 혁신을 위해 규제를 강하게 하면 안 된다는 의견도 많다"고 설명했다. 규제할 것은 규제하되 지나친 제한으로 인한 시장 성장을 제한해서는 안 된다는 것이다.

그러면서 "기본적인 모델은 EU의 미카(MiCA)법, 일본의 관련 법 등을 토대로 한국의 상황에 맞게 보완해 안을 만들고 있다"며 "내부적으로 여러 안을 검토 중인데 이견이 많아 어느 정도 단계가 되면 공론화를 거칠 것"이라고 강조했다.

이어 금융위는 "디지털자산에 관한 법 제정 뿐만 아니라 범정부 협의제를 중심으로 블록체인 기술발전과 산업 육성을 지속 추진할 것"이라면서 "투자자와 소비자 보호, 새로운 기술·산업 육성 간의 균형점을 찾기 위해 시장·업계·민간전문가와 긴밀히 소통하겠다"고 설명했다.[123]

123) 금융위, '가상화폐 업권법' 제정 본격 추진/코리아아이티타임즈

7. 전망

7. 블록체인 시장 전망

가. 해외[124)]

(단위: 십억 달러, %)

구분	`18	`19	`20	`21	`22	`23	`24	CAGR
블록체인	1.1	1.8	3.0	5.0	8.4	14.0	23.5	67.3

* 출처: Blockchain Market by Component - Global Forecast to 2025, marketsandmarkets(2020)을 근거로 네모아이씨지 재가공

[그림 92] 블록체인 세계시장 전망

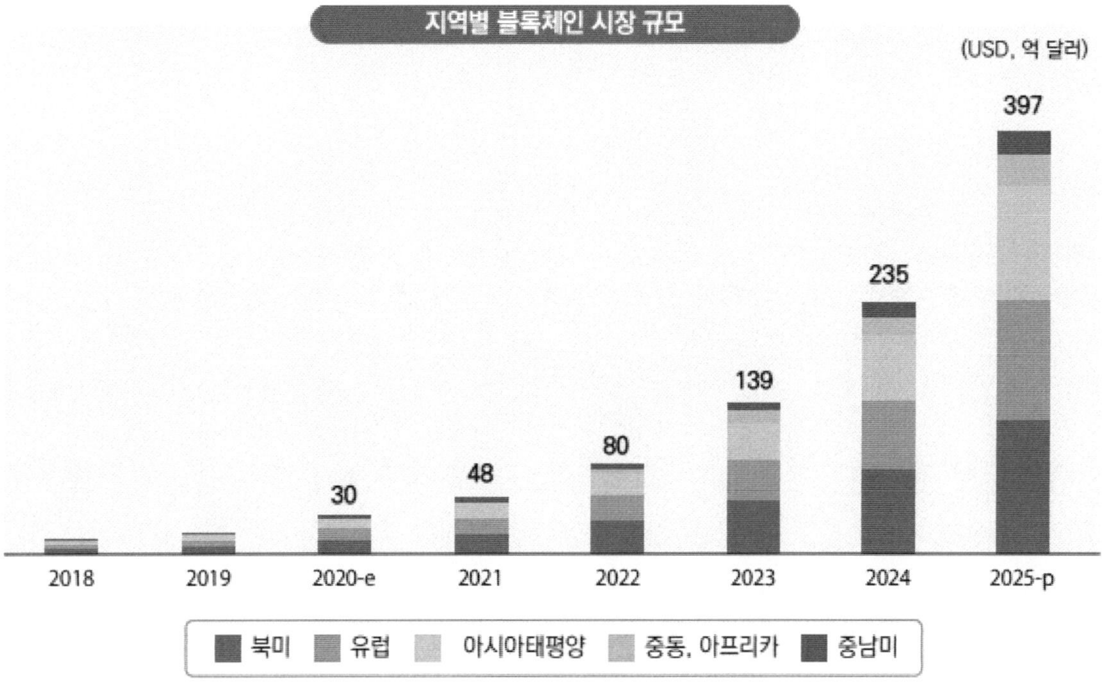

[그림 93] 블록체인 지역별 세계시장 전망

글로벌 시장조사기업인 마켓앤마켓(MarketsANDMarkets)은 세계 블록체인 시장 규모가 연평균성장률(CAGR) 67.3%로 성장하여 2020년 30억 달러(한화 약 3조 5,000억 원)에서 2025년 397억 달러(한화 약46조 5,200억 원)에 이를 것으로 전망했다.

성장 동인으로 코로나19에 따른 고강도 사회적 거리두기로 인한 경제사회 전반의 디지털화(Digital Transformation), 비대면화(Untact) 촉진이 있으며, 블록체인 기술이 확산되면서 각

124) 중소기업 기술 로드맵 2021-2023, 블록체인

국의 주도권 경쟁이 치열하며 초기 시장장악의 중요성이 대두되고 있다. 시장 초기 과열되었던 가상자산에 대한 관심이 잦아들고, 블록체인 기술과 활용 자체의 가능성이 주목되고 있다.

(단위: 백만 달러, %)

분야	2018	2020	2022	2024	CAGR
금융서비스	300	839	2,251	6,083	65
정부,공공분야	184	516	1,413	3,874	66
헬스케어	193	539	1,555	4,488	69
소매, 전자상거래	147	413	1,185	3,399	69
자동차	113	316	898	2,553	68
콘텐츠, 엔터	85	237	692	2,025	70
기타	50	141	402	1,146	68
전체	1,072	3,000	8,397	23,502	67

*출처: 중소기업 전략기술로드맵, NICE평가정보(주) 재구성

[그림 94] 블록체인 산업별 규모 전망

마켓앤마켓에 따르면 7개 분야의 블록체인 시장 중에서 금융서비스 분야가 가장 큰 규모로 성장하고, 콘텐츠 엔터테인먼트 분야가 가장 큰 성장률을 보일 것으로 전망하고 있다. IHS Markit에 따르면 금융산업과 관련된 블록체인 시장은 2030년까지 전 세계적으로 4,620억달러에 이를 것으로 예상했다.

금융산업은 2017년에 블록체인이나 분산원장기술에 17억 달러를 투자한 것으로 집계되었고, 금융부문 중 국가 간 결제와 계약이 4억 5,300만 달러로 가장 크고, 무역 금융과 PTS(Post-trade Transaction Settlements가 2억 8,500만 달러로 두 번째로 큰 시장으로 나타났다. 은행의 경우 핀테크 기술과 융합되어 기존 금융권에서 블록체인 기술 전문기업과의 제휴를 통해 다양한 분야에 활용하고 있으며, 증권거래소들은 후선관리 등 운영비용 절감, 거래기록의 신뢰 향상을 목표로 증권거래 시스템에 블록체인 기술을 도입 및 적용할 전망이다.

세계 최대 클라우드 서비스 제공자 아마존웹서비스(AWS)는 클라우드 기반 분산원장 데이터베이스인 아마존 QLDB(Amazon QLDB)와 아마존 매지니드 블록체인 서비스를 공개했다.

아마존 QLDB는 거래를 완전하고 영구적으로 기록하기 위해 투명하고 변경이 불가능한 환경을 제공하는 원장(ledger) 데이터베이스 서비스이며, 아마존 매니지드 블록체인은 널리 사용되는 블록체인 오픈소스 프레임워크인 이더리움과 하이퍼렛저 패브릭(Hyperledger Fabric)을 사용해 확장 가능한 블록체인 네트워크를 쉽게 구축하고 관리할 수 있게 해주는 솔루션이다.

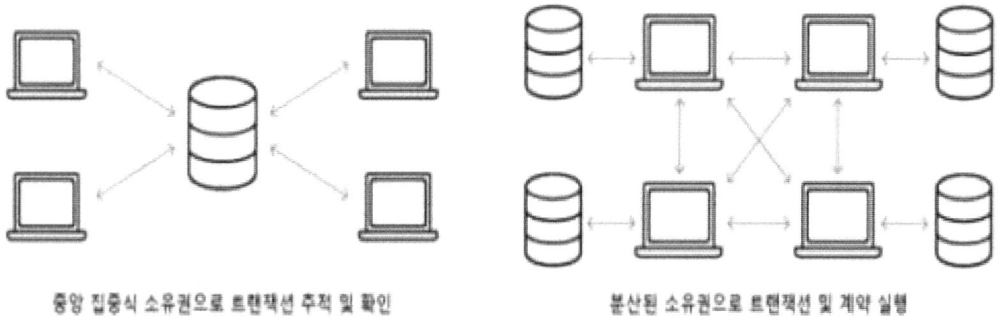

* 출처: 'AWS로 기업 블록체인 도입을 앞당긴다', 2019, 동아일보

[그림 95] 아마존 AWS의 매니지드 블록체인

또한 아마존은 취득유통구조의 투명성, 일관성, 보안성 문제 해결하기 위한 블록체인 기반 제품 인증 및 상품 추적에 관한 특허를 취득하였다.

알리바바(Alibaba)는 중국의 대형 글로벌 터미널 운영사인 초상국항만(CMP)와 블록체인 플랫폼 계약 체결하여, 비대면 무역을 실시할 수 있도록 지원하는 블록체인 플랫폼 공동 개발 및 구축 예정이다.

바이두(Baidu)는 자체 블록체인플랫폼 슈퍼체인(XuperChain) 테스트 베타버전 출시하였다. 블록체인이 필요한 기업에 맞는 앱을 배치할 수 있도록 앱 제작 환경, 스마트 컨트랙트 템플릿을 지원한다.

IBM은 ADEPT(Autonomous Decentralized P2P Telemetry) 프로젝트를 통해 IoT 환경의 신뢰성과 확장성 문제를 블록체인 기술로 극복하기 위한 계획 중이다. 금융기관을 위한 실시간 글로벌 금융결제 네트워크 'IBM 블록체인 월드 와이어(IBM Blockchain World Wire)'의 확대를 공식 발표했다. 태국 세관 당국이 IBM과 해운회사 머스크가 구축한 블록체인 비즈니스 플랫폼 '트레이드렌즈(TradeLens)' 도입하였으며, 기업 오라클(Oracle)과 블록체인 플랫폼 호환성 높이기 위해 협업, 패브릭 기반 크로스 네트워크 테스트 진행중이다.

마이크로소프트는 자사 클라우드 애저(Azure)에서 블록체인 기술을 활용할 수 있는 'BaaS(Blockchain as a Service)'를 구축하고, 애저 플랫폼을 블록체인 생태계로 유치하려는 전략을 추진하며, 분산 신원 인증(DIDs)과 관련한 백서를 출간하였다.

세계은행과 호주 연방 은행은 글로벌 개발 프로젝트에 자금을 지원하기 위해 마이크로소프트 애저 클라우드 플랫폼의 블록체인을 이용해 50~60억 달러의 채권을 이더리움 플랫폼에 출시하였다. 마이크로소프트가 공개한 '블록체인 데이터 매니저'는 애저 블록체인 내 데이터를 외부 데이터저장소에 연결하는 기능 제공한다.

구글은 2018년 블록체인 앱 개발 툴 제공 업체 Digital Asset, Blckapps 등과 파트너십을 체결하는 등 블록체인 스타트업과의 협력을 강화하고 있으며, 이를 통해 자체 클라우드 서비스로 블록체인을 제공한다. 또한, 미국 의료 서비스 업체 어센션(Ascension)과 파트너십을 체결하여 환자 진료 데이터를 수집해 블록체인 기반 의료 검색 엔진 개발 추진중이다.

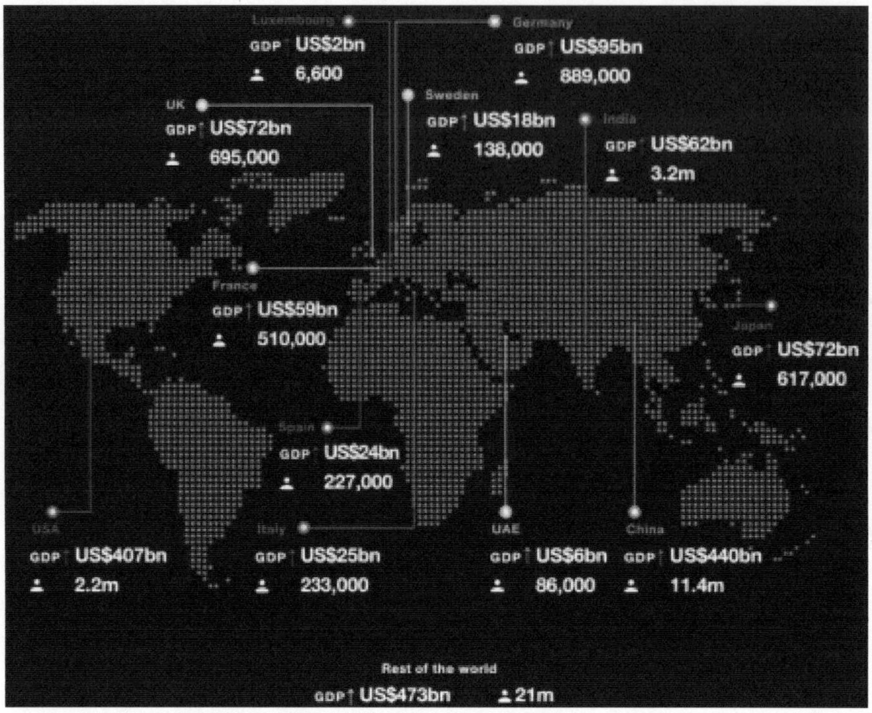

* 출처 : The trillion-dollar reasons to rethink blockchain, PwC(2020)

[그림 96] 지역별 블록체인 기여효과 전망

PwC는 2020년 발표한 'The trillion-dollar reasons to rethink blockchain' 보고서에서 블록체인이 GDP에 미치는 기여 효과가 2021년 660억 달러에서 2025년 4,220억 달러, 2030년 1.76조 달러 규모로 폭발적인 성장을 할 것으로 전망했다.

(단위: 십억 달러, %)

분야	'21	'25	'30	CAGR
출처(Provenance)	34	231	962	52
결제 및 금융 상품	17	105	433	50
신원증명	9	54	224	49
계약 및 분쟁 해결	3	18	73	49
고객 참여(Customer Engagement)	2	13	54	51
기타	1	1	14	39
전체	66	422	1,760	51

* 출처 : The trillion-dollar reasons to rethink blockchain, PwC(2020)

[그림 97] 활용별 블록체인 기여효과 전망

나. 국내

(단위: 억 원, %)

구분	'18	'19	'20	'21	'22	'23	`24	CAGR
블록체인	359	588	980	1,634	2,744	4,574	7,677	67.3

* 출처: Blockchain Market by Component,MarketsandMarkets(2020)의 데이터를 기준으로 비트코인 화폐별 거래량 중 원화 점유율 2.97%[4](코인힐스 2020.12.30.)을 근거로 네모아이씨지 재가공(환율:1100원/달러)

[그림 98] 블록체인 국내시장 규모

2018년 국내 블록체인 시장 규모는 359억 원에서 연평균 67.3% 성장하여 2024년까지 7,677억 원 규모까지 성상할 전망이다. 국내 블록체인 분야는 중소기업이 많이 진출했지만 인공지능이나 빅데이터 등 신소프트웨어에 비해 매출 발생이 현저히 낮다.

마켓앤마켓에 따르면, 국내 블록체인 시장 규모는 359억 원에서 연평균 67.3% 성장하여 2024년까지 7,677억 원 규모까지 성장이 예상된다. 국내 블록체인 분야는 중소기업이 많이 진출했지만 인공지능이나 빅데이터 등 신소프트웨어에 비해 매출 발생이 현저히 낮은 상태이다.

국내 블록체인 기업은 2018년 198개에서 2019년 237개로 증가한 것으로 조사되었으며, 신소프트웨어 분야 진출 기업 중 신소프트웨어 매출이 발생한다고 응답한 기업 비중은 클라우드(72.1%), 빅데이터(67.8%), IoT(65.7%)가 상대적으로 높은 반면, 블록체인은 실제 매출이 발생하는 기업의 비중이 30.5%에 그쳤다.

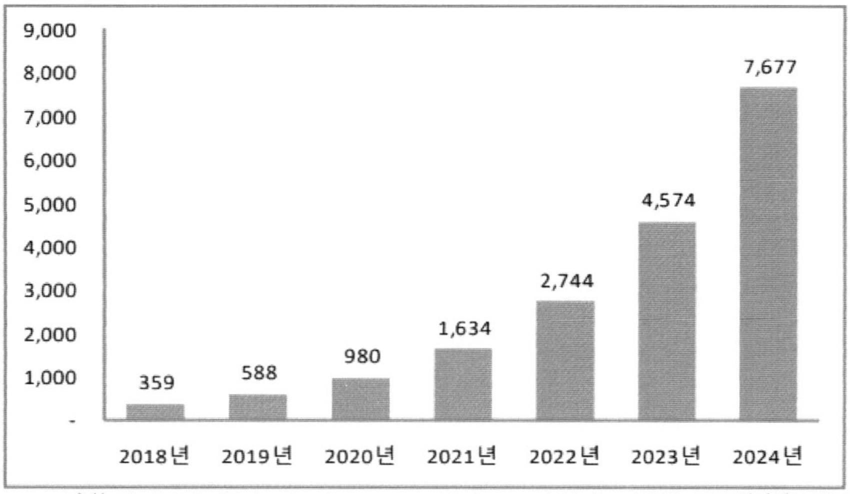

*출처: Blockchain Market by Component, Markets and Markets(2020), NICE평가정보(주) 재구성

[그림 99] 블록체인 국내시장 규모 (단위: 억 원)

2020년 신규로 충원 예정인 인력 중 현 인원 대비 신규 충원 인력의 비중이 가장 높은 분야는 블록체인으로 현재 인력의 58.3%에 해당되는 인원을 충원할 계획이 있는 것으로 나타났으

며, 블록체인 분야의 참여기업은 암호화폐 및 블록체인 관련 지원 및 사업화를 위한 투자 및 엑셀러레이터 그룹, 거래소, ICO플랫폼, 미디어 및 커뮤니티 등으로 블록체인 기술을 이용하여 플랫폼과 서비스를 만드는 그룹, 유틸리티 및 서비스, 블록체인 교육플랫폼, 마케팅 및 컨설팅 관련 기업들이다.[125]

블록체인 분야의 기술경쟁력 평가 결과, 최고기술국은 미국으로 나타났으며 우리나라의 경우는 최고기술국 대비 87% 수준으로 나타났고 중소기업은 80% 수준으로 평가되었다. 최고기술국 대비 우리나라의 기술격차는 1.3년으로 평가되었으며 중소기업의 경우는 1.8년으로 평가되었다.

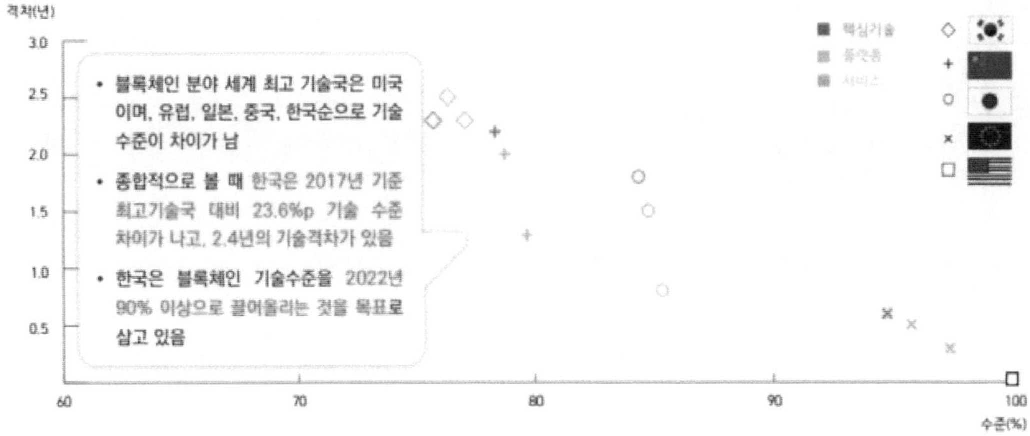

* 출처: "ICDT 기술수준조사보고서", 2017, 보통신기술진흥센터

[그림 100] 블록체인 분야별 최고기술국 대비 기술 수준 및 격차

2017년 기준 블록체인 기술경쟁력은 미국, 유럽(96%), 일본(84.8%), 중국(78.9%), 한국(76.4%)순이다. 하지만, 블록체인 전문가 대상으로 실시한 설문조사의 응답자 대부분이 향후 5년 내에는 미국과 함께 중국이 블록체인 기술의 주도권을 가질 것으로 전망했다.

125) 다양한 활용성으로 세계 경제 변화를 주도할 혁신기술/NICE평가정보(주)

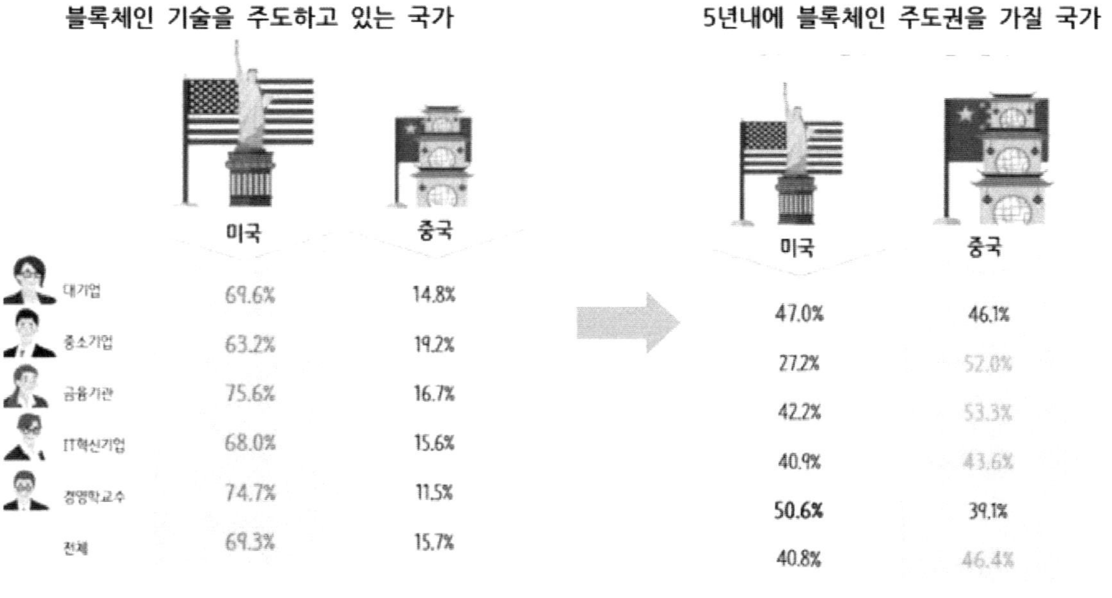

* 출처: KDI경제정보센터

[그림 101] 블록체인 도입실태 및 향후 전망에 대한 의견 조사

삼성그룹은 블록체인 기술 진출을 선언하고 스타트기업을 인수했다. 삼성전자는 2020년 암호화폐 지갑 '삼성 블록체인 월렛' 출시하였다. 위메이드의 블록체인 전문 계열사 위메이드트리와 손잡고 블록체인 플랫폼 '위믹스'를 탑재한 스마트폰 '위믹스 폰'은 토큰 보관 및 거래와 트랜잭션 확인이 가능하다.

삼성SDS의 넥스레저(Nexledger)는 블록체인 플랫폼에 기반하여 물류 이력관리 서비스를 제공한다. 세계 최대 가전·정보기술(IT) 전시회인 CES 2020을 통해 미국에 자사 블록체인 플랫폼인 '넥스레저' 수출에 성공하였다.

한화투자증권은 2019년 태국 블록체인 핀테크 업체 라이트넷(Lightnet)에 싱가포르 UOB 벤처 매니지먼트와 DU 캐피탈, 호페쉰 벤처, 시그넘 캐피탈, 중국 유니 프레지던트 에셋 홀딩스, 일본 세븐뱅크, 홍콩 해쉬케이 캐피탈 등이 함께 투자하였다. 라이트넷은 해외 송금 서비스를 제공하는 업체로 제3의 신용기관을 거치지 않고 바로 해외에 송금하도록 해 수수료 비용과 시간을 절약하는 블록체인 기반 송금 서비스 VELO를 출시하였다.

KB국민은행은 비트코인, 이더리움등 암호화폐 관리 서비스인 'KBDAC'에 대한 상표를 2020년 1월 31일에 출원하였다. 특허는 비트코인, 이더리움 등 암호화폐에 대한 거래, 정보제공, 관리, 자문, 상담, 투자, 운용 등의 내용으로 구성되었다.

카카오는 자회사 그라운드X를 통해 블록체인 기반의 토큰 '클레이(Klay)'와 블록체인 지갑 '클립'을출시하였다. 카카오톡 사용자 수는 1억 이상으로 잠재 수요층 다수, 업계에서는 단숨에 주요 암호화폐로 급부상 할것으로 예상된다. 클레이튼 블록체인 네트워크에는 LG전자, SK네트웍스, 셀트리온 등 국내외 약 29개 기업이 참여 하였다.

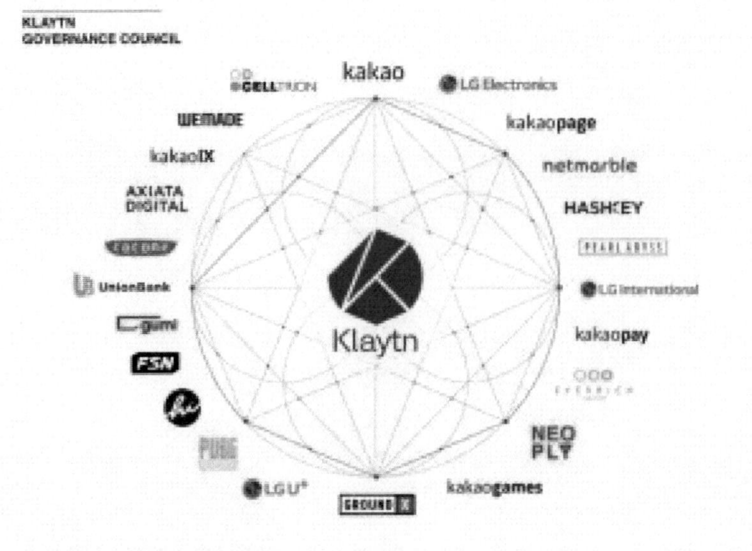

* 출처: 클레이튼 공식 홈페이지

[그림 102] 클레이튼 블록체인 네트워크 현황

아이콘루프 2020년 6월 60억 원 규모의 브릿지 라운드 투자 유치하여 총 누적 투자금 160억원 기록하였다. 금융권에서 유일하게 즉시 도입 가능한 DID 솔루션 보유한 기업으로 핀테크 혁신펀드의 조성 지원으로 향후 다양한 페이먼트 사업으로 확장할 경우 다날의 통합결제 플랫폼과 협업하면 강력한 시너지를 낼 수 있을 것이다.

롯데그룹은 대표 서비스로 하이퍼레저 패브릭 기반 자체 블록체인 플랫폼인 랄프(LALP, LOTTE Agile Ledger Platform)를 2020년 3월 출시하였다. 랄프는 기업이 기존 및 신규 서비스에 블록체인을 손쉽게 적용할 수 있도록 돕는 통합 플랫폼으로 현재 온프레미스(On-premise)와 클라우드(L.Cloud) 환경을 모두 지원한다.

8. 참고문헌

8. 참고문헌

1) LG CNS홈페이지
2) 플래티어, LG CNS와 블록체인 기반 NFT 솔루션 개발 맞손 / 더구루
3) 모바일 운전면허증 나온다…LG CNS·라온시큐어 '블록체인 증명' 접목 / 머니투데이
4) LG CNS-농협銀, CBDC 위한 시범사업 맞손 / 전자신문
5) 인크루트
6) 라온화이트햇, 3분기 SaaS형 '통합인증 서비스' 출시 / ZDNET korea
7) wanted 홈페이지
8) 인크루트
9) 삼성SDS 홈페이지
10) 삼성SDS, 클라우드 기반의 서비스형 블록체인(BaaS, Blockchain-as-a-Service) 사업 확대 나선다 / 블록체인 밸리
11) 인크루트
12) 메디블록 홈페이지
13) 구로성심병원은 왜 메디블록 '메디패스'를 택했나? / 의학신문
14) 인크루트
15) 핀테크 보안 기업 '아톤', 스마트 전자영수증 서비스 사업 진출..."2천억 원 시장 노린다. / 팍스경제
16) 두나무 홈페이지
17) 잡코리아
18) SW중심사회
19) 금융보안원
20) 하드 포크(Hard-fork) : 기존 블록체인과 호환되지 않는 새로운 블록체인에서 다른 종류의 가상화폐를 만드는 것을 말한다. 기존 블록체인의 기능개선, 오류정정, 문제점 수정 등을 목적으로 블록체인을 기존의 블록체인과는 호환이 되지 않는 새로운 방식으로 변경한다. [네이버 지식백과]
21) 블록체인의 기본, 해시란 무엇인가? ,bitweb.co.kr
22) 블록체인 핵심기술 - 2. 해시(Hash), 해시함수(Hash Function), https://needjarvis.tistory.com
23) 블록체인의 기본, 해시란 무엇인가? ,bitweb.co.kr
24) Consensus Mechanism, 코인플러그
25) <The Fintech 2.0 Paper: rebooting financial services>, Santander Innoventrues, Oliver Wyman and Anthemis group(2015)
26) [Makers Basic 6] 블록체인의 문제점과 대안, 장경재, medium.com
27) 레이어로 블록체인 확장성 솔루션/미디엄
28) 레이어2 기술과 코인 총정리/hitchblog
29) 이더리움 레이어2(L2) 솔루션 총 정리/Talken
30) 블록체인을 위한 정책 추진 방향/유성민
31) 오픈소스 블록체인 플랫폼 동향/소프트웨어정책연구소
32) 강희정·정윤정, '사례연구를 통한 블록체인 기반 안전한 서비스 도입을 위한 연구
33) 블록체인을 위한 정책 추진 방향/유성민
34) 진화하는 가치플랫폼, 블록체인 3.0/고양산업
35) '부풀려진 기대의 정점'구간은 초기의 대중성이 일부의 성공적 사례와 다수의 실패 사례를 양산해 내며 일부 기업이 실제 사업에 착수하지만, 대부분의 기업들이 관망하는 구간이다.
36) 비대면 시대의 블록체인/2020년 중소기업 전략기술로드맵
37) 모든 거래 기록도니 장부 '블록체인' 진정한 P2P시대 여는 인터넷의 미래(DBR, 2015.10), Blockchain Phenomenon(Juri Mattila, University of California, Berkeley, 2016)
38) <블록체인이 기업의 경쟁력을 바꾼다!>포스코경영 연구원
39) 과기정통부, 2021년 블록체인 시범사업에 15개 과제 우선 선정/산학뉴스
40) R3/해시넷
41) 글로벌 213개 기업 중 57% 블록체인 도입 어려움 겪어/헬로티
42) 금융정보화추진협의회, '금융회사 분산ID 서비스 운용 및 공유체계 표준' 제정/블록체인밸리
43) 블록체인,다양한 활용성으로 세계 경제 변화를 주도할 혁신기술/NICE평가정보(주)
44) 올 상반기, 세계 블록체인 특허 출원 미국 1위, 한국은 5위/디지털투데이
45) 블록체인 관련 특허출원 '폭발적 증가'/전기신문
46) <블록체인의 활용 분야>, 창조경제연구회(KCERN)

47) 비트코인의 다양한 결제를 허용하는 최전선에 있는 전 세계 '핫 스팟' 10개 도시 어디?/글로벌이코노믹
48) 오늘부터 국내서도 비트코인 결제 가능해진다/파이낸셜뉴스
49) 의약품 냉장유통, 블록체인-IoT로 구현…마크애니/파이낸셜뉴스
50) 블록체인, 4차 산업혁명의 기반기술로 진화할까?/KDI 경제정보센터 자료연구팀
51) 블록체인 기반 온라인 부동산 경매 플랫폼 '경매야' 특허출원/벤처스퀘어
52) "안전한 헬스케어 데이터 중개 플랫폼, 블록체인이 대안"/메디파나뉴스
53) 디지털 뉴딜 본격화, 블록체인으로 시동 : 코로나19로 의료분야 주목
54) 네이버·카카오, 블록체인 운전면허로 신원확인한다,/파이낸셜뉴스
55) 속도내는 CBDC…은행권, 블록체인 기술 확장 '속도전' / 아시아타임즈
56) 언택트 보험의 시대/BRAVO
57) 해시 함수(혹은 Hash로 표기)는 임의의 길이의 입력 메세지를 고정된 길이의 출력값으로 압축시키는 함수이다. 데이타의 무결성 검증, 메세지 인증에 사용한다. 해시 함수는 일방향성과 충돌 회피성이라는 2가지 성질을 만족해야 한다. 먼저, 일방향성은 주어진 해시 값 h에 대해서 H(x)=h를 만족하는 값을 찾는 것이 계산적으로 불가능한 것을 말한다. 다음, 강한 충돌 회피성이란 주어진 x에 대해 H(x)=H(y)를 만족하는 임의의 입력 메세지 y(x)x)를 찾는 것이 계산적으로 불가능함을 뜻한다. [네이버 지식백과]
58) POW로 통칭하는 '작업증명'은 기본적으로 특정한 난이도의 작업을 수행했음을 증명하는 기법이며, 해당 작업의 어려움은 난이도에 맞게 설정되어 있어야 하지만 그 작업이 완료되었음을 확인하는 것은 쉬워야 한다. 여러 가지 방법이 작업증명에 사용될 수 있는데, 비트코인의 경우 위에 언급된 'Hashcash'방식을 통해 작업증명을 한다.
59) 블록체인 피넥터 보고서
60) Matthaus Wander 재구성
61) 블록체인 피넥터 보고서
62) 뉴스쏙:속]가상화폐 '검은 수요일'…비트코인 폭락 왜?/노컷뉴스
63) 규제 찬바람 부는 가상자산 거래소/머니에스
64) 금융위, '가상화폐 업권법' 제정 본격 추진/코리아아이티타임즈
65) [브랜드평판] 업비트, 가상화폐거래소 2022년 6월... 1위/비욘드포스트
66) [가상자산 거래소 탐방] 시장 점유율 압도적 1위 업비트 성공 비결/인사이트코리아
67) 잦은 해킹·서버마비, 내년엔 달라질까/팍스넷뉴스
70) 세그윗은 이같은 문제를 해결하기 위해 거래 기록에서 서명(Witness)을 분리(Segregated)해 그 용량만큼 거래 내역을 더 포함할 수 있게 만드는 것이다. 이 과정을 거치면 현재 처리량보다 최대 4배 정도 더 많은 처리가 가능해진다.(추가 설명 1MB base + 기존의 witness(서명) 공간에서 발생하는 3MB정도의 확장 효과)
71) 발행될 수 있는 코인 양이 1000억 개로 한정돼 있으며 채굴 방식을 사용하지 않는 가상화폐
72) 코인 종류만 1만 개 넘는다고?…쉽게 보는 코인 분류법 [코인노트]/매일경제
73) 테라·루나, 도지코인, 라이트코인…문제적 코인, 백서 다시 들춰보니/비즈한국
74) 前 OCC 청장대행 "리플-SEC 합의 도달 전망" 등/매일경제
75) [네이버 지식백과] 중앙은행 디지털화폐
76) [경제특집] 달러 패권에 도전하는 암호화폐의 미래는?/월간중앙
77) [네이버 지식백과] 디파이
78) [IT강의실] 알트코인(Altcoin)이란 무엇인가?/IT동아
79) 암호화폐 2.0 개념은 비트코인 시스템을 결제 수단 뿐 아니라 전자 메신저 등 다양한 분야에 적용해 활용범위를 넓히고자 한 것이다.
80) ICO(Initial Coin Offerings)는 '가상화폐공개'를 뜻하는 말이다. 기업 설립 후 가상화폐를 활용해 기업에 필요한 자금을 조달하는 형태다. 비트코인 등이 주목받으면서 새로운 자금 조달 방식으로 주목받고 있는 개념이다.
81) 에이다(암호화폐)/나무위키
82) 블록체인 신흥 강자, '솔라나'란 무엇인가?/CIO뉴스센터
83) 블록체인 기반 혁신금융 생태계 연구보고서/과힉기술정보통신부
84) '인터넷 은행' 뜨자 위기감…은행들, '가상자산'으로 반전 노린다/한경코리아마켓
85) 카드 긁으면 코인으로 결제… 블록체인 영역 넓히는 카드사/국민일보
86) [단독] 금투협, 물건너간 세계 최초의 꿈… 업계 블록체인 인증 무산/머니에스
87) 키움증권, 블록체인글로벌과 MOU 체결…가상자산시장 공략 본격화/위키리크스한국
88) SK증권, 디지털자산 수탁업 뛰어든다…증권사 최초/한경코리아마켓
89) PG(Payment Gateway)社는 신용카드사와 가맹점 계약을 체결하는 것이 곤란한 중소 쇼핑몰을 대신

해 카드사와 대표 가맹점 계약을 맺고 신용카드 결제 및 지불을 대행한 뒤 하부 쇼핑몰에서 수수료를 받는 업체다.
90) 카드사 횡포에서 벗어나고픈 꿈/팍스넷뉴스
91) 다양한 활용성으로 세계 경제 변화를 주도할 혁신기술 "블록체인"/NICE평가정보(주)
92) [아주경제 코이너스 브리핑] 가상화폐, '대폭락장' 지속/아주경제
93) 가상자산 투자 소득 과세 2년 유예… 2025년부터 적용/머니에스
94) 가상화폐 과세제도 논란과 향후의 바람직한 정책방향/ifsPOST
95) 가상화폐 딜레마 빠진 정부…선진국은 '단계적 제도화'/MTN뉴스
96) [블록체인 칼럼]비트코인과 알트코인 시장지배력/전자신문
97) Commodity Exchange Act, CFTC Regulations
98) 미국의 가상화폐 과세 현황과 추진 방향/코트라
99) 비트코인으로 쇼핑을? '암호화폐 결제방식' 늘리는 美 소매업계/코트라
100) '스테이블 코인 합법화'에 초점 맞추는 영국의 가상화폐 규제 전략 분석/사)한국블록체인스타트업협회
101) 주요국의 가상자산 소득과세 제도 현황과 시사점/국회입법조사처
102) 주요국의 가상자산 소득과세 제도 현황과 시사점/국회입법조사처
103) 독일, 암호화폐 라이선스 지침 발표..."재무건전성·리스크 관리 역량 입증해야"/토큰포스트
104) 가상화폐 정책, 왜 일본은 실패했을까/더칼럼니스트
105) 주요국의 가상자산 소득과세 제도 현황과 시사점/국회입법조사처
106) 일본의 새로운 암호화폐 규제안, 도난당한 디지털 자산 압류할 수 있어/비인크립토
107) 중국, "모든 암호화폐 거래 불법" 규정…이전과 다른 점은?/코인데스크코리아
108) [집중분석] 피할 수 없는 국제적 금융 흐름, '디지털 화폐'/경향게임스
109) 중국, 암호화폐 금지에도 비트코인 채굴 2위 국가로 급부상/글로벌이코노믹
110) [글로벌포스트] 러시아 재무부, 가상자산 규제 법안 발의/파이낸셜뉴스
111) "러시아, 가상화폐 세금 징수액 연간 15조원 예상"/코인판뉴스
112) 국제결제망 퇴출된 러시아 "암호화폐 결제수단 인정할 것"/조선비즈
113) 주요국의 가상자산 소득과세 제도 현황과 시사점/국회입법조사처
114) 싱가포르 금융당국 "테라·3AC, 우리나라 기업 아냐...허가 준 적 없다"/토크포스트
115) 아시아 '가상자산 허브' 싱가포르...규제로 입지 축소?/블록포스트
116) [분석] 주요 10개국 암호화폐 과세 가이드라인/중앙일보
117) 싱가포르 국세청, 암호화폐 과세 개정 지침 공개/토큰포스트
118) 아시아 국가별 가상화폐 규제 비교/Asia Business Law Journal
119) 인도, 가상자산 거래세 적용에 거래 60% 넘게 급감/이투데이
120) 태국, 가상화폐 무단거래 5년 징역형…강력 디지털자산거래법 시행/아시아투데이
121) 태국 "규제 승인 거래소 이용하면 부가세 7% 면제"/토큰포스트
122) 주요국의 가상자산 소득과세 제도 현황과 시사/국회입법조사처
123) 금융위, '가상화폐 업권법' 제정 본격 추진/코리아아이티타임즈
124) 중소기업 기술 로드맵 2021-2023, 블록체인
125) 다양한 활용성으로 세계 경제 변화를 주도할 혁신기술/NICE평가정보(주)

초판 1쇄 인쇄 2022년 12월 27일
초판 1쇄 발행 2023년 1월 09일

편저 미래기술정보리서치
펴낸곳 비티타임즈
발행자번호 959406
주소 전북 전주시 서신동 832번지 4층
대표전화 063 277 3557
팩스 063 277 3558
이메일 bpj3558@naver.com
ISBN 979-11-6345-407-6(13560)
가격 32,000원

이 도서의 국립중앙도서관 출판예정도서목록(CIP)은 서지정보유통지원시스템 홈페이지(http://seoji.nl.go.kr) 와국가자료공동목록시스템 (http://www.nl.go.kr/kolisnet)에서 이용하실 수 있습니다.